357477 3

D0410420

PROUST
ET SES MÉTAMORPHOSES

DU MEME AUTEUR :

La promesse accomplie, poèmes, Paris, 1921 *(Epuisé).*

L'amitié de Proust (Cahiers Marcel Proust, n° 8), Gallimard, 1935 *(Epuisé).*

Parousie, poèmes, Corréa, Paris, 1938.

Symbole de la France (avec un poème liminaire de P. Claudel), La Baconnière, Neuchâtel, 1943.

Charles de Gaulle, Portes de France, Porrentruy, 1944 et 1946 *(Epuisé).* (Traductions allemande et finnoise.) 20ᵉ mille.

Victor Hugo, introduction et choix de textes. I. Proses, II. Poésie, en collaboration avec P. Zumthor (Cri de la France), L.U.F. 1943-1945.

Trois poètes, Hopkins, Yeats, Eliot, L.U.F. Fribourg et Paris, 1947 *(Epuisé).*

Outrenuit, poèmes, G.L.M. Paris, 1948.

Mohamed-Aly et l'Europe (en collaboration avec René Cattaui), Geuthner, Paris, 1949 (couronné par l'Académie des Sciences Morales et Politiques).

Marcel Proust, préface de Daniel-Rops, Julliard, Paris, 1950. 9ᵉ mille. (Prix Femina-Vacaresco).

Léon Bloy, avant-propos de Pierre Emmanuel (Coll. « Les Classiques du xxᵉ siècle »), Ed. Universitaires, Paris, 1954 et 1961, 2ᵉ éd., avec préface de J. Maritain.

Marcel Proust (documents iconographiques), éd. P. Cailler, Genève.

Charles de Gaulle (Coll. « Les Témoins du xxᵉ siècle »), Ed. Universitaires, Paris, 1956 *(Epuisé).*

T.S. Eliot (Coll. « Les Classiques du xxᵉ siècle »), Ed. Universitaires (couronné par l'Académie Française) (trad. anglaise et italienne).

Marcel Proust, avant-propos de P. de Boisdeffre (Coll. « Les Classiques du xxᵉ siècle »), Ed. Universitaires, Paris, 1958 6ᵉ mille. (trad. anglaise et italienne).

Saint Bernard de Clairvaux ou l'esprit du Cantique des Cantiques, Gabalda, Paris, 1960 (trad. anglaise).

Architettura barocca, Studium, Rome, 1962.

Jules Hardouin Mansart (en collaboration avec P. Bourget), Vincent Fréal, Paris, 1960.

Charles de Gaulle, l'homme et son destin, Fayard, Paris, 1961.

Proust perdu et retrouvé (La Recherche de l'Absolu), Plon, 1963.

C. Cavafy, Seghers, Poètes d'Aujourd'hui, 1964.

Péguy, témoin du temporel chrétien, Ed. du Centurion, 1964 (trad. italienne).

Orphisme et Prophétie chez les poètes français, Plon, 1965 (couronné par l'Académie Française).

L'Art Baroque et Rococo, Ed. Arthaud *(sous presse).*

Claudel. Le cycle des Coûfontaine et le mystère d'Israël. Desclee De Brouwer, 1968.

Georges CATTAUI

PROUST
ET SES MÉTAMORPHOSES

A.G. NIZET
PARIS
1972

0357877

UNIVERSITY
OF SUSSEX
LIBRARY

à Louis BOLLE

TABLE DES MATIERES

PROLOGUE

UNE VOIX D'OUTRE-TOMBE

LE CYCLE DES METAMORPHOSES

> *L'homme véritable, à savoir le Gé-*
> *nie poétique, est la source.*
>
> W. BLAKE
>
> *Je suis véritablement d'outre-tombe.*
>
> A. RIMBAUD
>
> *Mon livre m'a créé : c'est moi qui*
> *fus son œuvre.*
>
> J. MICHELET

L'art de Proust est tel qu'il se métamorphose, qu'il se transfigure sous nos yeux. Le temps semble s'être chargé de parachever son œuvre. Il poursuit « pour un temps illimité une part au moins de sa vie ». Son roman n'a pas pour nous la même signification qu'il eut pour ses premiers lecteurs. Cent ans après sa naissance, cinquante ans après sa mort, il semble venir à nous « d'une planète où lui seul a habité ». Combien cette gloire posthume épurée ressemble peu à la notoriété de mauvais aloi qu'il connut de son vivant. Ce n'est qu'aujourd'hui que nous commençons à pleinement apprécier les « dessous » et les « effets de silence » de son œuvre, « sorte de création perpétuellement continue. » Le Proust « désincarné » de la postérité a créé « des formes qu'il prend dans un monde surnaturel et exclusivement personnel à lui... »

Depuis son adolescence, Marcel Proust n'ignorait pas ce que
voulait le poète qui vivait en lui. Grâce au *Temps Retrouvé*,
« les rapports nouveaux aperçus brusquement par le génie
entre les parties séparées de son œuvre » se rejoignent, vivent
et ne pourraient plus se séparer. Proust savait que « l'esprit
d'un artiste continue à modeler, bien des années après qu'il
s'est éteint, la statue qu'il sculpta ».

Plus encore que Chateaubriand, Proust s'est voulu « d'outre-tombe », il a convoité cette sorte d'existence posthume, de
vie ultérieure, que serait son œuvre, véritable contre-chant et
revers de son existence réelle ; il nous a transmis sa *Recherche* et son *Temps Retrouvé* comme une « bouteille à la mer »,
un codicille, un palimpseste, un message chiffré, parlant aux
générations futures. Ne savait-il pas que « l'écriture », comme
l'entendait Kafka, « est un sommeil plus profond : donc une
mort » ? Proust, consciemment, faisait ce que Victor Hugo
appelait « son œuvre de fantôme ». (Mais on a dit que toute
création laisse derrière elle « ses fantômes »). Proust pensait
que « l'âme d'un grand écrivain lui survit dans ses œuvres ».
L'existence posthume de Proust se poursuit à travers sa *Recherche*, qui n'a pas de fin. Nous y participons nous-mêmes.
C'est ce qui la rend impérissable. Dans ce livre — que son
auteur reconnaissait parfois être indécent — ce qui nous
émeut, c'est tantôt l'écho d'une voix évangélique, tantôt le
« rite sacrificiel » accompli par l'écrivain... « Il peut mourir
sans regret, comme l'insecte qui se dispose à la mort après
avoir déposé ses œufs. » Proust mort revit dans l'œuvre pour
laquelle il a donné sa vie : c'est, à nos yeux, une véritable
transfiguration. Il a résorbé l'intuition en l'acte créateur. Il a
créé au-delà de ce qu'il savait, de ce qu'il voulait. C'est pourquoi son œuvre ne s'est pas arrêtée après sa mort. Avec une
consternante lucidité, il s'est vu cesser de respirer et de vivre :
mais il se savait survivant. Son langage est chargé de puissances métaphoriques inconnues. Par des images imprévues, il
cherche à perfectionner la conscience de soi, dont il fut, en
quelque sorte, l'investigateur le plus rigoureux. Proust a donc,
comme Mallarmé, « donné un sens mystique à son destin. »
Il a suivi la dictée de son siècle : il n'a pas échappé à la fascination du langage où les modulations se superposent de proche en proche en une insaisissable multiplicité. *Tacitement et
inlassablement,* il a répété la même phrase « d'ornementation
arabe » qui signifie à la fois *mort et résurrection*, car « tout
doit revenir, comme il est inscrit aux voûtes de Saint-Marc ».

Il nous entraîne vers des perspectives inconnues. La mort seule a donné aux créations de Proust « leur figure, leur couronnement, leur consécration ». La mémoire ne fait pas seulement vivre les morts : elle les multiplie. Le grain mort a porté beaucoup de fruit. (Proust insinuait qu'en toute sa vie il n'avait « jamais vécu, mais survécu »).

Proust écrivait : « Mais quelquefois l'avenir habite en nous sans que nous le sachions et nos paroles qui croient mentir dessinent en nous une réalité prochaine. » C'est pourquoi, loin de ne voir en Proust que le génie de la rétrospection, je suis enclin à penser qeu son don essentiel était celui de l'anticipation, de la prophétie et du présage. Son œuvre offre une unité d'atmosphère liée à sa parole et, sous les ruptures apparentes, une cohérence parfaite, avec une étrange combinaison d'objectivité et d'imagination. Ainsi Proust, le revenant, le revenu, hante-t-il encore les nuits de son lecteur. S'il a retrouvé le temps, ce n'est pas pour restaurer le passé, mais pour instaurer l'avenir avec une simplicité terrifiante. Connaissant la vertu de l'absence, il abandonnait à ses exégètes le soin de parler pour lui, laissant « l'initiative aux mots ». Son personnage de vivant masquait à ses amis l'aspect prémonitoire de son texte. Il pouvait en cela se comparer à Dante : il est descendu chez les morts, et il en est remonté vivant. « Mais déjà j'avais traversé le fleuve aux nombreux méandres, j'étais remonté à la surface où s'ouvre le monde des vivants. » A la vaine amitié, à la camaraderie mondaine, qui se dissipe en palabres, en stériles échanges, Proust a voulu substituer une nouvelle amitié par la communion esthétique et l'œuvre d'art. Chacune de ses pages s'adresse à chacun de nous, et toujours à notre propre niveau. Proust n'a pas fini de nous surprendre. Le temps travaille pour lui — ce temps à l'aune duquel il a bâti son monument, ce temps avec lequel il n'a cessé de collaborer, ce temps qui a « déterminé la forme de son œuvre ». Il vit ainsi parmi nous une existence posthume presque mythique, plus réelle peut-être que la vie claustrée et végétative de l'égrotant qu'il fut, du somnambule, du demi-mort, du prisonnier qu'il voulut être. Le voici qui poursuit « pour un temps illimité une part au moins de sa vie », puisque, par la lecture

_____

(1) *S.G.* II, 762. Kafka disait : « On ne se développe à sa manière qu'après sa mort », et Milosz : « Je n'ai vécu en quelque sorte que pour avoir à quoi survivre ».

de son livre, des étrangers, des inconnus deviennent chaque jour ses confidents, ses amis. Son œuvre indépendante semble exécuter « la volonté d'un mort ». (Valéry). C'est bien là cette forme de « communication des âmes » dont il avait rêvé lorsqu'il nous recommandait de nous pencher sur nous-mêmes, de nous examiner avec probité afin de livrer aux autres la partie la plus inaliénable de notre personnalité. Proust laisse au lecteur une part d'initiative qui lui permet d'élaborer son propre rêve en partant du texte. Il sait qu'un « hasard seulement peut mettre en présence de nos paroles le cœur fraternel et à jamais inconnu qui saura les ressentir ». Il voulait, on l'a dit, que nous fussions non lecteurs mais « viveurs » de romans. (2) Son « inexplicable cœur », il désire nous l'expliquer. Car, « une fois qu'on a réglé exactement les cœurs, on peut voir sur des cadrans différents la même heure ». Il sait pourtant que « quelqu'un assis devant un piano et essayant cent mille manières de combiner les notes » ne découvrirait jamais la mélodie du Quinzième Quatuor de Beethoven. Ainsi, la mémoire de ses souvenirs entrecroisés lui apportait « la consistance d'une riche orchestration des heures qui sans elles passeraient grêles et linéaires ».

Puisque la *Recherche* est le produit d'un autre « moi » que celui qu'il manifestait dans ses habitudes, dans la société, dans ses vices, Proust essayera de recréer ce *moi*, de l'identifier, en plongeant au fond de lui-même. L'art demeure pour lui le seul moyen de livrer « la partie réelle et incommunicable de nous-même », en un mot de livrer « l'ineffable de notre moi individuel », de sortir de nous. Proust n'écrit que pour changer d'être : il devine en son cœur la présence de l'Autre. « L'amitié, qui a égard aux individus, est une chose morte, tandis que la lecture est une amitié sincère », « un merveilleux miracle », par « une communication au sein de la solitude » ; or « notre sagesse commence où finit celle de l'auteur ». Combien l'effort de l'artiste qui crée dépasse celui de l'homme qui se contente de lire l'œuvre d'un autre ! Ce sera là cette « sainte prostitution de l'âme » que recommandait Baudelaire, cette « communion universelle » où le sujet et

---

(2) Il écrit : « Dans la solitude, faisant taire ces paroles qui sont aux autres autant qu'à nous, et avec lesquelles, même seuls, nous jugeons les choses sans être nous-mêmes »... et il affirme qu'il a cherché dans l'art « une réalité plus profonde où notre personnalité trouve une expression que ne lui donnent pas les actions de la vie ».

l'objet s'absolvent l'un l'autre. Telle est la force oraculaire de
Proust, chez qui la profondeur est une perspective bien dédui-
te. Il disait : « J'étais comme un homme à qui on a confié
un message... Je me sentais chargé d'une commission plus
importante que moi et qu'il fallait que je fasse. Je pouvais
mourir après.» Proust est de ces grands esprits dont Hugo
remarque qu'ils paraissent « comme les mondes, se soutenir et
se mouvoir dans le vide »... Dans sa vie, les dates se chevau-
chent, les années s'embrouillent, il n'y a plus d'empreintes sur
la neige qui fond... Proust a pu se comparer à l'un de ces
« voyageurs voilés » qui viennent de temps en temps frapper
à notre porte et qui nous parlent notre langue natale si nous
leur permettons de franchir notre seuil. Son roman est un
cheminement de l'homme vers lui-même, « présence de l'être
aimé à lui-même, restitution des *signes* que nous avons failli
perdre en pays étranger ». (3) Comme l'*Hypérion* d'Hölderlin,
c'est « un roman entre deux mondes », la « juxtaposition de
deux univers ». Proust explore ce que D.H. Lawrence appelle
« l'arrière-pays de l'âme ».

Proust tenait par dessus tout — il l'a dit à son traducteur
anglais Scott-Moncrieff — à « l'amphibologie voulue » des
termes *temps perdu* et *temps retrouvé*. On peut lui appliquer
les mots de Valéry sur Mallarmé : « Il se consumait à tenter
de *composer le temps et le moment*, tourment de tous les artistes qui pensent profondément à leur art ». Il a donc recomposé
« le velours inimitable des années ». Combien nous trouvons
dans l'œuvre de Proust de « réalités télescopées », de « con-
tractions de figures », enfin de « transmutations d'images » !...
Il disperse ainsi dans le temps des faits disparates. Sa sensibilité demeure en éveil à ce qu'il y a de plus fugitif et de plus
imperceptible. Dans ce long monologue intérieur et cette sorte
d'autobiographie fictive ou psychique, nous sentons que quelque chose d'indéfinissable nous guette (4). C'est tantôt comme
« la seconde » d'un moment de conscience » et tantôt comme
« une immanence au réel immédiat ». Il condense des événements distants les uns des autres, en une véritable apocalypse.
Il semble nous conduire vers quelque *terra ignota*, lieu scéni-
que de son roman, par delà l'horizon, bien que son regard ne

---

(3) R. Kanters, « La Grèce d'Hölderlin », *Figaro Littéraire*, 27.1.66.
(4) Semblable à celle d'Albertine, l'écriture de Proust, « sans être
idéographique », a seulement « besoin d'être lue à rebours ».

cesse de percevoir « l'humble réalité du présent ». Proust écrivait : « Les lieux que nous avons connus n'appartiennent pas
au monde de l'espace où nous les situons pour plus de facilité. Ils n'étaient qu'une mince tranche au milieu d'impressions contigües qui formaient notre vie d'alors : le souvenir
d'une certaine image n'est que le regret d'un certain instant, et
les maisons, les routes, les avenues sont fugitives, hélas, comme les années ». Parfois, Proust paraît écouter la respiration
du silence, lorsqu'il fait alterner les temps et les moments et
lorsqu'il décrypte l'alphabet intelligible du palimpseste. Il voit
apparaître devant lui « toujours de nouveaux souvenirs
enchantés », invisibles l'instant d'avant, et que sa mémoire lui
présentait l'un après l'autre sans qu'il pût les choisir.

*
**

Les personnages de la *Recherche* s'enferment tous dans un
rôle, ce qui est une façon d'être fou. Cependant, certaines
obsessions charnelles permettent à ceux qui en sont affligés de
voir au-delà des préjugés de leur temps et de leur milieu.
« L'univers des poètes et des musiciens, si fermé au duc de
Guermantes, s'entr'ouvre pour M. de Charlus ». Proust s'empresse toutefois d'ajouter : « Le poète est à plaindre, et qui
n'est guidé par aucun Virgile, d'avoir à traverser les cercles
d'un enfer de soufre et de poix, de se jeter dans le feu qui
tombe du ciel pour en ramener quelques habitants de Sodome ». S'il n'était pas, comme Nerval, guetté par la démence,
Proust n'en demeurait pas moins un être étrange, singulier,
excessif. C'est ce qui l'a poussé à souligner avec tant de force
les oppositions entre le moi de tous les jours, que ses amis
croyaient connaître, et l'inspiré, le prophète qui prenait la
plume, écrivant sous la dictée d'un mystérieux génie. Il semble
alors conclure un pacte avec la mort, avec l'ombre, et son rêve
unit l'amour à la mort. La voix de Proust nous entraîne dans
ces limbes où ses héros défunts poursuivent une étrange existence allégorique. Là, l'érotisme « insinuant et diffus » du
poète mêle encore un certain charme à la réalité, « à mi-pro-
fondeur, au-delà de l'apparence elle-même ». Proust connaissait le péril qu'il y a à s'approcher trop du mystère et du
sacré. N'a-t-on pas dit de Hoffmann qu'il se sentait devenir
fantôme ? Il n'était plus d'ici. Mais le poète est toujours
d'ailleurs.

*
**

Bien qu'elle soit un langage différent, « une voix différente », la poésie est faite pour exprimer la même anxiété de l'homme. En voulant, selon la leçon de Mallarmé, traduire le « sens mystérieux des aspects de l'existence », Proust assume donc la « seule tâche spirituelle » et nous livre son « expérience affective ». Il avait écrit *Jean Santeuil* « avec cette idée de rythme, cette intention de faire du roman une sorte de poème ». « On peut, disait-il, faire rimer des situations ou des personnages comme on fait rimer des mots, on peut même se contenter d'allitérations. » Cette profonde ressource, ce « ressourcement » originel, c'est encore là l'un des propos de Proust, qui n'hésite pas à se donner le nom de « poète ». Créer des personnages, les faire mouvoir au cours d'une intrigue, éclairer tour à tour leurs divers aspects discordants, ne lui suffit pas ; il connaît le côté malgré tout un peu vain de toute « affabulation ». Ce qu'il désire accomplir, c'est en rêvant, en pensant à fond les mots — ressusciter pleinement « l'idée obscure et la sensation passée », c'est-à-dire achever l'élaboration de l'œuvre en cours dont il « annonce la naissance », car il sait que « l'œuvre d'art n'est pas une affaire de technique mais de vision ». Sa *Recherche* tient donc autant au langage et au mythe qu'au récit plus ou moins autobiographique, à l'anecdote plus ou moins contemporaine qu'elle semble évoquer. Proust voyait dans l'art une « réalité plus profonde où notre personnalité trouve une expression que ne lui donnent pas les actions de la vie ».

*
* *

Le créateur auquel le romancier a confié ses aspirations les plus hautes, Vinteuil, est moins dans la ligne de Jean-Christophe — le héros de ce Romain Rolland pour lequel Proust se montra parfois injuste — que dans la tradition des musiciens conçus par les Romantiques allemands, et tout particulièrement de ce Stemitz dont Jean-Paul nous dit que « les sons les plus hauts font se briser en larmes le cœur humain, comme des résonnances à l'aigu font éclater des verres... » Proust a fait de Vinteuil un être aussi plein de contrastes et de contrariétés qu'il l'était lui-même, — Proust semblable tout à la fois à l'auteur du *Septuor* par sa puissance créatrice et à la triste fille hommasse du musicien par ses penchants... D'où l'humanité de ces deux caractères étroitement liés et chez lesquels nous retrouvons ce dont *Jean Santeuil* nous avait déjà fait pressentir le germe.

Chez Proust, l'artiste, cet être passionnément enfantin, est
« littéralement jeté en proie au jeu » ; il chante « la louange
de ces influences mystérieuses et pourtant aussi manifestes, de
ces imitations infantiles sur la conduite de la vie, sur la mise
en valeur de ses dons naturels ». L'infantilisme est, chez lui,
la permanence d'une activité puérile arriérée et la marque de
son empreinte. L'inconscient affleure et se joue à chaque instant dans la limpidité de sa conscience, où il devient fécond en
produisant, dans le roman, l'union de la psychologie et du
mythe. Il a mis quinze ans à mûrir la *Recherche*, qu'il n'avait
pas « achevée » lorsque la mort l'a saisi, bien que le mot FIN
ait été inscrit à l'avance. (5) Il appartient donc, comme Gœthe,
aux tempéraments lents. (6) Lorsqu'une chose le frappe, il
« s'efforce d'agglomérer à cette motte de glaise sur laquelle il
travaille » tout ce qui lui advient « sans jamais donner d'autre
objet à ses pensées et à sa réflexion. » Le livre est « gonflé
de distance en distance, comme un bel arbre, de ces nœuds
où est là l'image végétale du seul arbre qui soit : la croissance
et la vie ».

« Telle est bien cette croissance silencieuse et naturelle...
presque pareille à celle d'une plante, qui, partant de débuts
insignifiants, en vient à exprimer l'univers ». Des impressions
ou « des conceptions qui remontaient au temps de son adolescence, gardées en lui pendant des dizaines d'années, nour-
ries de toute la substance de sa vie » (7), telle est également la
démarche essentielle de sa production. Le génie de Proust
vient typiquement « d'un contre-poids mal établi, où le vital
est le plus faible et l'organique le plus fort » (8). L'excédent
a prédominé. La maladie est pour lui, comme pour Pascal, un
état naturel où l'on se perfectionne. Le temps qu'il a jadis
perdu dans les plaisirs, il le retrouve ou le redécouvre aujour-
d'hui dans les souffrances. Son âme est pleinement vivante
dans l'infirme. C'est une rupture des nerfs, où « la maladie
animale » est unie à la « santé de l'esprit ». Il « corporalise
ou matérialise ce qui est spirituel » (9). Et chez lui, comme
chez Jean-Jacques, « la chair touche l'esprit ». Proust savait

(5) ...« dans ces grands livres-là il y a des parties qui n'ont eu le
temps que d'être esquissées ».
(6) Cf. Thomas Man, *Noblesse de l'Esprit*.
(7) Thomas Mann, *Ibid.*
(8) Joubert.
(9) *Ibid.*

que, parfois, c'est dans les coins respectables et même sacrés de notre inconscient que nos tendances les plus perverses sont — par l'effet ou l'empreinte d'un premier contact — allées chercher leur source à l'âge où notre personnalité sexuelle n'est pas fixée. L'amant d'Albertine devinait qu'il n'y a qu'un seul langage pour exprimer par un corps une adoration. Dans cette alternance du sacré et du profane, certains commentateurs ont voulu voir un sacrilège. Cependant, sa plus grave crise psychique, dans sa jeunesse, fut d'éprouver une étrange incompatibilité, non pas avec les autres, mais avec soi-même. Il y aura donc, dans son œuvre, un perpétuel désir d'arrachement, d'ascèse et de mortification.

*
**

Proust a, mieux que tout autre, compris la valeur de l'hyperbole, de la redondance, de la répétition, de la reprise, réitération et récurrence, enfin des parallélismes et des convergences. Les structures de Proust se définissent par leurs articulations autant que par leurs desseins. La *Recherche* est une sorte d'autobiographie spirituelle qui va de la vie à l'écrit ; mais Proust a saisi dans son expérience une série de correspondances universelles. Il sait que le langage est créateur : Proust « s'actualise dans le discours du passé ». (10) On trouve chez lui un « diatonisme presque barbare », les « enivrantes dissonances de certaines liturgies ». On voit combien Proust diffère de Bergson en ce qu'il reconnaît dans une évolution des points de rupture et de discontinuité. D'où les cassures de son récit. Il ne rechercherait pas le temps perdu s'il ne l'avait déjà retrouvé, « comme reviennent les choses dans la vie », car « tout doit revenir ». Il a traité les milieux bourgeois et provinciaux de Combray, ainsi que les Juifs et les Guermantes, un peu à la façon d'un ethnologue traitant une société primitive qui a sécrété ses rites. Il y a d'ailleurs, chez Proust lui-même, « un malade, un primitif et un enfant ». On a pu dire que « le malade est le portrait retrouvé de la maladie ». Proust parle par symboles : son inconscient « nous apprend à déchiffrer son langage dans le rêve »... Il écrit : « La beauté des images est à l'arrière des choses. »

_____

(10) Cf. J.M. Auzias, *Clefs pour le Structuralisme*.

Proust a clairement exposé son dessein : « Il me fallait donc rendre leur sens aux moindres *signes* qui m'entouraient, Guermantes, Albertine, Gilberte, Saint-Loup, Balbec, etc... » (11) « On eût dit que les signes qui devaient ce jour-là me tirer de mon découragement et me rendre la foi dans les lettres avaient à cœur de se multiplier ». La mémoire de Proust implique « la contradiction si étrange », la « douloureuse synthèse de la survivance et du néant ». Créer une œuvre d'art est pour lui « le seul moyen de retrouver le temps perdu ». Il distingue d'ailleurs, dans ses instants d'illumination, les réminiscences, les « résurrections de la mémoire » et les « vérités découvertes à l'aide de figures ». Il s'agit pour Proust de retrouver « la première apparence qui contient l'essence de son être ». Son œuvre héraclitéenne nous offre « cette perpétuelle recréation des éléments primordiaux de la nature qu'on contemple devant la mer ». Proust est, à sa façon, un grand créateur de mythes. Parfois sa pensée semble foisonner, fourmiller, proliférer dans tous les sens. C'est une étrange « sécrétion ». « Le génie artistique, dit-il, agit à la manière de ces températures extrêmement élevées qui ont le pouvoir de dissocier les combinaisons d'atomes ».

**

Le monde où nous fait pénétrer toute nouvelle lecture de Proust est un monde inconnu, que nous n'eussions pu concevoir, car chaque fois que ses richesses nous semblent épuisées et que nous essayons d'en imaginer d'autres, nous faisons comme ces poètes qui remplissent « leur prétendu paradis de prairies, de fleurs, de rivières qui font double emploi avec celles de la terre », alors que ce qu'il nous offre à nouveau chaque fois, tout en étant aussi beau, est *autre* : après « l'aube liliale et champêtre », le « berceau de chèvre-feuilles » de Combray, ce sera par exemple, « la mer... par un matin d'orage déjà tout empourpré » que nous verrons surgir, tirant du silence et de la nuit l'univers inconnu de Balbec. Et les différents éléments s'exposeront tour à tour pour se combiner à la fin, comme dans le *Septuor* de Vinteuil en « l'appel ineffable mais suraigu de l'éternel matin », que nous offre le *Temps*

_____

(11) Sur ce sujet, lire G. Deleuze, *Proust et les Signes.*

Retrouvé. Il nous semble alors que, réincarné, l'auteur vit à jamais dans son œuvre, car, « venu à son heure et fixé à son rang dans l'évolution » littéraire, Proust, par ses audaces, nous mène de trouvaille en trouvaille et nous révèle le trésor insoupçonné de sa grande fresque — « comme Michel-Ange, attaché à son échelle et lançant, la tête en bas, de tumultueux coups de brosse au plafond de la Chapelle Sixtine ».

**

Proust disait lui-même : « Il en est d'un monument comme d'une personne. Il s'impose à nous par un signe qui a généralement échappé aux descriptions qu'on nous en a données ». Bien que je croie avec Malraux que la métamorphose des œuvres d'art est aussi peu prévisible que celle des mythes, je sens qu'à chaque génération nouvelle Proust apparaît sous un jour nouveau. Le côté 1900 de son œuvre s'efface. L'Américain Faulkner et le Russe Pasternak se sentent singulièrement proches de lui ; Butor, Beckett, Le Clézio, Claude Simon ne le trouvent pas moins actuel (12). A quoi tient cette présence ? Au don de métamorphose. « Le romancier est un héros métamorphosé ».

Nous sommes parvenus à « distinguer sous les paroles l'air de la chanson », à découvrir un lien profond entre deux idées, deux sensations, à sentir entre deux impressions une harmonie très fine, en un mot à déceler « la prédilection et l'essence de l'esprit » du romancier. Proust pensait que l'on ne peut juger des chefs d'œuvre du passé que si on les considère du point de vue de celui qui les écrivait. La *Recherche* nous donne une joie qui, dans un sens que nous comprenons mal, survit à la mort, « s'adressant en nous à quelque chose qui du moins n'est pas sous son empire ». On peut également insinuer que « l'intention d'un écrivain et la signification subjective qu'a pour lui son œuvre ne coïncident pas toujours avec la signification objective de celle-ci ». La causalité n'aboutit souvent que « quand nous avons cessé de vivre ».

Proust a parlé d'un « certain sentiment de métempsycose » comme d'une des choses auxquelles, dans son roman, il était

---

(12) « Les intuitions les plus fécondes de la psychologie et phénoménologie existentielles sont déjà présentes chez Proust ». (R. Girard).

le plus attaché. De même, Swann goûtait dans la « petite phrase » de la sonate de Vinteuil « le raffraîchissement d'une métamorphose ».

Toute l'œuvre de Proust, comme celle d'Ovide, eût pu porter le titre : *Les Métamorphoses*. Le grand cycle du Temps Perdu et Retrouvé que nous montre-t-il sinon des avatars, des transfigurations, des envoûtements semblables à ceux que produit l'art du sorcier, du *djinn* des *Mille et Une Nuits*, ou le mauvais sort jeté par la fée des vieux contes ? Métamorphose poétique des sociétés et des coteries — les Guermantes, les Verdurin, les Bloch — que brasse un mouvement continuel, en vertu des changements de critères et de hiérarchies, de la puissance des courants ascendants et descendants, des phénomènes d'osmose, de la fusion des classes, enfin de l'action destructive du Temps ; métamorphoses des objets, qu'opère la conscience et que l'art réalise à son tour : « Elstir ne pouvant regarder une fleur qu'en la transportant dans ce jardin intérieur où nous sommes forcés de rester toujours » ; métamorphoses enfin et surtout des individualités qui, sous nos yeux, se transforment d'heure en heure, l'auteur ayant pris soin, à l'opposé de la plupart des romanciers français, de « défendre ses personnages contre la simplification du drame. » Proust savait qu'un être est tant d'êtres différents selon les personnes qui le jugent. Il cherchait une « vue optique » offrant, sur plusieurs plans à la fois, les aspects successifs d'une personne. « J'ai l'impression de quitter une personne, disait-il, pour aller vers une autre qui en est distincte »...

*

Selon le conseil qu'il nous a donné, nous aimerions présenter aux lecteurs de Proust une espèce de « caisse de résonnance » et de « mémoire improvisée » où les paroles de la *Recherche* éveilleraient « des échos fraternels », car c'est « la première tâche de tout critique » de nous offrir ce « diapason ». Par le choix de nos références — plutôt que d'énumérer les clefs inopérantes et rouillées des personnages, lesquels sont des *types* inventés — nous voudrions suggérer les clefs des thèmes et des « motifs » de son œuvre, afin d'exprimer « la mystérieuse ressemblance » qu'on trouve en chacun de ses écrits, Proust ayant eu le don de « sentir sa propre essence dans les choses ». Les passages auxquels je reviendrai le plus souvent seront ceux où le poète, le moraliste et le romancier s'unissent pour évoquer l'amour, la mort, les éléments, le vieillissement des êtres, et ce qu'il appelle « les intermittences du cœur ». Selon Proust, la beauté du style étant le signe infaillible que la pensée s'élève, « qu'elle a découvert et noué les rapports nécessaires entre ces objets que leur contingence laissait séparés », la première tâche du critique devrait être d'aider le lecteur à être impressionné par les caractères les plus singuliers d'une œuvre, de placer sous ses yeux les traits essentiels du génie d'un écrivain. « S'il a senti cela, et aidé à le sentir, son office est à peu près rempli. »

Chez Proust, il l'a souvent souligné lui-même, le chercheur est tout ensemble son esprit et « le pays obscur où il doit chercher et où tout son langage ne lui sera de rien ».

L'œuvre de Proust nous fait pressentir dans le passé l'ombre de l'avenir et nous révèle que « les êtres sont plus occultes que les astres ». Le voici qui poursuit « pour un temps illimité, une part au moins de sa vie » : il perçoit que ce qu'il y a de plus réel dans la littérature est le résultat « d'une sorte de découverte dans l'ordre spirituel ou sentimental, une décantation des éléments sensibles de ce monde ». Proust voyait dans une telle littérature la dernière expression de la vie. Pour lui, « le devoir et la tâche d'un écrivain sont ceux d'un traducteur qui déchiffre une donnée obscure, encore étrangère, et nous en offre la traduction ». On pourrait dire de son œuvre qu'elle est une *reconnaissance* dans les divers sens qu'assume ce mot : exploration en terre inconnue, gratitude, réminiscence, retrouvailles, identification... Dans le parcours accidenté où Proust nous aventure, nous voyons passer les « fantômes de l'intelligence », les figures fantastiques de son monde imaginaire. Une procession de vices grimaçants semble défiler sous nos yeux. Il nous montre « les fils supportant la prévarication de leurs pères, les filles perpétuant le geste vénal de leurs aïeules »... Il dénonce de mauvaises vertus et réhabilite des tares fécondes. L'art est pour lui « le dernier stratagème d'une sensibilité en peine de renoncement ». A son tour, il souffre « l'agonie emblématique » de ce Baudelaire en lequel il reconnaît « le prophète le plus désolé depuis les anciens prophètes d'Israël ». Proust semble avoir éprouvé toutes les angoisses vitales et métaphysiques. Il détecte la proximité de la mort et de la vie, leur ambiguïté, ce qui fait que l'une semble se nourrir de l'autre. Il sait que « la vie utilise, dénature dans une perpétuelle prostitution les legs les plus respectables, parfois les plus innocents du passé ». Ironique et macabre, il avance toujours plus avant dans la connaissance de soi-même. En vain le malade cherche-t-il à extirper son vice : Dèjà la métastase envahit tous les organes.

Comment ne pas admirer chez Proust ces alternances d'insomnie et de somnolence du récit, où le lecteur égaré ne sait plus s'il est en plein somnambulisme ou bien à l'état d'hypnose, tant le réel et l'irréel composent d'insidieux mélanges ? Sa pensée est un perpétuel dialogue avec soi.

Ce poète de l'inconscient, du sommeil et du rêve, ce dormeur est, par excellence, l'homme éveillé, celui qui veille, celui qui cherche à prendre de soi-même une pleine possession, qui s'efforce péniblement de passer à l'état de conscience absolue, d'accumuler en soi la substance et l'essence même de son être conscient, objectif, permanent. Est-ce même son *moi* qu'il nous offre ? Non. En ses fuites et retrouvailles, n'est-ce pas plutôt un *soi* supérieur : notre moi commun à nous tous qui le lisons et qui, l'écoutant, croyons entendre notre propre voix jusque-là tue, ignorée ? Un moi ? Oui, mais le moi multiplié d'un Narcisse qui, non content de se mirer, de se voir brisé, réfracté, dissous, écoulé par le flux, semble se féconder soi-même en une parthénogénèse continue. Un moi tout occupé sans cesse à mourir, tout absorbé par sa propre mort à venir ; un moi qui se dédouble en devenant Albertine ; qui se multiplie en se faisant Swann, Bergotte, Charlus, Elstir, Vinteuil et sa fille, Legrandin, tante Léonie... Car Proust fait plus que refléter : il est miroir ; il fait mieux que donner : il se donne. Il se fait notre pâture et nous livre son cœur « mis à nu », comme avait voulu le faire ce pauvre Baudelaire qu'il aimait, en qui il reconnaissait son frère et son maître, malade comme lui, monstrueux comme lui, enfant comme lui et comme lui génial. Le plus étrange c'est que cet homme angoissé, nerveux, sans espérance humaine ni divine ait produit une œuvre qui nous laisse une impression d'une vaste sérénité.

*
**

Le monde de Proust, néanmoins, est le monde vacillant des mauvais rêves qui tournent en rond. Il compare un masochiste qui se fait fouetter à cette femme transformée en chien qui, dans *Les Mille et Une Nuits*, doit être battue pour retrouver sa forme première. Afin de nous saisir davantage en nous mon-

trant les mutations des choses, Proust nous avertit lui-même
que, dans son œuvre, « au lieu de présenter les choses dans
l'ordre logique, c'est-à-dire en commençant par la cause », il
« nous montre d'abord l'effet, l'illusion qui nous frappe ». Il
se réclame de Dostoïevsky, et même de Mme de Sévigné, qui
ne procédaient pas autrement. Il nous fait ainsi découvrir
« une réalité cachée, révélée par une trace matérielle ». Il
cherche une métamorphose des objets représentés. Il sait que
« les noms qui désignent les choses répondent toujours à une
notion de l'intelligence étrangère à nos impressions véritables,
et qui nous force à éliminer d'elles tout ce qui ne se rapporte
pas à cette notion ». Comme Elstir, avant de peindre, il se fait
ignorant, il oublie tout par probité, « car ce qu'on sait n'est
pas à soi ». Il ne nous expose donc pas les choses telles qu'il
sait qu'elles sont, mais selon les illusions d'optique dont notre
vision est faite. Ainsi, le sentiment de *vérité* l'emporte sur la
réalité, car le problème de l'art est dans « la soumission de la
réalité à l'action de l'esprit ». Le peintre Elstir prépare l'esprit
du spectateur en n'employant pour peindre une ville, un port
breton, que des termes marins, et que des termes urbains pour
peindre la mer. Proust dégage en tout, « de la forme même,
l'esprit individuel et transcendant qu'il y a dans chaque chose
de la nature et de l'homme ». Il s'agit avant tout de « convertir les sensations en un équivalent spirituel ». C'est une
fécondation de l'âme arrachée à la durée par le soudain suspens.

La vérité esthétique que poursuit Proust ne commencera
qu'au moment « où l'écrivain prendra deux objets différents,
posera leur rapport, analogue dans le monde de l'art à celui
qu'est le rapport unique de la loi causale dans le monde de la
science, et les enfermera dans les anneaux nécessaires d'un
beau style »... (13) Il est donc essentiel d'opposer à la dialectique du rhéteur, à la sèche énumération du « naturaliste », à
la stérile érudition de ces « célibataires de l'art » que sont les
dilettantes, les amateurs de musique ou d'archéologie, l'effort
fécond du créateur qui cherche à dégager l'impression profonde à demi engainée dans l'objet, à déceler ce petit sillon

---

(13) La phrase se poursuit : « ...ainsi, quand en rapprochant une
qualité commune à deux sensations, il dégagera leur essence en les
réunissant l'une et l'autre pour les soustraire aux contingences du temps,
dans une métaphore, et les entraînera par le lien imprescriptible d'une
alliance de mots ». (*T.R.* II, p. 39).

que creuse en nous une phrase musicale ou la vue d'une église.
« La réalité que l'artiste doit enregistrer est à la fois matérielle et intellectuelle ; la matière est *réelle* parce qu'elle est
une expression de l'esprit ».
   L'artiste nous révèle de strictes affinités, des correspondances furtives. Entre certains êtres, entre certaines choses,
une entente invisible existe, une harmonie préétablie qui ne
demande qu'à être éveillée. L'univers aspire obscurément à
entrer en contact avec nous. Il dépend de nous de rompre le
sortilège qui rend muettes les choses et de les aider à dégager
leur âme prisonnière.
   Proust demeure pour nous l'introducteur d'une poésie du
réel transfiguré, sacralisé par la métaphore et l'analogie. Il
nous offre « une métamorphose des choses représentées, analogue à celle qu'en poésie on nomme métaphore » (14). Il possède le don de nous faire passer insensiblement d'un règne à
l'autre, d'une espèce à l'espèce la plus imprévue : c'est ainsi
que la mer lui semble « l'aïeule de la terre », une vieille alié-
née qui poursuit — « comme au temps où il n'existait pas
encore de vivants — sa démente et immémoriale agitation » ;
Albertine est tantôt une grande déesse du temps », tantôt
« une longue tige en fleur, qui dort comme une plante, ayant
dépouillé ses différents caractères d'humanité, animée de la
vie inconsciente des végétaux et des arbres » ; et son sommeil
est comme une émanation mystérieuse, un clair de lune, un
zéphyr marin, féérique, « aussi délicieux que les nuits de
pleine lune dans la baie de Balbec devenue un lac où les bran-
ches bougent à peine, où, étendu sur le sable, on écoute sans
fin se briser le reflux » ; Venise est, comme Combray, une
vieille ville de province, pleine de survivances médiévales, où
cependant la vie intime, paroissiale, se trouve magnifiée et où
l'on jouit d'une vue ininterrompue du petit peuple mêlé familièrement aux gloires de la République ; mais c'est aussi un
jardin fabuleux, plein de fruits, d'oiseaux de pierre de couleur, fleuri au milieu de la mer qui vient la raffraîchir... ;
« le bruit d'une conduite d'eau est « pareil à ces longs cris
que parfois l'été les navires de plaisance faisaient entendre le
soir au large de Balbec » ; au restaurant du Grand Hôtel de ce
même Balbec, un des servants « emplumé de cheveux noirs »

---

(14) III, 889. Lucette Moulin a dit que la *Recherche* est « une métamorphose de la vie en écriture », une « tentative de métamorphose d'une
qualité en espace ».

apparaît comme un de ces « aras » qui « remplissent les grandes volières des jardins zoologiques de leur ardent coloris et de leur incompréhensible agitation » ; et les caissières, derrière leurs massifs de fleurs, semblent « deux magiciennes occupées à prévoir par des calculs astrologiques les bouleversements qui pourraient se produire dans cette voûte céleste conçue selon les systèmes du moyen âge » ; enfin le restaurant de Rivebelle est lui-même « une nasse où miroitent au regard d'éclatants poissons ». On a pu noter que les métaphores de Proust sont à la fois « précieuses » et « cohérentes », qu'elles nous rendent « le mensonge de notre première impression ». Il anime les choses inanimées en leur prêtant de véritables sentiments : « pierre maussade », « nuage oisif », « odeurs casanières », « sourires de soleil »...

Les variations des points de vue et des perspectives de Proust sont, il le dit lui-même, aussi nombreuses « que les métamorphoses d'Ovide », et non moins grotesques que celles d'Apulée. Barrès avait remarqué « l'incroyable abondance de ses enregistrements ». Qu'il s'agisse d'un paysage, d'une phrase musicale, d'une peinture ou d'une personne, Proust nous présente chaque fois des points de vue nouveaux qui modifient, enrichissent ou démentent les précédents. Il sait pourtant que c'était sa première idée, sa première vision qui, « dans l'éclair d'une intuition », avaient été les vraies. « Pour être exact, dit-il, je devrais donner un nom différent à chacun des « Moi » qui dans la suite pensa à Albertine ; je devrais plus encore donner un nom différent à chacune de ces Albertine qui apparaissaient devant moi, jamais la même ».

L'esprit de Proust « est plein de manifestations des lois mystérieuses » ; la pensée de ces lois se sent assez forte pour sortir de l'homme caduc. Nous devons « essayer d'apprendre son langage et son secret ». Proust a reçu le « don de poésie » qui va devenir pour lui « le centre de la vie morale ». Il s'est laissé modeler par la vie de l'art ; il est devenu « à sa ressemblance, soucieux de beauté ». C'est à la recherche du « gisement le plus profond » de son âme qu'il s'est voué. Il aime à voir « sourdre en lui » les sentiments qu'il ne connaît pas encore ; il se laisse absorber dans « un océan de substances spirituelles. » Il se sent « préposé par la nature à la conservation de quelque dieu habitant en lui, dans les marais de son

_____

(15) I, p. 754.

esprit ». C'est à cela que tient ce qu'un penseur anglais a pu appeler « la valeur ascétique de l'œuvre ». La place de Proust est au milieu de ces artistes — un Cézanne, un Debussy — dont la génération précéda de peu la sienne : « Aux grands sujets, dit-il, aux grandes structures, aux actions d'éclat, ils ont substitué une vision plus ténue, une recherche plus intime, une exigence plus intérieure, des vertus moins éclatantes. » Mais, n'ignorant rien des grands courants gnostiques de l'humanité, il a voulu retrouver la clef perdue des symboles et des allégories par lesquels le moyen âge français, à la fois géomètre et platonicien — celui des imagiers de Chartres — a traduit ses aspirations et ses croyances, car tout grand art est un cheminement vers Dieu, vers l'Absolu, l'Inconnaissable.

*
* *

Proust estimait que « c'est la littérature qui nous empêche de craindre la mort » : « si tant de jeunes gens ont été héroïques, c'est qu'ils ont pu, grâce à la littérature, connaître et prendre contact avec les expériences des héros ». « De ma vie passée, dit-il, je compris encore que les moindres épisodes avaient coucouru à me donner la leçon d'idéalisme dont j'allais profiter aujourd'hui ». Proust cherchait « les rapports secrets, les métamorphoses nécessaires qui existent entre la vie d'un écrivain et son œuvre, entre la vie et l'art, ou plutôt « entre la vie et la réalité même ». Non seulement les personnages de Proust, mais le Narrateur lui-même sont en incessante mue. Tous les thèmes de la *Recherche* sont si étroitement tissés qu'il est malaisé de résumer ce roman sans en fausser le dessein ou le rythme.

Certes, Proust ne recherche pas dans le langage la racine de « l'inhumain », mais il admet que l'homme porte en soi des germes de perversion qu'il faut dénoncer. Longtemps épris des choses changeantes, Proust veut être désormais témoin pour les autres, en vertu de sa révolte. Il pense que « l'existence n'a guère d'intérêt que dans les journées où la poussière des réalités est mêlée de quelque sable magique ». La *Recherche* est une perpétuelle confrontation de Proust avec soi. Sa vie est assez semblable à celle de l'Enfant Prodigue de la parabole. Ce n'est qu'en esprit qu'il a quitté la maison paternelle, certes ; mais quel vide n'a-t-il pas connu dans « ces cimetières oublieux et fleuris » que sont les salons parisiens ! Le pays lointain où Proust s'est aventuré, ce n'est pas seulement celui de la luxure, c'est celui de l'oubli de Dieu, c'est-à-dire de l'oubli de l'Esprit. Il est enfin revenu à lui-même : Voici le Temps Retrouvé, après les errances au pays de la Dissemblance. Il est allé à la dérive pendant l'adolescence, buvant une eau sans substance, gaspillant sa ressemblance avec Dieu. Mais le temps sera le principe de ses métamorphoses.

*
* *

Lire Proust est un acte de déchiffrement, de décryptement, comme s'il s'agissait d'une partition musicale. Tout son roman n'est qu'une variation de rapports, un entrelacement, une métamorphose de formes. Il y a chez lui non seulement composition mais organisation. Il nous rend sensible « le continu mélodique », bien qu'on ait pu opposer sa discontinuité à la continuité bergsonienne. (16) Mallarmé disait que la musique vous parle de vous-même et vous raconte le poème de votre vie. Le roman de Proust ne fait pas autre chose : l'œuvre est musique par sa structure essentielle. Proust était un auditif, plus encore qu'un visuel, un tactile, un olfactique. Et sa phrase, comme celle de Wagner, « s'élève, retombe, se hisse un peu plus haut que le palier précédent... pic fragile qu'à peine atteint elle dévale ». (17) Mais Proust est encore un voyant. L'œil fixé sur le rétroviseur, il fonce sur l'avenir. Son œuvre est métamorphose du temps, métamorphose de l'espace, métamorphose des êtres et des choses.

Ainsi que pour Dostoïevsky, les choses que Proust évoque ont parfois lieu *après* : Il y a dans son génie un caractère quasiment prophétique. Ne voulait-il pas être par dessus tout le poète de la métaphore et de la métamorphose ? Sans cesse sa Daphné, pour lui échapper, se transforme en laurier. Divers événements sont des présages de ce qui doit arriver. Sous nos yeux, Swann, Odette, le Narrateur, Charlus, Gilberte, Oriane, Albertine, Mme Verdurin, Bloch subissent les métempsychoses, les avatars les plus déconcertants. Qui reconnaîtrait l'ancien modèle d'Elstir, l'ennemie des gens titrés, des « ennuyeux » dans celle qui devient la seconde épouse du prince de Guer-

---

(16)) Cf. G. Poulet et J. Wahl.
(17) Dominique Fernandez, *Lettre à Dora*.

mantes ? Il y avait en Proust un grand « comédien », un véritable mîme, ses amis nous le disent. C'est là ce qui lui permettait de s'identifier avec chacun des personnages si différents qu'il évoque, fait vivre et parler devant nous ; car il était d'humeur intempestive et portait en lui bien des caractères qui se combattaient ou se succédaient. Avec quelle cruelle lucidité il s'est examiné. On pourrait dire de lui, comme de Diderot : « Rien ne dissemble plus de lui que lui-même. » S'il avait, dans sa jeunesse, pris le nom de Santeuil, c'est sans doute parce qu'il ressemblait au poète latin du XVIIᵉ siècle dont La Bruyère nous a peint les contradictions subites dans ce « caractère » auquel il donne le nom de Théodas. Il en est ainsi des « hardis contrastes successifs » de Proust.

Il prenait conscience de ses propres transformations et modifications en les comparant à l'identité des choses. Il cherche « l'essence cachée sous les métamorphoses », « symboles de transmutation ».

Evoquant la souffrance que Dostoïevsky ressentait, parmi sa vie de détenu, de ne pouvoir jamais être seul, Proust insinue qu'il est « des présences plus gênantes à écarter que celles des hommes qui au moins vous sont extérieurs »... ; « ce sont les présences intérieures ». Proust songeait à lui-même, à sa maladie, aux douleurs affreuses, au malaise abrutissant que lui donnait une fièvre constante. Mais il note aussitôt que « les travaux forcés furent pour Dostoïevsky le coup favorable du sort qui ouvrit en lui la vie intérieure ». Assurément, Proust, en disant cela, savait que la maladie avait joué dans son existence le même rôle libérateur que la détention dans celle du romancier russe.

*
**

Non seulement Proust nous fait comprendre les individus qui semblent le plus éloignés de nous, le plus étrangers, mais il nous révèle « cette existence que nous aurions pu ne jamais connaître : *nous sommes nous-mêmes* ». Et Proust ajoute : « Nous sommes le véritable Protée qui revêt successivement toutes les formes de la vie ». La *Recherche* supplée à tous les théâtres en les rappelant intérieurement. Proust a connu comme Stendhal le plaisir de se sentir vivre à plusieurs exemplaires. Il aurait pu dire de lui-même ce qu'il disait à un ami : « Vous avez un style comme les téléphones prédits qui montreront en même temps le visage de la personne. »

Le roman de Proust est l'histoire d'un homme à la recherche de lui-même. (18) Dans ce récit, la participation du lecteur est constamment sollicitée. Il est peu de romanciers moins conformistes que Proust. Il a fait subir à ce genre une mutation plus importante que toutes celles qu'on a connues depuis Balzac. Nous trouvons en cette œuvre des dialogues où chacun parle à un niveau différent. Il y avait en Proust un acteur de génie qui pouvait se muer tour à tour en chacun de ses personnages, même les plus médiocres. Il n'est pas seulement le « locuteur », il est tour à tour Swann, Legrandin, Bergotte, Elstir, Vinteuil... Il ose l'impossible. Il fait faire des choses extravagantes à chacun de ses pantins articulés, et pourtant il n'en demeure pas moins humain, pas moins vrai. Il vit simultanément, et de l'intérieur, l'existence de chacun de ses personnages.

Bien qu'il pense, avec Montaigne, qu'il y a « de la puérilité à essayer de faire du langage, comme pour lui assurer sa tâche la plus noble, un instrument de silence », Proust, dans son roman, ressuscite les heures mortes et nous donne une image fidèle de « sa réalité ». Sa « description obstinée » est toujours en motion. Il n'est rien dans le style de Proust qui ne corresponde à un mouvement de l'âme de l'écrivain, acharné contre le temps.

Les premiers lecteurs de Proust se sont lourdement trompés en voyant dans la *Recherche* l'équivalent romancé du « Lac » ou de « La Tristesse d'Olympio » (19). N'a-t-il pas lui-même répondu d'avance ; « Les lieux fixes contemporains d'années différentes, c'est en nous-mêmes qu'il vaut mieux les retrouver. Le jardin où nous avons été enfants, il n'y a pas besoin de voyager pour le revoir. Il faut descendre pour le retrouver. L'excursion ne suffit pas pour visiter la ville morte : les fouilles sont nécessaires... Certaines impressions fugitives et fortuites ramènent bien mieux encore vers le passé, avec une précision plus fine, d'un vol plus immatériel, plus vertigineux, plus infaillible, plus immortel que ces dislocations organiques ». A ces impressions « fortuites et fugitives », Proust avait d'abord donné le nom de « sensations-souvenirs ». Il opposait cette réminiscence affective à la mémoire volontaire

---

(18) Et l'on a pu dire que c'est aussi « un récit à la recherche de lui-même, » une œuvre « qui décrit sa propre naissance ».

(19) Proust insinuait que les détails ôtent au roman *artiste* toute valeur *logique*.

qui ne nous donne du passé que des relevés abstraits. On trouve déjà, au Moyen Age, chez saint Bonaventure, cette même distinction que Proust reprochait à Bergson de ne pas avoir exprimée et qui faisait, pensait-il, l'originalité de sa théorie. (C'est, à peu de chose près, ce que T.S. Eliot appelait le « corrélatif objectif »).

Les analyses de Proust lui ont permis de « découvrir la clef d'un langage chiffré » : Il est le Champollion de ces hiéroglyphes, il a compris le langage de leurs symboles.

Portant la réverbération de tant de soleils éteints, l'œuvre de Proust n'est pas seulement « le miracle des temps devancés » ; elle est comme un grand fleuve qui reçoit les tributs de ses affluents ; elle est pour nous « un arc-en-ciel qui unit... notre monde à des régions... jugées jusque-là inaccessibles ».

La *Recherche* a conduit Proust là où il est arrivé sans le savoir. Comme on l'a dit, « c'est grâce à la pluralité des desseins de l'artiste qu'une œuvre est quelque chose de concret ». Proust savait aussi qu'il devait remporter une victoire sur le style de son époque avant de trouver l'intonation de sa propre voix. La volonté d'innover se traduit souvent par un retour à une tradition plus ancienne, oubliée, qu'on invoque contre l'exemple des prédécesseurs immédiats. Malgré les conseils de ses amis effrayés de son audace, Proust écrit : « Je ne peux modifier le résultat d'expériences morales dont je suis obligé de donner la communication avec une bonne foi de chimiste. » Il se sentait d'ailleurs « en désaccord avec les moins bêtes de ses contemporains ».

Proust nous dépeint la Société française entraînée « dans un mouvement quasi historique ». Il a voulu illustrer l'action du temps sur le milieu et la transformation complète de la société en moins de trois générations. Il proclame que « le monde est le royaume du néant ». Ne souligne-t-il pas la grossièreté, la bêtise des mondains, leur absence d'esprit et de goût, l'instabilité de leurs jugements ?

Proust nous a confié que, « ne faisant point de distinction entre les classes, « il avait cependant une certaine préférence pour les ouvriers et, après cela, pour les grands seigneurs, sachant qu'on peut exiger d'eux plus de politesse envers les ouvriers qu'on ne l'obtient des bourgeois ». Proust voit dans les gens du monde des illettrés, incapables de comprendre la poésie de leur propre milieu ; leurs plaisirs desséchants lui causent le malaise provoqué par l'ingestion d'une nourriture abjecte. Il a dénoncé toutes les formes du snobisme. Observa-

teur aigu, sarcastique et patient de la comédie sociale à tous
ses échelons, il nous a décrit les rites compliqués des différentes salutations aristocratiques, les divers *credos* des cha-
pelles et des coteries, les rivalités, les feintes, les compromis,
les cruautés, les couardises dont est faite la vie mondaine, avec
son désœuvrement, sa stérilité, ses grimaces, sa gravité va-
cante, ses grandeurs empruntées, son impitoyable platitude.

*
**

Bien que Proust se soit montré d'ordinaire peu précis en
sa chronologie des événements relatés dans la *Recherche*, la
plupart de ceux qui ont étudié minutieusement ce problème
admettent que la « Matinée Guermantes » se place, d'après
l'âge des personnages évoqués en leur décrépitude, soit en
1920, soit même — ce qui peut sembler étrange — après 1922,
c'est-à-dire après la mort de Marcel Proust, dans un « temps
posthume » ; cela ne fait qu'accuser davantage le caractère
quasi prophétique du *Temps Retrouvé*. (20) Le fait que le
Narrateur est généralement décrit comme étant plus jeune
que l'auteur d'une dizaine d'années au moins, et Proust ayant
perdu la vie à l'âge de 51 ans, on ne comprendrait pas qu'un
homme de 41 ans fût présenté comme étant déjà d'un âge
avancé, ainsi que le sont ses contemporains Bloch et le duc de
Chatellerault. Georges Daniel a fort pertinemment montré que
le temps est alors devenu si étranger à Proust que sa « Matinée » devient « un spectacle shakespearien, fait de la matière
des rêves et peuplé de personnages de légende », fantômes
vacillants et trébuchants, « d'une vieillesse en quelque sorte
éternelle que la poésie arrête indéfiniment au seuil de la
mort ».

Si profondément imbu qu'il fût des traditions classiques de
la France, Proust cherchait à se rapprocher des conceptions
allemande, anglaise, russe du roman évolutif. Il opposait
Wilhelm Meister à *La Princesse de Clèves*. Il y a chez Proust,
tout autant que chez Goethe, cette « idée magique de supposer
en toute chose vivante et même inanimée je ne sais quel prin-

---

(20) Il disait lui-même : « Il semble que les romanciers aient peint,
par anticipation, avec une sorte d'exactitude prophétique jusque dans
les détails, une société et même des personnages qui ne devaient exister
que longtemps après eux ». (*Chroniques*, p. 55).

cipe caché de vie et quelle tendance vers une vie plus élevée » ;
or cette idée, à laquelle Valéry donne le nom d'Orphisme,
suppose qu'un esprit fermente dans tout élément de la réalité
et qu'il n'est donc pas impossible d'agir par les voies de
l'esprit sur toute chose et sur tout être »... Cet esprit « générateur de poésie et de personnification » n'est-il pas en quelque sorte à l'origine des métamorphoses proustiennes ?

L'art de Proust sera donc fait de gradations, de recommen-
cements, de répétitions successives, d'un continuel devenir.
Proust accélère la rapidité des changements de perspective que
nous offre une personne dans nos différentes rencontres avec
elle. Il nous montre Swann, le dandy, l'esthète, le dilletante
soudain arrivé à l'âge du prophète qui sommeille en tout
Juif ; et voici que sa figure, après avoir accompli le cycle des
métamorphoses, retrouve sa forme originelle.

D'autre part, l'arrogant Charlus, perdant son crédit dans
le monde, sombre dans la canaille et fréquente « le Temple de
l'Impudeur », l'hôtel louche de Jupien. Proust nous dit :
« Une révolution pour mes yeux dessillés s'était opérée en M.
de Charlus, aussi complète, aussi immédiate que s'il avait été
touché par une baguette magique ». Plus tard, le narrateur
reverra, aux Champs-Elysées, un Charlus voûté, avec une
barbe blanche, une forêt indomptée de cheveux blancs, ayant
la majesté shakespearienne d'un roi Lear et saluant humblement cette Mme de Sainte-Euverte pour laquelle il n'avait
jadis qu'injure et mépris.

Par une métamorphose analogue à celle des insectes, le
prince d'Agrigente, homme long au regard terne, est devenu,
embelli par la vieillesse, un homme robuste, aux cheveux
blancs, dont les yeux sont baignés de bienveillance et de
gravité.

Albertine, brune, aux yeux verts, rieurs, « jeune fille fastidieuse », s'est complètement métamorphosée depuis son départ de Balbec : elle n'est plus « la muse orgiaque du golf et
de la bicyclette », mais un être de fuite dont on pressent la
mort.

Quant à la grande et charmante Andrée, l'aînée des « jeunes filles en fleurs », ses défauts iront en s'accusant avec les
années ; il y aura chez elle une sorte d'aigre inquiétude et de
jalousie, et le moindre air de bonheur, s'il n'était pas causé
par elle, lui produira une impression désagréable. Elle ne se
gênera pas pour épouser Octave, qu'elle avait calomnié et qui

avait excité en elle des sentiments de haine lorsqu'elle s'était crue méprisée par lui. Elle finira pourtant par devenir la meilleure amie de Gilberte de Saint-Loup... Bergotte se transforme également au cours du récit. Malade, il use avec excès de différents narcotiques, souffre d'insomnies et de terribles cauchemars et vit enfermé chez lui, couvert de châles et de plaids.

Dans le *Temps Retrouvé*, nous voyons « la divine Berma » vieillie, atteinte d'une maladie mortelle, obligée de jouer pour subvenir aux besoins luxueux de sa fille égoïste, qui l'humilie aux yeux de sa rivale, Rachel.

Nous retrouvons enfin le savant Brichot, professeur de morale à la Sorbonne, devenir aveugle et morphinomane. Bien que lié avec Charlus, il se fera le complice des Verdurin dans le coup porté par eux au baron. Pendant la guerre de 1914-18, il écrira des articles quotidiens prétentieux et pédants.

Mieux encore, comme son héros, le romancier qui fut jadis « le petit Proust du Ritz », l'homme qui habitait son épiderme, se transfigure en un génie solitaire et sacrifié, incarné dans son œuvre : ces véritables aliénations « semblent sortir du domaine de l'histoire naturelle » autant que de la mythologie. Par-delà le Grand œuvre de la *Recherche* nous voyons se dresser un homme non seulement différent des autres, mais sans cesse différent de lui-même.

« La vie, dit Proust, semble d'abord composée d'une succession de périodes dans lesquelles, après un certain intervalle, rien de ce qui soutenait la précédente ne subsistait dans celle qui la suivait. » Car, par dessus tout, *Le Temps Retrouvé* nous fait assister à la complète métamorphose du narrateur qui, à la suite de révélations successives, pénètre enfin dans « les espaces intérieurs où l'artiste s'est abstrait pour créer ». Autant que celle d'Elstir, l'œuvre de Proust apparaît « comme le laboratoire d'une sorte de nouvelle création » : cet art repose sur « une transmutation des éléments de ce monde ». L'écrivain réalise dans sa création, pour ainsi dire au second degré, « cette métamorphose des objets qu'opère la conscience ». Pour la conscience proustienne, « le monde n'existe que s'il plonge ses racines, sous la surface de l'instant, au-delà des sensations, en une région plus profonde du moi où se capte l'essence des choses, c'est-à-dire en dehors du temps ». « Pour n'avoir pu aimer que dans des temps successifs cette sonate (de Vinteuil) je ne la possédai jamais tout entière : elle ressemblait à la vie. (21) Proust va plus loin encore, car il aime, comme un symbole, « cette vieille croyance celtique selon laquelle les âmes des morts émigrent dans le corps d'animaux, de plantes, d'objets inanimés, et y restent captives jusqu'au jour, qui pour beaucoup n'arrive jamais, où le hasard nous met en présence de l'arbre ou en possession de l'objet qui est leur prison. » Proust n'est donc pas, comme on l'a dit, « le prophète du désenchantement », puisque, une fois l'illusion perdue, nous retrouvons, par la « reconnaissance » et par la vertu de la « sensation-souvenir », notre ravissement premier. Telle est aussi la métamorphose du passé en présent et du présent en l'instant d'éternité. Si l'univers, comme le suppose Poe, est construit sur un plan dont la symétrie profonde est, en quelque sorte, présente dans l'intime structure de notre esprit, pourquoi s'étonner que tant de fragments de la *Recherche* soient comme les microcosmes du Tout ?

---

(21) I. 530.

CHAPITRE PREMIER

PROUST CONTRE PROUST

LES TRAVESTISSEMENTS DE L'ÊTRE

> *Les fortes têtes sont aussi contre*
> *elles-mêmes.*
> P. VALÉRY

> *Tout en moi combat et se contredit.*
> FÉNELON

> *Le génie est une révolte qui a créé*
> *sa propre mesure.*
> A. CAMUS

« Il n'est pas de rendez-vous plus urgent, plus capital que celui que nous avons avec nous-même », proclamait Marcel Proust. Il pensait que « nous ne pouvons recevoir la vérité de personne et que nous devons la créer nous-même ». Il savait que les « vrais livres doivent être les enfants non du grand jour et de la causerie, mais de l'obscurité et du silence. » Il avait compris que « la contemplation n'est possible que dans la solitude, à moins que le déchaînement de la vie spirituelle ne soit devenu si fort qu'il nous permette de retrouver, même au milieu du monde, notre solitude ». Proust avait le sentiment que nous ne sommes nullement libres devant l'œuvre d'art, que nous ne la faisons nullement à notre gré, « mais que, préexistant à nous, nous devons à la fois parce qu'elle est nécessaire et cachée, et comme nous ferions pour une loi de la nature, la découvrir » (1). Il affirmait aussi que, « dans l'état d'esprit où l'on observe on se trouve très au-dessous de celui où l'on crée ».

Proust voulait que le romanesque « fût à l'intérieur » : il y a donc chez lui accord des éléments du monde intérieur avec le monde extérieur : identité de l'homme et du monde. Il désirait formuler de nouvelles lois psychologiques, qui nous permettraient de comprendre mieux « le mystère des organisations humaines ». Si Proust a poursuivi d'une rancune tenace « la méthode de Sainte-Beuve », ce n'est pas seulement parce qu'elle avait conduit l'auteur des *Lundis* à méconnaître Stendhal, Balzac, Nerval et Baudelaire, à trouver, en revanche, du génie à Feydeau (2), c'est parce que l'ancien poète que fut « Joseph Delorme », trahissant son propre talent, a renversé son imagination naturelle en se laissant envahir par l'esprit académique. Proust, au contraire, sous des dehors affables et complaisants, a réagi avec fierté contre son milieu, son temps, sa race, ses propres inclinations... Il s'est fustigé soi-même. Il a prouvé que, quoi qu'on dise, « la vie des génies, les plus éclatants » n'est pas que leur vie « à la renverse ». Il est à la recherche de ce qu'il appelle « le temps perdu », c'est-à-dire d'une réalité essentielle, car il souffre d'être « coupé de lui-même », exclu. Le jeune Proust n'avait pas encore « ce halo trouble qui le distinguera plus tard ». Marcel adolescent se sentait obligé de « cacher son secret à ceux qu'il aimait le plus ». « Son désir lui apparaissait comme une maladie, et la réalisation même de ce désir comme une impossibilité ». (3) C'est pourquoi il s'était réfugié dans une réalité qui se confondait avec le rêve. Je dirai, contredisant un mot amer de Chamfort, que Proust, en amour, cherchait moins « le contact entre deux épidermes que le contraste entre deux fantaisies ». D'ailleurs, son enfantine gaieté lui permettait « de supporter le poids de sa pensée perpétuelle » — et de son anomalie. Tout comme Montaigne, Proust se reprochait d'être doué de cette « condition singeresse et imitative » qui lui fit écrire ses *Pastiches*, de même que le seigneur périgourdin, s'il se mêlait

---

(1) Proust disait également que les grands littérateurs n'ont jamais fait qu'une seule œuvre ou plutôt n'ont jamais réfracté qu'à travers des milieux divers, une même beauté « qu'ils apportent au monde ». L'œuvre de Proust est « une création perpétuellement recommencée ».
(2) Il s'agit du père de l'auteur dramatique.
(3) « Confession d'une Jeune Fille ».

de faire des vers latins, « ils accusaient évidemment le poète qu'il venait de lire ». Mais ses enthousiasmes ne duraient pas longtemps. Au temps des *Pastiches*, il confesse au sujet de Renan : « J'avais réglé mon métronome intérieur à son rythme ». Il ne nous cache pas qu'avant d'écrire son *Contre Sainte Beuve*, il avait fait « des orgies avec la délicieuse mauvaise musique qu'est la prose parlée, perlée » du romancier de *Volupté*. De même, lorsqu'il se fut dépris de Ruskin, il dut s'avouer que rien ne refroidissait son amour pour son maître autant que de le relire, et certaines de ses doctrines lui parurent insupportables. Ce fut ainsi que, pour se trouver lui-même, il renia tour à tour George Sand, Renan, Anatole France et même son cher Balzac « dont l'œuvre était mêlée d'esprit et de réalité trop peu transformés. »

Jusque chez ses modèles préférés, Proust a voulu dénoncer le fétichisme de l'art : il ne confondait pas, comme Ruskin, les modes d'expression de la réalité une et universelle, en affirmant qu'« une peinture est belle dans la mesure où les idées qu'elle traduit en images sont indépendantes de la langue des images », car « la peinture ne peut atteindre la réalité nue des choses et par là rivaliser avec la littérature qu'à condition de ne pas être littérature. » Avec quelle profondeur, quelle subtilité d'analyse, Proust savait ainsi s'imprégner du style d'un écrivain, de toutes les particularités de son langage, c'est ce que révèle chacun de ses pastiches où, loin de se contenter d'une parodie et d'une satire de l'écrivain qu'il a choisi pour modèle, il met en lumière ses dons autant que ses travers, son vocabulaire autant que sa syntaxe, en un mot non seulement sa pensée et sa forme, mais la musique de son langage. La première tâche d'une critique ainsi conçue est d'aider le lecteur à être impressionné par les caractères les plus singuliers d'une œuvre, de placer sous ses yeux les traits essentiels du génie d'un écrivain, « la perception exacte d'une nuance juste, si légère soit-elle ». Proust attachait donc une importance considérable à certaines vues particulières à un écrivain, vues « qui ne sont pas proprement philosophiques et qui ne se rattachent à aucun système ; qui, aux yeux du raisonnement purement logique, peuvent paraître fausses, mais qui frappent aussitôt toutes personnes capables, à la couleur d'une idée, de deviner comme ferait un pêcheur pour les eaux, sa profondeur. » La *Recherche* nous permet de pressentir « tout ce qui est tu dans un livre et qui compose sa noble atmosphère de silence, ce merveilleux vernis qui brille du sacrifice de tout ce qu'on n'a pas dit. » (4) « Sa phrase est si interne, presque organique et viscérale qu'on ne sait, à chacune de ses reprises, si c'est celle d'un thème ou d'une névralgie »...

*
**

« On ne se définit bien que contre les plus proches de soi ». C'est pourquoi Proust ne craignit pas de s'élever contre ses anciens maîtres. C'est aussi pourquoi il imputait à Ruskin le péché d'idolâtrie — celui-là même qu'il prêtera à Swann, à Charlus, à Legrandin. C'est encore pourquoi il ne craindra pas de protester contre ceux qui placent Balzac au dessus de Tolstoï, car il reproche à l'auteur de *La Comédie Humaine* la fréquente vulgarité de son style, plein d'impurs alliages, inorganisé, ainsi que cette réalité « trop chimérique pour la vie, trop terre-à-terre pour la littérature, » — ce que Proust appelle le « côté Musée Grévin » de Balzac. (Proust en veut surtout au romancier de nous faire « ressentir les passions dont la haute littérature doit nous guérir »). La *Recherche du Temps Perdu* nous enseigne que, à l'encontre de ce qu'avait cru Balzac, « le génie n'est pas dans le contenu de l'œuvre, mais dans la qualité unique de la beauté unique que chaque artiste apporte au monde ». A mesure qu'il se formait, le jeune Proust eut tendance à brûler plus d'une fois ce qu'il avait adoré. Nous le voyons se détacher tour à tour de George Sand — dont le roman *François le Champi* était associé aux plus fortes émotions de son enfance ; de Théophile Gautier, dont le *Capitaine Fracasse* avait été l'une des lectures préférées de son adolescence ; enfin, je l'ai dit, de cet Anatole France qui fut sans doute le premier modèle de Bergotte... Toutes ces vénérations abolies ou dépassées n'en ont pas moins laissé de profondes traces dans l'élaboration complexe de son art. Peut-être cette alternance d'une phase de mimétisme et d'une phase critique était-elle essentielle à son tempérament. Et s'il s'est montré parfois sévère pour Flaubert, il a cependant su, lorsqu'il le fallait, souligner ce qui faisait la valeur singulière du style d'un maître qu'il avait pastiché cruellement, de même que, tout en reprochant à Balzac de demeurer trop près d'une réalité insuffisamment transposée, il a constamment pris pour

---

modèles les scènes et les types de *La Comédie Humaine.* Dans *L'Education Sentimentale,* de Flaubert, Proust a le premier discerné précisément, « à travers l'incohérence des faits juxtaposés et le flou ambigü des personnages, l'authenticité de la vie, seule victoire sur le temps. »

Résumant le système de Sainte-Beuve, Proust écrivait : « Avoir fait l'histoire naturelle des esprits, avoir demandé à la biographie de l'homme, à l'histoire de sa famille, à toutes ses particularités, l'intelligence de ses œuvres et la nature de son génie, c'est là ce que tout le monde reconnaît comme son originalité, c'est ce qu'il reconnaît lui-même, en quoi il avait d'ailleurs raison. Taine lui-même, qui rêvait d'une histoire naturelle des esprits, la plus systématique et la plus codifiée, ne dit pas autre chose dans son éloge de Sainte-Beuve. « En cela il a été un inventeur. Il a importé dans l'histoire morale les procédés de l'histoire naturelle. » S'élevant à la fois contre Sainte-Beuve et contre Taine, qui voulent ne voir de vérité que dans la science, Proust condamne les philosophes « qui n'ont pas su trouver ce qu'il y a de réel et d'indépendant de toute science dans l'art » et qui considèrent « le prédécesseur comme moins avancé que celui qui le suit. Or en art... il n'y a pas d'initiateur, de précurseur... Chaque individu recommence, pour son propre compte, la tentative artistique ou littéraire ; et les œuvres de ces prédécesseurs ne constituent pas, comme dans la science, une vérité acquise dont profite celui qui suit. » (5)

Proust dénonce « l'erreur qui vient de ne pas comprendre l'originalité du génie et la nullité de la conversation ». Il reproche à Sainte-Beuve de croire « qu'on est d'abord soi, non qu'on se met à jour lentement », et de n'avoir jamais compris que « la poésie est quelque chose de secret. » Certes, Proust sait que Sainte-Beuve est un homme « d'une grande érudition », qu'il est « charmant, fin, s'intéresse à tout ». Mais il a toujours recherché les groupes littéraires, n'a vu dans les écrivains que des espèces, « des criteriums, des représentatifs... » Il regrette d'avoir à dénoncer ces « limites d'un esprit capable de création véritable » (6). En un mot, Sainte-Beuve « ne cherche pas assez à faire de l'irrationnel ». En outre, Proust ne

---

(5) Cette page tend à préciser, à nuancer ce que nous avons écrit au sujet des « maîtres et devanciers » de Proust (voir plus loin).
(6) B. de Fallois, préface au *Contre Sainte-Beuve.*

lui pardonne pas d'avoir méconnu Balzac, de n'avoir « rien compris à ce fait d'avoir laissé leurs noms aux personnages » de *La Comédie Humaine,* d'avoir fait un grief à Balzac de « l'immensité de son dessein, de la multiplicité de ses peintures », appelant cela « un pêle-mêle effrayant » ; Proust reproche également à Sainte-Beuve de n'avoir vu dans Nerval que le « commis-voyageur de Paris à Munich » ; enfin et surtout, il l'accuse de n'avoir pas eu le courage de témoigner pour Baudelaire qui était son ami personnel, et de n'avoir su dire des *Fleurs du Mal* que ces mots : « Ce petit pavillon que le poète s'est construit à l'extrémité du Kamchatka littéraire, j'appelle cela la « folie Baudelaire ». On voit dans quelle mesure le *Contre Sainte-Beuve* était un *Contre-Proust.* S'étant rendu compte qu'il gaspillait ses meilleurs dons dans des articles écrits avec brio, avec facilité pour des quotidiens, ce qui lui valait parfois des compliments de la part des gens du monde, Proust voulut réagir, produire une œuvre de longue haleine, mûrie et méditée, conçue avec souffrance en creusant au plus profond de sa sensibilité. Proust se niait ainsi afin de s'affirmer. Il préparait sa grande métamorphose. Il reprochait précisément à Sainte-Beuve d'avoir préféré être le collaborateur applaudi du *Constitutionnel* à la tâche d'accomplir ce dont il était capable comme créateur et dont il nous avait donné les prémices avec les *Rayons Jaunes* et *Volupté.* Dans cette insurrection de Proust contre soi-même on a voulu voir un reste de « masochisme » ; je crois simplement que le psychologue, le romancier se devait de connaître certaines expériences où la cruauté contre soi-même entre comme élément. S'efforçant de dénoncer toutes les impostures, tous les conformismes, tous les pharisaïsmes, Proust nous montrera le vice chez le vertueux, la vertu chez le pervers. Il se souvient peut-être de Diderot pour qui la sincérité est le masque du mensonge, etc... Il me semble, en outre, que Proust a quelque peu tenté d'introduire, dans le pastiche des Goncourt, une vision différente de la sienne, car tous ces personnages qu'il nous a décrits sont présentés sous un jour nouveau et presque contradictoire. D'une manière plus générale, il paraît certain que Proust a voulu être l'anti-Goncourt comme il a voulu être le « contre Sainte-Beuve » et montrer par là que l'intention réelle de son roman est de nous peindre non pas l'aspect purement extérieur des êtres, mais cet aspect intérieur que seule peut révéler une vision qu'il appelait radiographique. Il est évident que Proust eût pu nous offrir d'autres exemples semblables et par là nous dépeindre ses personnages vus sous un angle encore différent. Je me demande si Proust n'a pas voulu nous montrer qu'il y a deux façons de connaître les personnages, la première étant celle par laquelle nous nous connaissons nous-même, ce qui amène Proust à décrire l'homme en tant qu'il peut comprendre cette saisie, la seconde voie étant celle par laquelle les autres sont alors vus du dehors, sans que nous sachions jamais s'ils ont eu cette expérience et surtout s'ils en ont porté les fruits. A l'origine, selon Robert de Billy, Proust aurait eu pour dessein d'écrire un roman où il espérait retrouver le procédé employé par Robert Browning dans son poème *L'Anneau et le Livre*. En cours de route, Proust se serait vu contraint d'abandonner cette perspective où la même histoire est racontée, vue et sentie par des personnages différents, et que, par conséquent, le lecteur serait obligé de reconstituer avec des visions diverses.

Dressé contre lui-même avec ténacité, Proust veut conquérir durement sur son propre chaos le principe intérieur de son unité, la structure de son esprit, l'essence même de sa sensibilité : il se veut dans une certaine mesure « contradictoire ». Mais, Kantien, il cherche à transcender ses antinomies. Il aperçoit le lien des contraires. En somme, moribond, « mort convalescent », « inhumé », Proust a vécu en symbiose avec une production de son génie où s'affirmait l'être qui, dans l'existence de l'homme, semblait lui échapper sans cesse. Luttant contre sa mobilité, son esprit trouvait en ces conditions mêmes « des ressources incomparables ». Car son œuvre réalise ce miracle de lui être à la fois « antinomique » et « consubstantielle ». Elle est le son de sa propre voix telle que « l'éternité la change ». Dans une lettre, Proust confie à Rivière son secret essentiel : « J'ai trouvé plus probe et plus délicat comme artiste de ne pas laisser voir, de ne pas annoncer que c'était justement à la recherche de la Vérité que je partais, ni en quoi elle consistait pour moi. » Et il ajoute : « Ce n'est qu'à la fin du livre, et une fois les leçons de la vie comprises, que ma pensée se dévoilera. Celle que j'exprime à la fin du premier volume (...) est le contraire de ma conclusion. Elle est une étape d'apparence subjective et dilettante vers la plus objective et croyante des conclusions. Si on en déduisait que ma pensée est un scepticisme désenchanté, ce serait absolument comme si un spectateur, ayant vu à la fin du premier acte de *Parsifal* ce personnage ne rien comprendre à la cérémonie et être chassé par Gurnemantz, supposait que

Wagner a voulu dire que la simplicité du cœur ne conduit à rien. » Ce texte de Proust me semble capital, ainsi que la phrase qui le suit : « Non, si je n'avais pas de croyances intellectuelles, si je cherchais simplement à me souvenir et à faire double emploi par ces souvenirs avec les jours vécus, je ne prendrais pas, malade comme je suis, la peine d'écrire. » La *Recherche* était, comme il l'écrivait à Rivière, « un ouvrage dogmatique et une construction ». Une foi très étrange, d'une nature presque archaïque, venait pallier en Proust les effets du scepticisme, du doute et du soupçon : il y avait en lui l'alliage d'une très vieille sagesse et d'une ingénuité presque enfantine. De là venait cet air d'inhumanité que pouvaient revêtir certains de ses propos. On le sentait à la fois étranger et très proche, venu d'*ailleurs,* mais tellement intime et fraternel et toujours soucieux de nous associer à sa recherche, de nous rendre complice de ses aveux ! Il était parfois, en ces états d'hyperconscience, comme le visiteur d'un autre monde, invisible et cependant indissolublement lié à celui-ci — comme « la mer mêlée avec le soleil ». Il était l'explorateur d'une terre inconnue, d'un royaume des Esprits et des Essences dont les lois mystérieuses nous régissent et qu'il était le premier à découvrir, à déchiffrer, à traduire dans un langage accessible à nos intelligences trop humaines. En cet office, il faisait preuve, lui si morbide, d'une insolite vitalité. Proust a noté que les grands nerveux, les malades comme Baudelaire et Dostoïevsky, créaient « entre deux crises une œuvre que n'auraient pu produire mille artistes bien-portants ». Ce qui fait pour nous le très rare attrait du génie de Proust, c'est la conscience si vive, si lancinante qu'il eut de sa faiblesse, de cette inadaptation radicale dont il saura se faire une féconde disponibilité, nous rendant accessibles et proches les recès ensevelis d'une primitive enfance non moins songée que vécue. Ne ressemble-t-il pas en cela au vieux Beethoven sourd, dont les derniers quatuors lui étaient si chers et dont nous savons (par ses plus récents biographes) que le génie ombrageux, inquiet, despotique, méfiant, représenterait non pas « un état neuf et avancé de l'humanité, mais au contraire un état rétrograde et arriéré ? » (7) Ainsi, les grands créateurs avaient à « livrer pour leur propre compte tous les combats que l'huma-

---

(7) Edytha et Richard Sterba, *Beethoven,* (éd. Correa) que je cite d'après la recension de D. Fernandez, nrf. 1ᵉʳ ; février 1956.

nité a déjà gagnés », ce qui expliquerait la richesse de leurs instincts, la confusion, la naïveté ou le désordre apparent de leurs existences dont la vie instinctive, précocement développée, ne s'adapterait pas à la civilisation. Proust ne veut, ne convoîte que l'impossible, l'inaccessible, ce qui demeure à jamais hors d'atteinte : d'où l'insatisfaction, l'inassouvissement. Demi-juif et grand malade comme Thérèse d'Avila, il cherche une participation mystique à l'Etre, à l'Inconnu, mais l'ascèse lui fait défaut. Avec une implacable lucidité, Proust avait un jour écrit à Emmanuel Berl : « Personne n'aimerait autant aimer d'amitié que moi et, je crois, ne saurait mieux le faire. Mais je mentirais... Ma fatalité veut que je ne puisse tirer profit que de moi-même... Je ne suis moi que seul et je ne profite des autres que dans la mesure où ils me font faire des découvertes en moi-même soit en me faisant souffrir (donc plutôt par l'amour que par l'amitié), soit par leurs ridicules dont je ne me moque pas mais qui me font comprendre les caractères. »

On peut dire que Proust n'a jamais redouté les contradictions qui sont dans les choses : il ne s'est jamais perdu non plus dans le dédale où sa mémoire affective a joué le rôle d'un fil d'Ariane. Il se montre toujours en quête des ressurgences futures, sachant qu'il n'est point de vérité une fois pour toutes. Se fiant à l'intuition plus qu'à l'intelligence ratiocinante, il a vu dans la vie « un assemblage de contrastes criants » ; avec Custine, il pense que « la nature et la société n'ont été créées que pour faire tenir ensemble des éléments qui, sans elles, devraient s'abhorer et se détruire. » Proust n'a-t-il pas écrit : « Nous ne vivons qu'avec ce que nous n'aimons pas, que nous n'avons fait vivre avec nous que pour tuer l'insupportable amour, qu'il s'agisse d'une femme, d'un pays, ou encore d'une femme enfermant un pays... » Comme la Catherine Earnshau d'Emily Bronté *est* Heathcliff, le narrateur, Marcel *est* Albertine.

Il s'est senti capable de supporter la vérité tout entière : celle de ses faiblesses, de ses déficiences, de ses vices personnels, comme aussi celle des misères inhérentes à l'humaine condition. Autant que les circonstances de sa vie ou les déchirements qu'il tenait d'une complexe hérédité, son souci d'être vrai contribuait à sa terrifiante lucidité, à son objectivité douloureuse et sereine. Se cachant en marge du milieu bourgeois auquel il appartenait de par sa naissance, empêché d'ailleurs par ses infirmités de mener une existence régulière et de conserver des relations sociales, enfin ne craignant plus rien depuis qu'il avait perdu ses parents, Proust se sentait presque posthume. D'ailleurs, en voyant mourir tour à tour sa mère et celui qui, après elle, lui avait inspiré la plus profonde affection, Proust avait tout perdu. Ce sera donc à l'absence de tout scrupule qu'il sera redevable de son audace, de sa véracité presque cruelle, de son implacable clairvoyance. Derrière les façades des visages solennels ou souriants, il soupçonnera les sérails obscurs, les couloirs tortueux, les caves sinistres, les atroces cérémonies de Jupien, semblables aux rites des nuits du moyen âge. Confessant ses « complicités dans la connaissance du mal », — un mal qui lie l'amour à la violence, au sadisme, au sacrilège, à la mort — Proust « plaide coupable ».

Il a connu « la descente en soi-même ». Narquois et nostalgique, unissant l'humour et la candeur au plus profond sérieux, il s'ingénie à multiplier sans cesse sa contradiction tout en maintenant son identité. Car il connaît l'irrémédiable solidarité de ses oppositions. La même angoisse de la mort lui révèle que le néant est né par la tendance la plus foncière de son être. Il travaillera donc afin de ne point périr et de ne pas laisser annihiler ses trésors : les ressources qu'il détient en son cœur et dans son cerveau. A force de s'isoler en sa noire retraite, il a dépassé le solipsisme, il s'est changé lui-même en changeant toute perspective, il a trompé la solitude et frayé la voie à cette salubre puissance de métamorphose qui est le propre de l'homme. « La barrière du moi individuel est tombée. » Il n'est plus que « le lieu où s'accomplit son œuvre. » (8)

Etonné de reconnaître en son cœur des sentiments d'une extrême et douloureuse perversité, voire d'une insoupçonnable cruauté, Proust a longtemps cherché l'explication de cet accouplement que formaient en son âme le vice et la pureté — comme en celle de Mlle Vinteuil où, nous dit-il, on eût pu voir « l'union d'un soudard brutal et d'une innocente jeune fille ». Observant ses amis avec autant de perspicacité que de tendresse, il ne devait pas tarder à se rendre compte que le mal dont il était atteint exerçait également ses ravages dans les cœurs de plusieurs d'entre eux, bien qu'il ne fût donné qu'aux plus lucides d'en être conscients. Ainsi, dans son adolescence,

---

(8) Cf. Eliott Coleman, *The Golden Angel*, Papers on Proust, New York, 1964.

Proust avait-il discerné dans certains livres l'analyse de sentiments proches de ceux qu'il éprouvait ; et de même qu'un « enfant trouvé », qu'un enfant perdu différent de son entourage immédiat croit, à certains traits, à certains signes troublants, reconnaître les siens, Marcel inquiet, fréquentant les personnages de Choderlos de Laclos, ou la *Religieuse* de Diderot (9) ou l'Alberte du *Rideau Cramoisi*, avait l'impression de se découvrir une lignée. Lui-même n'a-t-il pas pris soin de nous livrer ses secrètes inclinations dans sa « Confession d'une Jeune Fille » et dans les épisodes divers qu'il consacre aux relations de Mlle Vinteuil et de son amie ?

Dans son bouleversant article sur « Les Sentiments filiaux d'un parricide », Proust a voulu « montrer dans quelle pure, dans quelle religieuse atmosphère de beauté morale eut lieu cette explosion de folie et de sang » qui éclaboussa, sans parvenir à le souiller, le malheureux Henri Van Blanremberghe, lequel, après avoir assassiné sa mère, se donna la mort parce qu'il ne pouvait se remettre de la perte de son père. Oui, Proust a voulu « aérer la chambre du crime d'un souffle qui vînt du ciel, montrer que ce fait-divers était exactement un de ces drames grecs, dont la représentation était presque une cérémonie religieuse, et que le pauvre n'était pas une brute criminelle, un être en dehors de l'humanité, mais un noble exemplaire d'humanité, un homme d'esprit éclairé, un fils tendre et pieux que la plus inéluctable fatalité — disons pathologique pour parler comme tout le monde — a jeté — le plus malheureux des mortels — dans un crime et une expiation dignes de demeurer illustres. » Et Proust ajoute : « Il n'y a peut-être pas une mère vraiment aimante qui ne pourrait à son dernier jour (souvent bien avant) adresser ce reproche à son fils : « Qu'as-tu fait de moi ? Qu'as-tu fait de moi ? » Un peu plus loin, il ajoute : « Ressentir toutes les douleurs, mais être assez maître de soi pour ne pas se déplaire à les regarder, pouvoir supporter la douleur qu'une méchanceté provoque artificiellement (...) — peut-être cette subordination de la sensibilité à la vérité, à l'expression, est-elle au fond une marque de génie, de la force de l'art supérieur à la pitié individuelle. Mais il y a plus que cela. Dans les plus sublimes expressions que Baudelaire a données de certains sentiments, il semble

---

(9) On trouve le nom de Morel dans la *Religieuse*, de même que l'héroïne s'appelle Simonin, comme Albertine se nomme Simonet.

qu'il ait fait une peinture extérieure de leur forme, sans sympathiser avec eux... Il semble qu'il éternise par la force extraordinaire, inouïe du verbe, un sentiment qu'il s'efforce de ne pas ressentir au moment où il le nomme. » Tout Proust est là. A vrai dire, chez ce génie aiguisé, sensitif, parfois acerbe, « les passions sans règle » — qui peuvent paraître absurdes — sont « gouvernées par un esprit plus fort et plus haut qu'elles ». Le sentiment amer est toujours, en fin de compte, dompté. S'il a été, en même temps que le plus grand des romanciers, le créateur d'une forme nouvelle de critique littéraire, c'est que, condamnant l'idolâtrie des esthètes, il a voulu « séparer la beauté de la fausseté ». Il a su pénétrer les solitudes intérieures des âmes et, rejetant les systèmes périmés des Sainte-Beuve et des Taine, il a saisi que ce qui nous intéresse dans l'homme de génie, c'est « tout ce qui se trouve en lui d'inexplicable ».

***

Proust voulait que le critique constituât une sorte de « caisse de résonnance » ; il nous faudra du rapprochement des œuvres diverses — Les Plaisirs et les Jours, Jean Santeuil, Contre Sainte-Beuve, Chroniques, Correspondance, etc... — dégager « les traits communs dont l'assemblage composera la physionomie morale » de Proust ; c'est de la sorte qu'il cherchait lui-même « le morceau idéal » de Bergotte, « commun à tous ses livres, et auquel tous les passages analogues qui venaient se fondre avec lui avaient donné une sorte d'épaisseur de volume », dont l'esprit du lecteur semblait agrandi. Peut-être pourrons-nous alors mieux distinguer le véritable visage spirituel de Marcel Proust. « Quand, dit-il, plusieurs portraits de Rembrandt, d'après des modèles différents, sont réunis dans une salle, nous sommes frappés par ce qui leur est commun à tous et qui est les traits mêmes de la figure de Rembrandt. » (10)

De même, la figure de Proust se recompose sous nos yeux lorsque nous considérons les divers personnages de la Recherche, car c'est à travers ses propres inclinations qu'il a connu Swann, Bergotte, Elstir, Vinteuil et sa fille, la tante Léonie, Charlus, Saint-Loup, Legrandin les Verdurin... Il entre avec

---

(10) M. Proust, Préface à La Bible d'Amiens, p. 10 et 11.

eux dans une sorte de connivence et, jusque dans le mal, il semble préserver leur grandeur, comme Dante l'a fait pour certains de ses damnés. Bien que leurs existences ne soient plus qu'un « objet de mémoire », tous ces personnages ont la vie et l'intériorité parce que leur créateur les connaît du dedans, c'est-à-dire, à travers lui-même (11). Les héros de Proust sont les incarnations successives où il réalise tous ses « moi » possibles, toutes ses existences imaginaires : Charlus, le moi de son esthétisme et de son anomalie ; Swann, le moi de sa mondanité, de son snobisme, de sa jalousie, de son attitude de dilettante ; la tante Léonie, le moi de son hypocondrie, de ses humeurs de malade et de reclus... Chaque type est ainsi le « double » de l'auteur.

Proust s'est livré à nous, s'est traduit et trahi tout entier sous ses divers déguisements, masques et travestis, nous prouvant par là que le roman (qui ne cherche pas à reconstituer didactiquement le passé) peut parfois être plus véridique que l'histoire, que la biographie et même l'autobiographie. J'ai toujours cru, et suis heureux de me rencontrer avec un critique de l'œuvre proustienne, que « sous le couvert d'un faux, Proust en dit davantage que Gide, se livrant à la confession », et « prêchant la sincérité » (12). Car Proust « raconte sans scandaliser et fait comprendre sans plaider. Ses concessions à la morale lui font éviter la complaisance à soi et le mensonge par omission. Sa muse traduit la volonté de tout dire, son ambiguïté le goût de la précision. » (13)

Proust n'avait donc pas tort de proclamer : « Ce que je fais, je l'ignore, mais je sais ce que je veux faire ; or, j'omets... tout détail, tout fait, je ne m'attache qu'à ce qui me semble (d'après un sens analogue à celui des pigeons voyageurs...) déceler quelque loi générale. Or, comme cela ne nous est jamais révélé par l'intelligence, que nous devons le pêcher en quelque sorte dans les profondeurs de notre inconscient, c'est en effet imperceptible, parce que c'est éloigné, c'est difficile à percevoir, mais ce n'est nullement un détail minutieux. Une cime dans les nuages peut cependant, quoique toute petite, être plus haute qu'une usine voisine. Par exemple, c'est une chose imperceptible, si vous voulez, que cette saveur de thé

---

(11) Je paraphrase ici Maritain parlant de Dante.
(12) Georges Piroué, *Par les Chemins de M. Proust.*
(13) *Ibid.*

que je ne reconnais pas d'abord et dans laquelle je retrouve les jardins de Combray. Mais ce n'est nullement un détail minutieusement observé, c'est toute une théorie de la mémoire et de la reconnaissance (du moins, c'est mon ambition) non promulguée en termes logiques, (du reste cela ressortira dans le troisième volume) » (14).

La psychologie de Proust reconnaît dans l'histoire du Narrateur « la marque d'un inconscient structuré selon les temps d'oubli et de reconnaissance ». Proust sait aussi qu'il est « vécu par des forces inconnues échappant à (sa) maîtrise ». Il y a correspondance entre la « volonté créatrice et la forme verbale » (15).

*

Proust reprochait à son vieux maître Anatole France de rejeter « toute singularité dans le style ». Or, comment croire à l'unité du style « puisque les sensibilités sont singulières » ? Et il ajoutait : « Même la beauté du style est le signe infaillible que la pensée s'élève, qu'elle a découvert et noué les rapports nécessaires entre les objets que leur contingence laissait séparés. » Proust n'aimait que les images « qui naissent d'une impression. » Et Proust considère « comme faisant partie du style cette grande ossature inconsciente que recouvre l'assemblage voulu des idées. » (Il reconnaît à Stendhal ce don). Et, tout comme Mallarmé, il pense que « les diverses et vaines activités de la vie universelle » tendent vers un alexandrin unique. Proust se moque des images cynégétiques et marines de Sainte-Beuve qui ne connaissait rien à toutes ces choses-là. Pour l'auteur de *Swann,* le talent est « un rapprochement de l'artiste vers l'objet à exprimer ». Avant le xixᵉ siècle « il semble qu'il y ait toujours eu une certaine distance entre l'objet et les plus hauts esprits qui discourent sur lui. Mais chez Flaubert, par exemple, l'intelligence... cherche à se faire trépidation d'un bateau à vapeur, couleur des mousses, îlot dans une baie. » Avec indignation, Proust écrit à madame Straus qui n'admirait que ceux dont le « style est classique » : « Les seules personnes qui défendent la langue française... ce sont celles qui « l'attaquent ». Cette idée qu'il y a une langue

---

(14) Lettre à Louis de Robert.
(15) Cf. Lacan.

française, existant en dehors des écrivains et qu'on protège, est inouïe. Chaque écrivain est obligé de se faire sa langue, comme chaque violoniste est obligé de se faire son son... » La seule manière de défendre sa langue, c'est de l'attaquer, mais oui, madame Straus ! Parce que son unité n'est faite que de contraires neutralisés, d'une immobilité apparente qui cache une vie vertigineuse et perpétuelle. Car on ne tient, on ne fait bonne figure auprès des écrivains d'autrefois qu'à condition de chercher à écrire tout autrement. Et quand on veut défendre la langue française, en réalité on écrit tout le contraire du français classique. Exemple : les révolutionnaires Rousseau, Hugo, Flaubert, Maeterlinck « tiennent » à côté de Bossuet. »

« Chaque écrivain, selon Proust, est obligé de « faire sa langue » ; le style n'est pas une question de technique, un enjolivement, mais une nécessité intérieure, le rapport nécessaire, unique dans la métaphore : « Le style est la marque de la transformation que la pensée de l'écrivain fait subir à la réalité » ; il est aussi « la révélation de la différence qualitative qu'il y a dans la façon dont nous voyons le monde ». Pour Proust, il faut le souligner, le génie était lié à la maladie; il pensait que « tout ce que nous connaissons de grand nous vient des nerveux. Ce sont eux et non pas d'autres qui ont fondé les religions et composé les chefs d'œuvre. » Proust appartenait à cette race magnifique et lamentable des grands nerveux qui est le « sel de la terre », à ces malades qui, tels un Baudelaire ou un Dostoïevsky, mieux que « les artistes harmonieux et réfléchis », en trente ans, entre leurs crises d'épilepsie et autres, créent tout ce dont une lignée de mille artistes bien portants n'aurait pu faire un alinéa. » (16) La langue de Proust, où tant d'apports, tant d'ingrédients étrangers sont venus se fondre, n'est-elle pas semblable à cette merveilleuse gelée de bœuf dont le Narrateur de la *Recherche* nous dit que sa grand'mère avait conservé la recette ? « Son sens inné, son goût naturel lui avaient fait composer ce parler si juste, où toutes les symétries du langage se laissaient découvrir et montraient leur beauté. » Comme Montaigne, Proust n'a pas plus fait son livre que son livre ne l'a fait, « livre consubstantiel à son auteur, d'une occupation propre, membre de sa vie, non d'une occupation et fin tierce et étrangère comme tous les autres livres. »

---

(16) Lettre à Madame Fortoul-Lyautey.

Se sachant sociable à l'excès, Proust voulut « être à soi » :
« Il est temps, disait-il avec Montaigne, de nous dénouer de la
société, puisque nous n'y pouvons rien apporter. » Et il pouvait écrire à Stephen Hudson, qui demandait à le voir : « Entre
ce qu'une personne dit et ce qu'elle extrait des profondeurs où
l'esprit nu gît, couvert de voiles, il y a un monde. » Ecoutons
le Narrateur : « Ma personne d'aujourd'hui, n'est qu'une carrière abandonnée qui croit que tout ce qu'elle contient est
pareil et monotone, mais d'où chaque souvenir, comme un
sculpteur de Grèce, tire des statues innombrables. »

Ce qui compte chez le créateur, c'est son apport strictement
personnel, ce que nul autre ne pourrait donner, le chant de
cette Patrie perdue à laquelle chacun de nous se rattache. Et
ce qui caractérise un écrivain, c'est moins la signification
générale de ses idées, dépouillées de leur substance, que la
texture de sa phrase, la trame dont elle est ourdie. Aussi bien
ne peut-on, dans une œuvre d'art, imaginer de forme distincte
de la matière, le style étant irrésistiblement conditionné et
pour ainsi dire imposé à l'artiste par le choix du matériau.
Cette réaction des matériaux sur l'artiste qui les réalise ne
rend pas, Proust lui-même en témoigne, l'œuvre moins individuelle ; « et que ce soit celle d'un architecte, d'un ébéniste,
ou d'un musicien, elle ne reflète pas moins minutieusement les
traits les plus subtils de la personnalité de l'artiste, parce qu'il
a été forcé de travailler dans la pierre meulière de Senlis ou
le grès rouge de Strasbourg, qu'il a respecté les nœuds particuliers au frêne, qu'il a tenu compte dans son écriture des
ressources et des limites de la sonorité, des possibilités de la
flûte et de l'alto. » « Il est si personnel, si unique, dit Proust,
le principe qui agit en nous quand nous écrivons et crée au
fur et à mesure notre œuvre, que dans la même génération les
esprits de même sorte, de même famille, de même culture, de
même inspiration, de même milieu, de même condition, prennent la plume pour écrire presque de la même manière la
même chose décrite et ajoutent chacun la broderie particulière
qui n'est qu'à lui, et qui fait de la même chose une chose toute
nouvelle où les proportions des qualités des autres sont dépla-
cées. Et ainsi le genre des écrivains originaux se poursuit,
chacun faisant entendre une note essentielle qui cependant,
par un intervalle imperceptible, est irréductiblement différente
de celle qui la précède et de celle qui la suit. » Proust est donc

à même de voir comme nos grands écrivains « se touchent et comme ils diffèrent ».

**

Si Proust a consommé tant de ruptures violentes, c'est qu'il a choisi la voie ardue : celle de l'homme qui s'applique à voir clair en lui-même afin de se dépouiller de ses préventions, de ses manies, de ses attaches. Il se regarde regarder. En s'élevant contre Sainte-Beuve et contre les Goncourt, en se détachant de Gautier, de Flaubert, de Ruskin, de Renan, en pastichant Saint-Simon pour se délivrer de lui, enfin même en précisant les limites des créateurs qui lui sont les plus proches — un Balzac, un Nerval, un Baudelaire, un Barbey d'Aurevilly — Proust ne fait pas autre chose que combattre sa propre facilité. Il sait combien il lui serait plus agréable de suivre sa pente, d'oublier ses fantômes et le noir embryon qu'il porte en lui, et cette monstruosité dont il lui faut prendre une conscience implacable, et cette solitude à laquelle il n'y a point de remède... Il sait qu'au lieu de porter à ses plaies le terrible scalpel, il pourrait aisément s'endormir dans la torpeur de ses plus chères habitudes ou chercher hors de lui, dans des dépaysements, cette Beauté qu'il ne peut trouver *qu'en lui-même*. Mais non : pour mieux dénoncer ce qu'il y a encore dans son cœur et dans son esprit de superstition, d'esthétisme, il incarnera dans Charlus tout ce qui en lui fait coupablement écho à Ruskin et à Montesquiou, comme il stigmatise dans Mme de Villeparisis l'esprit de Mme Straus, le dilettantisme de Sainte-Beuve.

**

Proust a noté : « J'avais asservi mon intelligence à mon repos. En défaisant ses chaînes, j'ai cru seulement délivrer une esclave, je me suis donné un maître que je n'ai pas la force physique de contenter et qui me tuerait si je ne lui résistais pas. » Il lui fallut donc un courage longuement mûri par la maladie, la solitude et la souffrance pour se vouer tout entier à la tâche implacable qui l'attendait. Cependant, Proust n'a pas manqué de remarquer : « Quand nous avons passé un

certain âge, l'âme de l'enfant que nous fûmes et l'âme des
morts dont nous sommes sortis viennent nous jeter à poignées
leurs richesses et leurs mauvais sorts, demandant à coopérer
aux nouveaux sentiments que nous éprouvons et dans lesquels
effaçant leur ancienne effigie, nous les refoulons en une création originale ». Il ajoutait : « Nos existences sont en réalité,
par l'hérédité, aussi pleines de chiffres cabalistiques, de sorts
jetés, que s'il y avait vraiment des sorcières... » Proust avait
le sentiment que « nous ne sommes pas libres devant l'œuvre
d'art, mais que nous devons, à la fois parce qu'elle est nécessaire et cachée, et comme nous le ferions pour une loi de la
nature, la découvrir... » Il nous faudra donc « briser de toutes
nos forces la glace de l'habitude et du raisonnement qui se
prend immédiatement pour la réalité. »

Quelle erreur ce serait de ne voir en Proust que l'homme
complaisant, obséquieux et flatteur qu'il apparaît parfois dans
sa correspondance ! Combien Camus a raison d'écrire dans
l'*Homme Révolté* : « Quant à Proust, son effort a été de créer,
à partir de la réalité, obstinément contemplée, un monde fermé, irremplaçable, qui n'appartient qu'à lui et marquât sa
victoire sur la fuite des choses et sur la mort. Mais ses moyens
sont opposés. Ils tiennent avant tout dans un choix concerté,
une méticuleuse collection d'instants privilégiés, que le romancier choisira au plus secret de son passé. »

**

Ayant soudain découvert que le M. Biche ou M. Tiche du
clan Verdurin n'était autre que le grand peintre Elstir, le Narrateur bouleversé s'écrie : « Serait-il possible que cet homme
de génie, ce sage, ce solitaire, ce philosophe à la conversation
magnifique et qui dominait toutes choses, fût le peintre ridicule et pervers adopté jadis par Mme Verdurin ? » Ainsi
le génie épanoui dans l'artiste authentique avait fait oublier
les aspects du débutant, tandis qu'inversement, Ski (dont on
dit que Coco de Madrazzo fut le modèle principal), « Ski »
que madame Verdurin, éblouie par la multiplicité de ses dons
d'amateur, n'hésitait pas à placer au-dessus d'Elstir, est conduit d'échecs en échecs par son dilettantisme même. Proust
comprend « que l'image de ce que nous avons été dans une
période première ne soit plus reconnaissable et soit en tous
cas déplaisante. Elle ne doit pas être ruinée pourtant, car elle

est un témoignage que nous avons vraiment vécu. » (17) C'est
son œuvre même que Proust évoque lorsqu'il écrit : « Un
romancier pourrait, au cours de la vie de son héros, peindre
presque exactement semblables ses successives amours et
donner par là l'impression non de s'imiter lui-même, mais
de créer, puisqu'il y a moins de force dans une innovation
artificielle que dans une répétition destinée à suggérer une
idée neuve. » (18)

*
**

Proust a fixé les traits de son Narrateur « comme un
romancier fixe ceux d'un héros qui lui ressemble, mais qu'il
invente, (19) et, d'une mémoire tenace, il tient « son attention
fixée sur des fantômes qui lui servent de modèles. » (20) Il
pouvait donc affirmer sans nulle hypocrisie que celui qui dit
« je » dans la *Recherche* était, à bien des égards, un autre que
lui-même. Quoique Proust ait eu, pour son roman, un plan
préétabli, longuement mûri, son génie inspiré a fait sans cesse,
à mesure qu'il écrivait son œuvre, éclater les cadres trop
étroits de ses structures originelles. Il y a — on ne saurait
assez souligner ce phénomène de contemporanéïté — plus d'un
caractère pirandellien dans l'œuvre de Proust. Il pense qu'un
être « ne nous apparaît jamais que par minutes successives »
et ne peut nous livrer de lui « qu'un seul aspect à la fois » ;
il a dû « se plier au cadre du temps». C'est pourquoi les apparences que nous observons « ont besoin d'être traduites et
souvent lues à rebours et péniblement déchiffrées. » « Sous
de la matière, sous de l'expérience, sous des mots, » Proust
cherche à « apercevoir quelque chose de différent ». La grandeur de son art est de retrouver, de ressaisir, de nous faire
connaître cette réalité loin de laquelle nous vivons... » Comme
cet Astolphe de Custine qui, pour tant de raisons, lui était
cher, Proust tâche de devenir miroir.

*
**

---

(17) *Pléiade*, I, 864.
(18) *Pléiade*, I, 894.
(19) A. Gide, *Préface aux « Nourritures Terrestres »*.
(20) Diderot, *Paradoxe sur le Comédien*.

Quand Proust parle du Narrateur, « nous comprenons que c'est nous », comme dirait Mallarmé. C'est ainsi qu'un moderne se mire, vrai Narcisse androgyne : Balzac disait que « cette merveilleuse créature rêvée par Platon » symbolise « l'unité et l'identité formelle de l'esprit et de la matière... » Albertine sera donc l'héritière de Seraphitus-Seraphita. Le Narrateur également. Sa maîtresse n'est que son double. Lorsqu'il lui parle, il monologue. Il aime en elle son propre mimétisme. Ces deux personnages nous parlent encore par leur présence, par leurs gestes, par leurs soupçons plus que par leurs entretiens réels. Ils se parlent devant un miroir. Et Proust disait d'Albertine qu'elle était un boulet, auquel il était « de façon ou d'autre attaché ». Comme Frenhofer, Proust est « descendu dans l'enfer de l'art pour en ramener la vie ». Il y a cependant chez lui « un divorce essentiel de la volonté avec elle-même. » En son « analyse interminable », il expose à son insu ses pulsions de mort. Ainsi s'explique peut-être sa crainte de l'amour charnel et son identification fréquente de l'amour et de la haine.

Proust est, dans les temps modernes, l'un des derniers créateurs de mythes. Toutefois, afin d'être assimilé, d'être vraiment compris, il demande sans cesse la collaboration de son lecteur, sa re-connaissance intuitive. En lisant Proust, nous pensons au mot de Balzac :« Lire, c'est créer peut-être à deux ». Les évocations de Proust sont contagieuses. « Sa maladie ne fait qu'un avec sa méditation. » Il passe à « l'universel par l'approfondissement du singulier », en cette confrontation constante avec lui-même, en ces dialogues sournois et ces méandres secrets du même avec le même.

***

Proust semble avoir, comme Dostoïevsky, peint par anticipation, avec une sorte d'exactitude prophétique, jusque dans les détails, une existence, une société et des personnages qui ne devaient pleinement exister que longtemps après lui... Ce qui prouve le caractère mystérieux de l'inspiration, c'est que (selon le témoignage concordant de Proust, de Bernanos, de Claudel) le poète décrit, avant de les avoir subies, les expériences qu'il vivra plus tard. Le poète semble donc porter en lui quelques-uns des événements de sa vie à venir, comme si sa destinée et sa création se déterminaient et s'orientaient

l'une l'autre. Profondément remué, miné, Proust ouvrit l'ère
des métamorphoses : il est sa propre Circé. Il est lui-même et
il est l'autre. Il est et il se sait plusieurs. Il a connu l'anéantissement du soi. Il s'est fait incohérent, inconsistant, absurde.
Et toujours, sans ruse ni stratagème, il demeure d'intelligence avec ce qui le menace, l'épie ou l'épuise... Cet « emmu-
ré » devient alors « l'espace même » et toutes les choses perçues, pressenties. Dorénavant, il agit « en vertu d'une sorte
d'instinct qui, comme celui des insectes, est doublé d'un secret
pressentiment de la grandeur de leur tâche et de la brièveté
de leur vie. »

*
* *

Si tous les personnages animés par Proust sont d'abord
lui-même, leurs traits extérieurs — masques d'occasion, travestis et déguisements — sont empruntés à droite et à gauche.
Ses caractères sont donc peints tout à la fois du dedans et du
dehors. Ce qu'il combat en Sainte-Beuve, en Ruskin, en Montesquiou, en Flaubert, parfois même en Nerval, en Balzac, ce
sont ses anciennes idoles, son propre fétichisme. C'est de cela
que sont faits tour à tour Swann, Charlus, Legrandin, Bloch.
On pourrait dire que toute l'œuvre de Proust s'est construite
contre lui-même, contre son moi qu'il veut expurger, mortifier,
amender, transcender. En Charlus il dénonce sa première sen-
timentalité, son premier mensonge : il fustige les esthètes qui,
refusant d'avouer la corruption de leur nature, masquent du
nom d'amitié leur désir charnel, le plaisir de leurs sens. Si
Charlus tient à la fois de Ruskin et de Montesquiou, Legrandin s'apparente plutôt à Sainte-Beuve, à Cazalis, à Paul Desjardins, c'est-à-dire à ceux qui ne voient dans la poésie qu'un
assaisonnement de l'existence. Rien n'était plus odieux à
Proust que ce dilettantisme des « amateurs » ; il reprochait
même à de véritables artistes comme Jacques-Emile Blanche,
à des créateurs comme Ruskin, d'attacher trop d'importance
au prétexte, au sujet de leur inspiration, de croire par exemple
que la valeur des peintures de Whistler résidait dans la beauté
même des paysages de Londres. Sans cesse Proust traquait
toutes les formes d'idolâtrie et de superstition littéraire.
Proust souligne ce qu'il y a de vain dans la recherche des
sources littéraires. La mémoire volontaire elle-même est incapable de nous replacer dans l'atmosphère de l'événement vécu.
« Ce qu'elle nous dira ne pourra pas plus nous renseigner que

ce que nous demandons à des gens qui ont connu les personnages réels d'après lesquels ont été faits Madame Bovary ou Frédéric Moreau. Comment ces renseignements pourraient-ils élucider un charme intérieur qui tient à un certain écart du souvenir et à certaines transformations de la réalité (21) » Et Proust conclut un peu tristement : « Un livre est un grand cimetière où sur la plupart des tombes, on ne peut plus lire les noms effacés. »

(21) Cf. Margaret Mein, « Flaubert a precursor of Proust », *French Studies*, Juillet 1963.

CHAPITRE II

PROUST HERITIER ET DONATEUR

> *La littérature est aussi une*
> *lampe du sacrifice qui se consu-*
> *me en éclairant la descendance.*
>
> M. PROUST
>
> *Mon œuvre est le produit d'un*
> *être collectif qui a nom Goethe.*
>
> GOETHE
>
> *La poésie doit être faite par tous,*
> *non par un.*
>
> LAUTRÉAMONT

Shelley a parlé de « ce grand poème que tous les poètes construisent depuis les origines du monde, comme les pensées à l'unisson d'un seul grand esprit ». (1) Proust souligne que, « dans toute la durée du temps, de grandes lames de fond soulèvent, des profondeurs des âges, les mêmes colères, les mêmes tristesses ». T.S. Eliot a, de son côté, fait voir que les grandes œuvres de la littérature ne représentent pas seulement la parole individuelle de leurs auteurs, mais qu'elles constituent elles-mêmes un ordre organique idéal. (2) Pour Milton, la culture recèle en elle-même un certain pouvoir pro-

---

(1) Cf. *Defense of Poetry.*
(2) *Function of Criticism*, cité par Northorp Frye dans son *Anatomie de la Critique.*

phétique. Frye note que la culture occidentale, à chacune de
ses phrases évolutives, s'est inspirée des classiques anciens.
On peut considérer le poème comme un complexe poétique
en rapport avec d'autres poèmes. Le poème nouveau prend
place dans un ordre verbal déjà organisé : ... « Les poèmes
se font à partir d'autres poèmes, les romans à partir d'autres
romans. L'originalité retourne à une littérature originai-
re... » (3) En outre, Eliot a raison de déclarer qu'un grand
poète dérobe plus qu'il n'imite. Frye ajoute qu'il est plus
difficile de déterminer pour le poème une ligne d'ascendance
maternelle. Le rôle d'un poète serait comparable à celui d'un
accoucheur. On a vu dans l'imitation « la fonction cruciale
de toute grande littérature ». (4) C'est une émulation tuté-
laire. Proust croyait à « cette survie protectrice des grands
écrivains, » dont il voulut recevoir l'investiture. Il savait
aussi qu'il n'y a pas « de meilleure manière d'arriver à prendre conscience de ce qu'on sent soi-même que d'essayer de
recréer en soi ce qu'a senti un maître » ; et ces maîtres, il lui
plaisait de les regarder, avec Valéry, comme des génies qui
simplement sont mieux que nous ne le sommes nous-mêmes,
renseignés sur ce qu'il y a de plus essentiel en nous.

Ce sont précisément les artistes les plus originaux, les
vrais novateurs, qui ont su le mieux s'inspirer des exemples
de leurs obscurs devanciers. « Giotto lui-même eut un maître ». (5) Dans son ordre, comme dans le leur Paul Cézanne
et Claude Debussy, Proust demeurera l'un des novateurs les
plus incontestés.

Il n'a donc pas à rougir d'avoir suivi les traces des maîtres de son choix. Lorsqu'on a perdu sa route dans les profondeurs de la nuit océane, n'est-il pas bénéfique parfois de
recevoir la lointaine, intermittente lumière de ceux que Baudelaire n'a pas dédaigné de nommer « Les Phares » ? Dante
s'est réclamé de Virgile et d'Arnaud Daniel, Virgile d'Homère.
Tolstoï a dit que tout *Guerre et Paix* sortait du récit de la
bataille de Waterloo que Stendhal prête à son Fabrice. Dostoïevsky n'a pas hésité à s'instruire auprès d'Eugène Sue et
de George Sand. Nous ne compterons pas les larcins de Shakespeare, les plagiats de Stendhal, de Nerval, les mosaïques

---

(3) Frye, *Ibid.*
(4) R. Barthes.
(5) J. Maritain, *Art et Scolastique.*

de pierres empruntées dont T.S. Eliot a fait ses plus beaux poèmes, de *La Terre Vaine* aux *Quatre Quatuors*. Laforgue et Corbière l'ont formé autant que les tragiques Elizabéthains et les poètes Métaphysiques. Rabelais et Montaigne doivent aux Anciens autant qu'à leurs contemporains. Chaucer a, dans son *Troïlus* et son *Récit d'un Chevalier*, introduit maints passages de Boccace. Claudel lui-même n'a reconnu sa propre voix incantatoire et singulière qu'après avoir lu Rimbaud, Shakespeare, Eschyle, les Prophètes et Pindare... Quant à Proust, pour être lui-même, il a dû se débarrasser de l'intonation des maîtres les plus chers, en accusant leurs tics et leurs manies dans ses *Pastiches*. Il en est de même des musiciens et des peintres. Raphaël n'a cessé d'être le disciple du Pérugin qu'après avoir vu les premières œuvres de Léonard et de Michel-Ange. Van Gogh a commencé par transposer Millet. Manet a pris à la Renaissance le nu de son *Déjeuner sur l'herbe*. Wagner a compris ce qu'il pouvait après avoir entendu les chœurs de la *Neuvième Symphonie*. De nos jours, avec Strawinsky et Picasso, ces reprises, ces rappels, ces rattachements, ces allusions, ces décalques deviennent systématiques, parce que nous devenons plus conscients de la légitimité d'un innombrable héritage. Le *Penseur* de Rodin s'affirme en face du *Pensioroso de Buonarroti*. Il n'est rien de tel que d'imiter pour souligner sa différence.

En croyant se mettre à l'école de la Grèce et de Rome, les classiques du Grand Siècle ont manifesté leur essence la plus française. C'est quand il a renié Balzac pour George Eliot et Dostoïevsky que Proust a le mieux révélé ce qui le séparait des Russes, des Anglais, et faisait de lui le plus inimitablement nôtre des romanciers, ayant su donner à son œuvre le style qui lui convenait. Parce que Proust connaissait Lydgate, Muichkine, ou les Karamazoff, le Narrateur et Charlus n'en sont pas moins des Parisiens de 1900. « Une seule ondulation propage dans toute l'étendue de l'espace une même manière de dire, de penser... »

Les amis de Proust m'affirment qu'il lisait peu. Que m'importe ! Le peu qu'il lisait portait des fruits. Il avait horreur des érudits qu'il appelait « les célibataires de l'art ». Mais, comme un chef d'orchestre de génie tire d'une partition deux fois lue une musique ignorée, ainsi Proust, de chaque livre entr'ouvert, savait extraire l'essence la plus précieuse : une essence qu'il faisait sienne. De même, il reprenait son bien à la peinture, à la musique : tout son art n'est-il pas fait d'allusions ? « Le récit littéraire, a-t-on dit, forme une chaîne symbolique de compréhension, autrement dit un rituel ». (6) Longtemps les connaissances littéraires de Proust furent plus que l'objet d'une culture : ce fut un culte. S'il est affranchi de l'idolâtrie, il a conservé la croyance dans le caractère sacré de la littérature, dont il a fait un véritable rituel de répons, « d'échos et de reprises », « le miracle fécond d'une communication au sein de la solitude. » Telle est la « transmission d'un bien d'une génération à une autre ». La *Recherche* a « cristallisé autour de faits et de lectures ».

« La lecture, au rebours de la conversation, consiste pour chacun de nous à recevoir la communication d'une autre pensée, mais tout en restant seul, c'est-à-dire en continuant à jouir de la puissance intellectuelle qu'on a dans la solitude et que la conversation dissipe immédiatement ».

Cette dépendance, cette transmission, cet enchaînement, cette récurrence des formes et des thèmes sont visibles, patentes en architecture, en musique, en peinture... Pourquoi n'en serait-il pas de même dans les lettres ? Les classiques de Rome et du XVIIᵉ siècle français le savaient. Corneille, en l'adaptant, transfigure Lope de Vega. Molière fait oublier Tirso de Molina. La Fontaine dépasse Esope et Phèdre. Racine n'est pas, à sa façon, moins grand qu'Euripide. L'art est une émulation. Plus grande est la part de la création novatrice, de l'invention du génie, plus nette est également la révélation de la connaissance approfondie qu'il possède de tous ses prédécesseurs, de leurs ressources variées. « Flaubert était ravi quand il retrouvait dans les écrivains du passé une anticipation de Flaubert. »

Proust sait nous faire passer insensiblement du plan romanesque au plan de la confession et, par là, c'est toute l'histoire de la prose humaine que son œuvre récapitule, ne serait-ce que « comme un écho lointain de la montagne ».

Pour former un tel tuf, combien il a fallu d'alluvions, de sédiments, de stratifications ! Proust aimait accumuler « plusieurs épaisseurs d'art » (7) Cependant, il proclamait que « les affinités et les réminiscences sont bien peu de chose chez un créateur auprès de cet apport essentiel qui le rend unique et différent de tous les autres ».

_____

(6) Frye, *Ibid.*
(7) Proust écrivait : ... « la terre où les flots ont passé, fut-ce une fois, garde des coquillages, des algues, une douceur qui la distingue ».

C'est précisément parce que Proust est si différent, si nouveau, si singulier, si hardiment créateur, que nous pouvons, sans crainte de le diminuer, nommer ceux qui furent ses devanciers. *Le Temps Retrouvé* nous semble ouvrir l'ère entrevue par Rimbaud : celle de « l'œuvre inouïe » affirmant son innocence et sa nouveauté contre un temps aboli. Cette « éternité retrouvée », ce paradis intérieur, ici et maintenant accessible, Proust n'est certes pas le premier à les avoir pressentis ; mais nul avant lui n'avait plus tenacement cherché « le lieu et la formule ». Proust nous donne l'impression d'être « partout à la fois, aussi bien dans l'espace que dans les diverses régions du cœur et de la pensée ». (8) Tout est interchangeable : « sensations, sentiments, le dedans et le dehors, l'intime et l'ambiant. » « L'attention est captivée en apercevant les anneaux par qui se touchent tant d'hommes inconnus les uns aux autres ». (9) Quoi de plus émouvant dans les choses humaines que cette hérédité spirituelle, cette dévolution qui se fait d'âge en âge et nous permet de remonter, à travers Montaigne, jusqu'aux plus sages des Anciens dont il nous a si fidèlement transmis les trésors ? Chateaubriand notait : « Il ne faut pas croire que l'art des citations soit à la portée de tous les petits esprits qui, ne trouvant rien chez eux, vont puiser chez les autres. C'est l'inspiration qui donne les citations heureuses. La Mémoire est une Muse, ou plutôt c'est la mère des Muses... Les plus grands écrivains du siècle de Louis XIV se sont nourris de citations ». On songe à ces grands feux que les Grecs allumaient sur les cimes, et qui se répondaient, afin de propager au loin parmi les peuples de l'Hellade attentifs la nouvelle de la chûte d'Ilion ou de quelque victoire mémorable.

Proust n'hésitait pas à évoquer tel de ses prédécesseurs, « comme les Vénitiens, construisant leur basilique, intercalaient dans leur œuvre personnelle des morceaux rapportés des pays qu'ils avaient aimés. » L'art naît de l'art. Après *Werther*, on vit apparaître *René* et *Obermann*. On a dit que l'*Olivier* de Mme de Duras avait engendré tout à la fois la *Fragoletta* de Latouche, l'*Armance* de Stendhal, enfin *La Fille aux yeux d'or* de Balzac. Sans *David Copperfield* nous n'aurions pas eu le *Jack* de Daudet. Mais les filiations de Balzac

---

(8) Supervielle.
(9) Qu'on veuille bien me pardonner d'adapter à mon contexte ces mots de Chateaubriand.

et de Proust sont plus nombreuses et plus complexes. Du
roman de Sainte-Beuve, *Volupté*, l'on a pu dire que sont sortis,
à différents égards, *Dominique* de Fromentin, L'*Education
Sentimentale* de Flaubert, et surtout *Le Lys dans la Vallée* de
Balzac. Balzac avait lu en 1834 le roman de Sainte-Beuve. En
Mme de Couaën il avait reconnu cette Mme de Berny qu'il
avait aimée aux jours de son adolescence. Il avait parlé du
livre à Mme Hanska, qui ne l'appréciait pas. Il lui répondit :
« Oui, mais il y a de belles pages, des fleurs dans un désert ».
Sainte-Beuve ayant violemment attaqué *La Recherche de l'Absolu*, Balzac, indigné, voulut se venger à sa façon. « Je referai
Volupté ! » s'écria-t-il. *Le Lys dans la Vallée* allait à jamais
faire oublier *Volupté*, dont il est indéniablement inspiré. Le
thème de l'amour d'un jeune homme pour une femme plus
âgée apparaît également dans *Swann* lorsque le Narrateur
devient épris de la duchesse de Guermantes. (10)

Proust savait comment les grands écrivains, c'est-à-dire les
écrivains originaux, se touchent et comment ils diffèrent,
« chacun faisant entendre une note essentielle, qui cependant,
par un intervalle imperceptible, est irréductiblement différente de celle qui la précède et de celle qui la suit ». Et lorsque
Proust apercevait entre son œuvre et celle de l'un de ses modèles ou prédécesseurs des « réminiscences anticipées de la
même idée, de la même sensation », cela lui faisait plaisir
comme si « d'aimables poteaux indicateurs » lui montraient
qu'il ne s'était pas trompé. L'œuvre de Proust ressemble à
« ce bœuf en gelée dans la composition duquel entraient tant
de morceaux de choix et tant d'ingrédients différents ». Quand
Proust lisait un auteur, il distinguait bien vite « sous les paroles l'air de la chanson, qui en chaque auteur est différent de
ce qu'il est chez tous les autres ». C'est ce qui lui a permis de
faire des pastiches volontaires, car « chez un écrivain, quand
on sait l'air, les paroles viennent bien vite ». Il avait aussi le
don de trouver « un lien entre deux idées, deux sensations ».
Il avait l'oreille très fine et juste pour sentir entre deux
impressions une harmonie que d'autres ne sentent pas. De
même, entre deux tableaux d'un même peintre, il apercevait
une même sinuosité de profils, quelque chose de commun : la
prédilection et l'essence de l'esprit de l'artiste. Quand il décèle

---

(10) En hommage à Balzac, Proust a donné à la tante de Mme de
Guermantes le nom de ce Villeparisis où Balzac aima **Mme de Berny.**

ce lien entre deux œuvres, il est heureux : il a reçu sa nourriture spirituelle. « S'il meurt dans le particulier, il se remet immédiatement à flotter et à vivre dans le général. Cette coïncidence entre deux impressions lui rend la réalité parce qu'elle ressuscite avec ce qu'elle omet ».

Bien qu'il ait su plus tard que tout ce que nous pouvons demander aux livres, c'est de préparer une transformation de notre esprit, Proust s'explique peut-être mieux par ses lectures préférées que par sa vie extérieure quotidienne ; il est de ceux qui ont connu les sentiment par les livres avant de les avoir vécus. Il a vu dans l'écrivain, dans le peintre, dans le musicien — Bergotte, Elstir, Vinteuil — les expressions les plus typiques de l'humanité. Il a retrouvé en lui-même quelque chose de tous ses devanciers. Ayant toujours présents devant les yeux les grands modèles du passé, depuis les Tragiques grecs, portant en lui un critique qui n'était pas inégal au créateur, il a su choisir ses maîtres. Il s'est souvenu de Chateaubriand et de Nerval ; il a souhaité récrire *David Copperfield*, composer *Les Mille et une Nuits* du xxᵉ siècle, renouveler les *Essais* de Montaigne, les *Mémoires* de Saint-Simon ; bien plus, il s'est senti tour à tour François le Champi, Aladin, Lucien de Rubempré, Muichkine ; il a rêvé d'être un peu le Dante, le Michel-Ange de son temps ; il a créé certains de ses personnages d'après les traits ou les gestes de Saint-Simon, de Custine, de Renan, de France, de Bourget, voire de Forain, de Jacques Blanche, de Monet, de Vincent d'Indy, de César Franck ; avec un don de mimétisme surprenant, il a pastiché Régnier, Taine, Flaubert, Balzac, cherchant à se débarrasser de leur influence en décelant leurs mécanismes ; il a compris les leçons de Wagner, de Mallarmé, de Cézanne et de Renoir ; il a multiplié ses dispositions en reprenant les thèmes interdits et scabreux qu'un Balzac, un Latouche n'avaient fait qu'effleurer (11) ; mort à cinquante-et-un ans, il n'a mis qu'un peu plus de dix ans à composer sa *Recherche* qu'il avait portée en gésine, mûrie, allaitée et couvée pendant près de quatorze années d'incubation. Proust était frappé d'une certaine ressemblance qui existe, jusque dans l'aspect physique, entre les plus grands poètes français du xixᵉ siècle. Tous les poètes, les écrivains, les maîtres d'autrefois deviennent à

---

(11) Dans *Les Illusions Perdues, La Fille aux yeux d'or, Fragoletta*, etc...

travers Proust « comme les différents moments, contradictoi-
res parfois, d'un seul homme de génie ». Il a trouvé dans son
activité créatrice « ce prolongement et cette multiplication
possible de soi-même qui est le bonheur ». Sa fin, en tant que
romancier, n'est pas seulement la connaissance de l'homme,
l'étude du cœur humain, mais, selon le mot de Vigny, « l'étude
du destin général des sociétés ». Il sait qu'on parvient mieux
à connaître l'homme en plongeant dans les profondeurs d'une
individualité qu'en étudiant les phénomènes sociaux. Déchirant ce que Bergson appelle « la toile solidement tissée de
notre moi conventionnel », pour nous montrer, « sous cette
logique apparente, une absurdité fondamentale », Proust va
pénétrer « la grande nuit décourageante de notre âme ». La
Recherche de Proust est donc « un monde complet où sa pensée et son cœur peuvent se retrouver tout entiers ». Nous
discernons les formes que son génie a puisées dans « un
monde surnaturel et exclusivement personnel à lui ». Chez
Proust « l'unité n'est faite que de contraires neutralisés »,
cette immobilité apparente « cachant une vie vertigineuse ».
Héritier de Baudelaire, poète du « bijou rose et noir », lequel
goûtait tout ce qui est ambigu, les mélanges et les plaquages,
Proust savourait les mets « doux-amers », les hommes qui
« ont des qualités féminines » ; en Engadine, il avait été ému
par la vue d'un lac noir près d'un lac blanc, comme une perle
noire à côté d'une perle blanche ; jamais un parler ne lui
paraissait si juste que lorsque « les symétries du langage s'y
découvraient et faisaient admirer leur beauté ». De là naît
sans doute ce rythme spasmodique, assez semblable à celui de
Wagner, qui caractérise la pulsation de son style. D'autre
part, on a pu remarquer chez lui une sorte de vision binocu-
laire, stéréoscopique, qui donne aux choses leur relief. Il cherche en ses personnages, comme Racine, des « états ambigus »
d'une sécurité toujours « traversée de pressentiments ». Les
prémonitions lui viennent deux par deux, comme, chez les
Anciens, apparaissaient les Dioscures et les Gémeaux. Son
univers est fondé sur un hylémorphisme originel. Il y a chez
lui alternance de saisons presque physiologiques : l'angoisse
du soir, la joie de l'après-midi. Ce qu'il a goûté dans le style
de Chateaubriand, c'est le « retour de deux notes presque toujours les mêmes ». Il écrivait aussi : « L'accouplement des
éléments contraires est la loi de la vie, le principe de la fécondation et la cause de bien des malheurs ». Comme le poète
anglais Gérard Manley Hopkins, il aimait singulièrement tout

ce qui était diapré, bigarré, tâcheté, pommelé, zébré, piolé, tressé, moiré, tigré. N'était-il pas le produit d'un croisement entre un père beauceron et catholique, une mère lorraine et israélite ? Il ressemblait par là à ce Montaigne qui, le premier dans les lettres françaises, apporta « le doublet franco-sémitique », destiné à devenir un jour si fécond. Les Guermantes de Proust étaient nés, disait-il, de l'union d'une chimère et d'un oiseau. Lui-même reconnaissait qu'en son tempérament il y avait du Dr Jekyll et du Mr Hyde.

Comment ne pas admirer avec émotion « ce concert de hasards favorables » d'où sortit *La Recherche du Temps Perdu* ? Proust est, d'une part, l'héritier de nombreuses générations de poètes, de romanciers, d'artistes, de savants, en quête des lois de l'esprit ; il est, d'autre part, le donateur, le légateur d'une nouvelle forme de richesse intellectuelle dont profiteront les meilleurs écrivains à venir. La *Recherche* est une œuvre-carrefour, une grande charnière. Valéry disait que les diverses littératures sont tombées amoureuses les unes des autres. Ce propos illustre assez bien l'attitude de Proust, épris tour à tour d'Emerson, de Dickens, de George Eliot, de Ruskin, de Stevenson, de Meredith, de Henry James, de Thomas Hardy, mais aussi des *Mille et une nuits,* enfin de Dostoïevsky et de Tolstoï. C'est ainsi qu'à la tradition du roman français il sut intégrer tant de traditions étrangères L'héritage des poètes n'a pas été moins déterminant dans la formation de Proust que celui des romanciers et des essayistes. On a pu dire que notre siècle « n'a été que le moment où l'histoire du siècle précédent et des siècles passés s'est trouvée confrontée à celle des siècles à venir ». (12) Proust exploite « une connaissance héréditaire, un fabuleux trésor d'observations et d'intuitions légué par des milliers d'ancêtres. »

Pascal disait que les auteurs ne devraient pas dire « mon livre », mais « notre livre », « vu que d'ordinaire il y a plus en cela du bien d'autrui que du leur » (13). Roland Barthes remarque que « l'écriture d'une œuvre définie de Dostoïevsky, de Sade, de Hugo comporte, sous les apparences d'une ligne de mots, des parodies, des échos d'autres écritures, de sorte

---

(12) Claude Aveline.
(13) Cités par E. Czoniczer, *Quelques Antécédents de « A la Recherche du Temps Perdu »*, 1957.

qu'on peut parler pour la littérature non plus d'intersubjec-
tivité, mais d'intertextualité ». (14)

Proust lui-même choyait les imitations : « l'originalité
pénétrée, l'essence même d'un autre être dérobée, la particularité de sa personne reproduite ». Cela explique l'importance
qu'il attachait à ses pastiches de Balzac, de Saint-Simon, de
Renan, de Michelet, de Régnier, et particulièrement au pastiche du *Journal* des Goncourt qui figure dans Le *Temps Retrouvé*. D'ailleurs, pour Proust, « le devoir et la tâche d'un
écrivain sont ceux d'un traducteur ». *A la Recherche du
Temps Perdu* a tant d'antécédents que l'on n'en finirait pas
d'établir les points de convergence de cette œuvre. Cependant
« sa création ne peut être que l'œuvre de son originalité ».
Proust est de ceux qui donnent plus qu'ils n'empruntent. Si
Vautrin se reconnaît en Charlus, Charlus éclaire Vautrin,
Morel explique Rubempré... Nous savons déjà ce que les Guermantes doivent à Saint-Simon ; ce que nous ne savons pas,
c'est que le Narrateur de la *Recherche,* le « *je* » profond de
Proust nous apprend à mieux lire désormais Nerval ou Maupassant, Stendhal ou Dostoïevsky, Meredith ou Stevenson.
Proust est de ceux qui ont le don de porter leurs modèles au
rang de « disciples anticipés ». Il sait que, selon le mot de
Chateaubriand, l'important n'est pas de n'imiter personne,
mais d'être inimitable. Héritier de tous les siècles, il parvient
à discerner des « ressemblances occultes dans des choses en
apparence différentes ». Il amalgame donc les données disparates de son expérience. Il semble voir à travers « les yeux
d'un spectre, intime composite ». Ne dit-il pas que « c'est
grâce à la pluralité des desseins de l'artiste qu'une œuvre est
quelque chose de concret » ?

La Recherche peut apparaître ainsi comme l'aboutissement
d'une très longue lignée qui part de Cervantès — et peut-être
même du *Satyricon,* de *La Matrone d'Ephèse* ou de *L'Ane*
d'Or. Proust s'est lui-même comparé plaisamment à « un Rose-
croix venu de Pétrone en passant par Saint-Simon ». Mais si
son roman semble « une œuvre posthume écrite par une
époque défunte », il demeure lui-même, bon gré mal gré,
solidaire de son siècle. Son roman, comme ceux de Henry
James, « emprunte plus encore à l'art qu'à la vie elle-même »,

---

(14) *Pensées*, vol. II, p. 92 (Ed. Delmas, 1948).

l'art étant conçu comme « une valeur absolue », et l'œuvre nous montrant « le vrai rapport du romancier au monde qu'il exprime, le rapport de ce qu'il exprime à ce qu'il est en train de créer ». Toutes les productions antérieures viennent, « à la façon d'ancêtres et de vénérables répondants, lui prêter le prestige de leur grandeur et l'appui de leur force. » C'est une grande chose que cette saisie et recouvrance de tout le passé des lettres en un instant fortuit de remémoration collective et de transmutation. Proust semble entrer en possession « d'un héritage qui (lui) eût de tout temps appartenu ». Il parachève le travail d'une lignée de devanciers. « Quelle pauvre œuvre, s'écriait Goethe, serait celle d'un poète qui aurait tout tiré de son propre fond ! » Un Proust, un Eliot ne pensent pas autrement. Apprécier un poète, un romancier, c'est donc estimer sa relation avec les artistes défunts : « Quand une nouvelle œuvre d'art est créée, ce qui advient, c'est quelque chose qui survient simultanément en toutes les œuvres d'art qui l'ont précédée. Les monuments existants forment entre eux un ordre idéal, que modifie l'entrée parmi eux de l'œuvre nouvelle (vraiment neuve). L'ordre existant est complet avant que n'apparaisse l'œuvre nouvelle ; pour que l'ordre se maintienne après l'intervention du nouvel apport, l'ordre existant tout entier doit, ne serait-ce qu'insensiblement, être altéré ; ainsi les relations, proportions, valeurs de chaque œuvre d'art par rapport à l'ensemble sont rajustées ; et c'est en cela que l'ancien et le nouveau sont conformes l'un à l'autre. Quiconque a fait sienne cette idée, de l'ordre, de la forme, dans la littérature européenne, voire anglaise, ne trouvera pas inepte que le passé soit transformé par le présent, tout autant que le présent est dirigé par le passé. » (15) Eliot ajoute qu'il y eut de tous temps entre artistes une inconsciente communauté et qu'en lisant un auteur moderne, nous nous remémorons ses lointains précurseurs. Le présent éclaire le passé. L'écrivain véritablement grand sera non pas seulement celui qui restaure une tradition tombée en désuétude, mais celui qui saura allier et réunir autant de rameaux disjoints de la tradition qu'il est possible de le faire. Je pense donc que Proust, lorsqu'il écrivait, sentait non seulement qu'il portait en lui, « dans la moelle de ses os, sa génération propre, mais en sentant que la

---

(15) T.S. Eliot, extrait de « Tradition and Individual Talent », *The Egoist*, oct. 1919.

littérature tout entière de l'Europe, depuis Homère — et dans
son sein la littérature de son propre pays — possédait une
existence simultanée et composait un ordre simultané ».
Proust et Eliot assimilent dans une certaine mesure l'œuvre
de l'écrivain à celle du savant qui ne peut ignorer le travail de
ses prédécesseurs : des ascendants silencieux, s'expriment à
travers la bouche de leurs lointains héritiers. (16) « Telle
substance qui fait le fond de l'humanité, souvent invisible et
comme interrompue, ne meurt pas cependant. » Quand on
aura découvert, décelé, dénoncé toutes les sources de Proust,
toutes ses réminiscences, tous ses échos, son œuvre n'en
demeurera pas moins — comme celle de Shakespeare — strictement originale, en raison même de son essence spécifique.
Cette poésie « cristallisée de sources multiples » est d'une
beauté imprévisible. Le coup de génie de Proust, ce fut de
renoncer à tout esprit didactique pour incarner, de diverses
façons, ses goûts esthétiques en des personnages différents.
« Les idées prennent force pure parce qu'elles résultent de la
vie des personnages. »

Tout en s'inspirant directement de l'atmosphère de son
temps et de son milieu, Proust, par ses allusions à la mythologie antique ou à la Bible, éveille de profondes résonances en
l'esprit de son lecteur. Son œuvre comporte différents niveaux
et diverses séquences de signification : le principe de récurrence y joue un rôle fondamental, assez semblable à l'anam-
nésis de Platon, à la répétition de Kierkegaard. Frye remarque
que « vouloir rattacher, comme le fait Proust dans le Temps
Retrouvé, la conception analogique de la littérature à la théorie Kantienne d'une « esthétique transcendantale », connue
comme conscience à priori de l'espace et du temps, ce n'est
peut-être pas autre chose qu'un jeu de la pensée ». Ajoutons
qu'il est aisé de déceler dans l'œuvre de Proust des allusions
à certains mythes. N'a-t-on pas dit que le romanesque est « la
forme la plus proche de l'accomplissement d'un rêve » ? Le
site de « l'épiphanie » est presque toujours un haut-lieu (17).
Là se rassemblent tous les éléments disparates du paysage. A
Venise, c'est l'Ange d'Or du Campanile qui apporte au Narrateur le message longtemps attendu.

---

(16) On a pu dire que l'œuvre de Proust est « une recherche de la
littérature passée ». Cf. David Mendelson, Le verre et les objets de verre
dans « A la recherche du temps perdu », 1968.

(17) Tout comme chez Stendhal, ce qui n'avait pas manqué de frapper Proust.

Bien que Proust n'ait pas reçu de véritable formation religieuse (en raison de la différence de confession de sa mère et de son père) on peut souligner que l'Ecriture Sainte exerce sur son œuvre une influence qui est loin d'être négligeable. On pourrait croire que Ruskin a, plus que tout autre, contribué à donner cet accent biblique à la prose de son jeune traducteur français ; en fait, Proust n'avait pas attendu de traduire *La Bible d'Amiens* ou *Sésame et les Lys* pour laisser transparaître dans son style je ne sais quelles intonations qui lui venaient tantôt de l'Ecclésiaste et tantôt du Nouveau Testament. Adolescent, il avait aimé « la douceur de certaines paroles de l'Evangile qui ne disaient pas seulement le mépris des richesses et l'irréalité de la matière mais qui en étaient empreintes, parce qu'elles laissaient échapper, comme un parfum, une essence naturellement supérieure à ces choses-là et plus fine ». Il ne pouvait sans émotion « entendre lire certains versets de saint Luc » qui lui semblaient insérer dans l'heure présente un écho lointain de la voix de Jésus » (18). Plus tard, dans *Sodome et Gomorrhe* et dans *Le Temps Retrouvé,* nous entendrons résonner la voix plus rauque et plus tragique des Prophètes ou même les imprécations vengeresses de l'Apocalypse.

Considérable demeure chez Proust la part de ce qu'Aragon appelle « métalangage » — c'est-à-dire de ce qui vient à la fois de la vie et de la littérature en général, de la tradition écrite antérieurement. Les personnages de la *Recherche* ont souvent leur origine dans un roman, dans une peinture chers à Proust, ou même dans un personnage historique. (Selon son propre aveu, il n'en est pas autrement chez Aragon). Ces deux écrivains — bien que le second feigne de ne guère apprécier le premier — nous font comprendre la duplicité de l'être humain... Plus que tout autre, Proust pouvait écrire : « Mon livre m'a créé ». Son œuvre se nourrit aussi d'elle-même ; et l'on peut dire qu'il applique à son cas le « paradoxe sur le comédien », tel que l'a conçu Diderot et tel que Flaubert l'a fait sien. Les Saniette, les Cottard, les Brichot du clan Verdurin — on ne l'a pas assez souligné — sont de nouvelles figures de Bouvard et Pécuchet, rêvant « un plan secret de la société parisienne ».

---

(18) *La Divine Comédie* et les pièces de Shakespeare lui donnaient la même impression de contempler, inséré dans l'heure actuelle, un peu de passé.

Après Balzac, Flaubert, Dostoïevsky et Tolstoï, après les Anglais et les Américains (19), Proust subira l'influence successive de romanciers français modernes qu'il n'estime qu'à moitié ou qu'il n'admirera qu'un moment : Maupassant, les Goncourt, Anatole France, Loti, Barrès, Bourget, chacun d'eux lui apprenant aussi bien ce qu'il fallait éviter que ce qu'il fallait faire. Si Proust, trop souvent complaisant dans ses articles de critique contemporaine, a pu flatter, voire flagorner Montesquiou, Anna de Noailles, Henri de Régnier et bien d'autres, il ne s'est pas moins servi de ces dangereux modèles pour affirmer « sa différence essentielle », tout en prêtant à son Bergotte, à son Charlus, certains des travers de ces précurseurs, un instant adulés mais secrètement utilisés, analysés, démasqués, et qui furent un peu ses « îlotes ivres ». Proust a dit que tout chef d'œuvre crée lui-même sa postérité. Il n'est pas moins vrai de dire, avec Georges-Louis Borgès, que les artistes créent leurs précurseurs. Selon le principe bergsonien, s'il n'y avait pas eu l'œuvre de Proust, nous ne pourrions pas apercevoir chez ces devanciers certaines beautés latentes ou larvaires, puisqu'elles ne nous deviennent perceptibles que par effet rétroactif.

*

Proust fonde sa psychologie dans le temps sur la distinction entre la mémoire involontaire ou affective et la mémoire volontaire, distinction qui, dit-il, non seulement ne figure pas dans la philosophie de Bergson, mais est même contredite par elle. (Ce n'est point par ingratitude, mais par conviction intime que Proust déclare avoir « rencontré » Bergson plutôt qu'il n'a subi son influence. Peut-être Proust est-il, en fait, plus proche de Kierkegaard que de Bergson, car le penseur danois distinguait le temps abstrait du philosophe ou du savant, le temps discontinu de l'artiste et l'instant d'éternité du mystique.

A l'écoulement continu de la durée bergsonienne Proust oppose les « intermittences du cœur », où nous voyons res-

---

(19) Et je ne nomme ici que les romanciers, négligeant l'influence qu'ont exercée sur Proust des essayistes, des penseurs, des esthéticiens anglo-saxons comme Emerson, Lawrence Sterne, Savage Landor, Ruskin, voire Oscar Wilde, qu'il connut personnellement et dont Charlus reproduit certains traits, en les composant avec d'autres.

surgir un ancien moi qui s'était effacé. Pour Bergson, le temps affecte l'être même : c'est la durée pure. Pour Proust, le temps n'est nullement la réalité par excellence ; il est souvent spatialisé ; il n'atteint pas le fonds de l'homme : en nous subsistent certains éléments permanents. Proust rétablit, en quelque sorte, la notion psychologique de la personne. Pour Bergson, le temps se révèle dans la continuité du mouvement ; pour Proust, dans sa discontinuité : l'évolution des individus et des sociétés est faite de ces mutations. Et c'est précisément en décrivant ces mues que Proust entend « isoler » la substance invisible du temps. Il nous donne « la sensation du temps écoulé » en nous peignant « les divers aspects successifs qu'un même personnage aura pris aux yeux d'un autre ». Proust n'en garde pas moins la certitude que le monde est régi par des lois intelligibles, que « la durée n'est en rien créatrice », et que « c'est contre elle que l'esprit crée ».

Ainsi, s'opposant à l'écoulement bergsonien, l'effort de Proust tend à l'abolition même du temps. Il écrit : « Ce que nous appelons notre amour, notre jalousie, n'est pas une même passion continue, indivisible. Ils se composent d'une infinité d'amours successifs... et qui sont éphémères, mais, par leur multitude ininterrompue, donnent l'impression de la continuité... » Proust était si peu satisfait de la discontinuité qu'il trouvait dans les choses que, dans le train de Balbec, il nous montre le Narrateur enfant « courant d'une fenêtre à l'autre pour rapprocher, pour rentoiler les fragments intermittents et opposites de (son) beau matin écarlate et versatile et en avoir une vue totale et un tableau continu ».

Pour assurer à son récit une sorte de continuité, dans le temps et dans l'espace, il imagine des hauts-lieux et des rassemblements. Il expliquait à Jacques Rivière l'architecture de son œuvre : « Comme elle est une construction, forcément il y a des pleins, des piliers, et dans l'intervalle de deux piliers, je peux me livrer aux minutieuses peintures ». Ramon Fernandez a fait remarquer que les réceptions, les salons, et tout particulièrement la « Matinée Guermantes » jouent un rôle technique : celui de « planches anatomiques » ou de « scènes aménagées pour l'instinct théâtral du lecteur » ; car ces « réunions sont véritablement des réunions dans l'espace des personnages », marquant « une certaine épaisseur de durée, un moment, une coupe du temps »... De cet espace Proust fait partir des percées dans le passé et dans l'avenir ; en même temps qu'il perçoit, il se rappelle ; enfin, il échappe au temps par un approfondissement du temps... Il écrivait : « Les romanciers sont des sots qui comptent par jours et par années. Les jours sont peut-être égaux pour une horloge, mais pas pour un homme. Il y a des jours monstrueux et malaisés qu'on met un temps infini à gravir, et des jours en pente qui se laissent descendre à fond de train en chantant. »

Bien que sa composition soit « voilée et d'autant moins rapidement perceptible qu'elle se développe sur une large échelle », Proust a conçu son œuvre comme « un ensemble uni, rigoureusement ordonné selon une *loi* d'autant plus importante qu'elle reste cachée, comme le centre secret de tout ». Quant au problème de la continuité et de la discontinuité, je me demande si Proust n'a pas voulu évoquer l'angoisse que lui inspirait la séparation des lieux et des choses, enfin la séparation des personnes, et si, dans cette perspective, son roman ne doit pas être considéré comme la recherche de cette continuité et de cet écoulement qu'il n'a pu trouver entre les êtres, entre les lieux, et dont il a constaté l'échec. Il y aurait de la sorte, chez Proust, en même temps qu'un bergsonisme d'inspiration un antibergsonisme de réalisation... Proust notait lui-même : « La continuité du style est non pas compromise mais assurée par le perpétuel renouvellement du style ». Il a tâché d'aller « plus au fond des lieux » qu'il voyait, « tâché de leur recomposer, sous la diversité de leurs aspects et le morcellement des contacts qu'il prenait avec eux..., une unité, une essence particulière où se refait l'originalité de leurs noms. » (20) Proust pensait avec Buffon que « toutes les beautés intellectuelles qui se retrouvent dans un beau style, tous les rapports dont il est composé sont autant de vérités [...] plus précieuses peut-être que celles qui peuvent faire le fond du discours ». A travers la littérature, Proust a cherché cette communication qu'il croyait impossible entre les êtres vivants. La *Recherche* débute par un instant vidé de tout contenu. Elle s'achève sur des instants ayant pour contenu « des impressions véritablement pleines, celles qui sont en dehors du Temps ». Le Narrateur, en quête du Temps Perdu, a retrouvé deux choses distinctes : des instants privilégiés et une sorte d'éternité. Il a triomphé du Temps, « puisqu'une idée

---

(20) M. Proust, *Quelques ébauches, Kreuznach,* (vers 1909) dans Textes Retrouvés, recueillis et commentés par Philip Kob et L.B. Price, University of Illinois, Urbana, 1968.

profonde, qui a enclos en elle l'espace et le temps, ne saurait finir ». C'est ainsi que, pour Proust, « le geste, l'acte le plus simple reste enfermé comme dans mille vases enclos dont chacun serait rempli de choses d'une couleur, d'une odeur, d'une température absolument différentes »... Sans l'art, l'invisible resterait « le secret éternel de chacun ».

Loin d'être donc, comme l'a dit Bergson, « une continuité mélodique », le Temps n'apparaît chez Proust que sous l'aspect d'instants isolés, évoqués par la mémoire affective, et séparés les uns des autres. En dépit de ce qu'ont affirmé Floris Delattre et quelques autres, Proust n'avait pas tort d'estimer que sa conception de la durée était entièrement différente de celle de Bergson. Tandis que, pour Bergson, l'être se découvre dans le souvenir profond, non de façon fragmentaire, intermittente, isolée, mais en laissant la mémoire ineffaçable et totale, qui demeure aux ordres de la conscience, s'épanouir en un instant de détente, ce qui fait que, par la véritable pensée du *devenir continu* des choses, nous pouvons en atteindre l'essence, joignant à l'avenir le passé par un mûrissement créateur et libre, où chaque instant est acte, est option ; pour Proust, en revanche, nous avons besoin d'une « grâce » spéciale pour explorer le passé, car notre pensée doit tout d'abord dissiper le temps chronologique, le temps abstrait des horloges, qui est celui de l'intelligence ratiocinante et des habitudes et de la mémoire conventionnelle ; puis nous devons traverser les espaces résistants du passé, affronter enfin le néant de l'oubli (21), avant de pouvoir, en de très rares instants intemporels, en vertu d'une similitude, d'une réminiscence spontanée, retrouver en toute sa fraîcheur notre moi passé, le souvenir nous faisant respirer un air nouveau qui nous donne une sensation profonde de renouvellement et nous permettant d'appréhender *un peu de temps à l'état pur,* ou plutôt cette *minute affranchie de l'ordre du temps* recréant en nous pour la sentir « l'homme affranchi de l'ordre du temps ». (22)

L'homme est donc, pour Proust, un être sans âge fixe, qui n'est pas lié au temps : la résurrection des souvenirs identifie le présent au passé. Le temps aide puissamment les pures affinités intellectuelles, et le plus mystérieux de ses effets, c'est la poésie de l'incompréhensible.

-----

(21) Cf. G. Poulet, *Etudes sur le Temps Humain.*
(22) « Ce qui nous rappelle le mieux un être, c'est justement ce que nous avons oublié. »

Malgré tant d'héritages « de transmission », Proust appartient bien à son siècle, à sa génération ; mais son œuvre est « singulière ». Nous voudrions, selon le précepte même de Proust, dégager « les traits communs dont l'assemblage compose la physionomie morale de l'artiste », or la lecture des signes, des palimpsestes, n'est pas toujours aisée. La *Recherche* est semblable à ces « ouvrages interrompus, repris, sans cesse recommencés, quelquefois achevés au bout de soixante ans, comme le Faust de Goethe, quelquefois inachevés »... (23)

Proust voulait être « un génie novateur et violent », dissociant « toutes les façons de dire, de composer, de penser anciennes ». Robert-Louis Stevenson, — le romancier écossais dont il s'est quelquefois inspiré — a fait observer que « le roman, en tant qu'œuvre d'art, a pour principe non sa ressemblance avec la vie, qui est d'ordre purement matériel, mais tout au contraire cette différence indéterminable, concertée et voulue, en laquelle résident à la fois la portée et la signification de l'œuvre d'art. » Grâce au romancier, nous sommes nous-mêmes : il prête une voix à notre âme, il veut nous affranchir. Par lui, nous sommes le véritable Protée qui revêt successivement toutes les formes de la vie.

Par son goût de la métamorphose et de l'image, Proust est encore plus proche des Baroques du xvii* siècle que des Romantiques ; en outre, Claude Bernard lui a fait comprendre que « la vie est la persistance à travers ce qui change de quelque chose qui ne change pas ». Dans sa « quête des commencements », Proust ne néglige aucune précarité, aucune secrète origine, aucun cheminement de la conscience la plus obscure.

---

(23) Peut-être avons-nous le droit de parachever ou de couronner de telles œuvres.

CHAPITRE III

LE DEVENIR DE PROUST

> *L'on est parfois étranger comme homme à ce que l'on a écrit comme poète.*
>
> V. Hugo

> *Les événements les plus étranges sont à la fois pour lui un passé et un avenir.*
>
> Goethe

> *Je suis autre.*
>
> J.-J. Rousseau

Proust remarquait un jour : « On ne décrit bien que ce qu'on n'a pas vécu. » Pas plus que la critique faite par Proust de la méthode de Sainte-Beuve, ce mot ne semble avoir découragé les innombrables biographes qui, de Maurois à Painter, se sont attachés, avec une indéniable minutie, à évoquer le « moi » extérieur et quotidien de l'auteur de la *Recherche*. Il nous avait pourtant prévenus que ce « moi » n'avait que peu de rapports avec le « moi » profond de l'artiste créateur. Admettant que la vie de Proust et les personnages qu'elle évoque constituent « le matériau nécessaire de l'œuvre dont il est lui-même le réceptacle et la victime non moins que l'auteur », Emmanuel Berl montre que Proust était fondé à dénier une place privilégiée aux causes psycho-biographiques ; on pourrait également expliquer la *Recherche* « par l'évolution du roman français depuis Balzac ou européen depuis Goethe...» Ces causes diverses jouent d'autant moins que la « vocation » de l'artiste est plus puissante, car « la vocation implique que l'œuvre préexiste à sa propre naissance et même à celle de l'artiste qui la crée ». Proust nous ayant dit expressément que son œuvre est « l'histoire d'une vocation irrésistible », la démarche que suit le biographe « est donc l'inverse même de celle que suit Proust dans l'accomplissement de cette vocation merveilleuse et douloureuse ». (1)

Baudelaire disait : « C'est un plaisir très grand et très utile que de comparer les traits d'un grand homme avec ses œuvres », lors même que sa vie a toujours été discrète. En revanche, Claudel a, par boutade, fait observer un jour que *l'huître n'explique pas la perle et que l'ouvrier n'a rien à voir avec le brocart qu'il tisse.*

Alors que Sainte-Beuve prétendait expliquer l'œuvre par l'homme et cherchait le secret du talent d'un écrivain dans les détails biographiques et les circonstances extérieures de sa vie, Proust, avec juste raison, montre que cette méthode, valable pour une étude historique, ne peut s'appliquer à la pure littérature, qui est le produit d'un « moi » plus profond que celui qui s'exprime dans sa vie de tous les jours. Appuyant la thèse de Proust, Gaxotte a souligné que l'existence modeste d'un Corneille n'explique pas *Le Cid* ou *Horace*, et qu'on ne peut, non plus, trouver les raisons de la retraite de Racine dans la cabale de *Phèdre* ou les scrupules religieux du poète. On admet donc que si le romancier met dans ses romans son expérience de la vie, il y met, plus encore, sa puissance créatrice, inventant l'imaginaire avec du réel ; Louis Bolle, dans son *Marcel Proust ou le Complexe d'Argus,* a tenté d'expliquer et de percer ses procédés d'observation et de composition, ce qui va bien plus loin dans la connaissance d'un auteur comme Proust que lorsqu'on se contente de rapporter « des historiettes qui couraient Paris en 1924. »

D'ailleurs, dans le cas de Proust, comme dans celui de bien d'autres créateurs, l'œuvre révèle « une personnalité plus forte, plus irremplaçable que celle de l'homme, en tous cas différente ».

⁕

L'œuvre de Proust est « la révélation d'un monde inconnu ». Tout autant que Dostoïevsky, Proust s'est servi de la

---

(1) Cf. Berl, « Le Proust de Painter », *Preuves,* février 1967.

maladie comme d'un instrument de perception. Enorme était
sa puissance nerveuse. Son asthme offrait d'ailleurs quelque
ressemblance avec l'épilepsie. D'où l'impression presque hallucinante de certains passages de son roman. Car, s'il n'y a point
de « clefs », chacune des « Scènes » qu'il décrit évoque des
instants qu'il vécut et qui laissèrent sur lui leur marque.
Proust proclamait lui-même que son livre était « une construction ». Il fallait relier chaque partie à la précédente,
annoncer ce qui viendrait, tout en ménageant « la part de
l'imprévu ». C'est la logique interne qui crée une cohésion
chez les personnages. L'œuvre est un « tissu serré d'échos et
de résonnances »... Et l'impression de réalité résulte des correspondances et des conflits entre les personnages. Comme
dans la vie, tout présente l'image de la complexité : « la vie
supérieure n'apparaît que le moment où les cellules s'ajoutent
les unes aux autres, se combinent, réagissent entre elles, et
forment un ensemble dont l'unité ne se maintient que par ces
luttes intérieures, par cet équilibre de poussées et de résis-
tances ». Proust respecte ce « rythme mystérieux », sans
lequel, disait-il, son œuvre serait « aussi linéaire que celle
d'un Bourget ou d'un Loti ».

Mettant à profit son douloureux loisir, sa féconde paresse,
aux écoutes du mal et de la mort, qui lui tenaient *compagnie
aussi incessante que l'idée du moi,* notre grand malade, toujours couché, dans l'obscurité de sa chambre noire, apprit à
fixer savamment, comme la *camera* photographique, les « événements minuscules » et les sensations furtives, poussières
infimes, suspendues, qu'éclairait un instant le rayon d'une
sensibilité toujours à vif et toujours attentive... Mais le foyer
de cette sensibilité n'était-il pas son étrange et solitaire mémoire — mémoire régressive, appliquée à « revoir », à « conserver », à « reproduire », « à fixer » les réminiscences cor-
porelles engourdies qui, hasardeusement et comme par caprice,
se manifestaient et se matérialisaient, prolongeant jusque dans
le présent interdit et troublé le *passé* despotique, possesseur,
envahissant, toujours alourdi, par lequel, avec les années, se
trouvait constamment désorientée et mortifiée sa vie psychologique individuelle, isolée et singulière, « tournant le dos à
la durée et à l'élan vital » ?... (2) Pourtant, l'œuvre de Proust,
n'en déplaise à Bergson, évoque « l'image dynamique d'une

---

(2) Selon le mot de Bergson.

croissance qui se libère et s'épanouit... vers l'assomption d'un faîte unanime ».

Il nous faut chercher à connaître Proust dans sa faculté de dépassement. Parfois, nous tenterons de deviner ce que Proust a voulu dire par-delà ce qu'il a dit consciemment dans son œuvre. Sans avoir lu Freud et les psychanalystes, il a pressenti le rapport étrange qui existe entre l'amour charnel et le meurtre. Il a plongé son regard dans les profondeurs les plus obscures de l'âme humaine. Il nous faut donc coïncider avec la vivante durée, avec le devenir intime de cette œuvre, où la répétition de certains motifs trahit l'intuition capitale du romancier, ce qu'il appelait « le chant de sa patrie perdue », la vision d'un ciel antérieur... Ainsi, le sens prophétique « perd tout caractère d'intelligibilité dès qu'on admet la grande loi de l'unité intérieure dont la parole et la vie d'un même homme ne sont que deux expressions distinctes ». Cherchant toutefois à donner à ses personnages assez d'universalité pour que chacun s'y reconnût, Proust a voulu retrouver le désir dans l'ampleur de ses registres conscient et inconscient. Ainsi que Béguin l'écrit de Rimbaud : « A l'intérieur de cette perception symbolique et de ce sentiment premier des correspondances fondamentales, la relation de la biographie à l'œuvre se trouve rigoureusement à l'inverse de celle à laquelle nous a habitués la pensée moderne. L'expérience vécue ne passe plus pour la seule réalité « vraie », ni pour la « cause » de l'œuvre ou du mythe personnel ; l'œuvre et le mythe ne passent plus pour les effets ou pour la transposition plus ou moins mensongère du vécu. Mais une même cause interne, qui est la vision centrale, toujours partiellement informulable, engendre parallèlement l'œuvre, le mythe et jusqu'aux événements d'une vie ». (3)

Certaines métaphores, certaines épithètes apparaissent chez Proust comme des échos intérieurs, la juxtaposition d'une sensation présente et d'un souvenir passé, une sorte de vision dédoublée, stéréoscopique. La double et triple intrigue est également une composante essentielle du roman proustien : elle nous donne le tableau de toute une époque, comme l'épopée de Dante. Dans l'apparent désordre de son roman, quels accords profonds résonnent tout à coup !

Chez Proust comme chez Tolstoï, la perception de l'individuel fait que non seulement chaque être, mais que chaque

---

(3) Cf. A. Béguin, *Poésie de la Présence*, Cahiers du Rhône, 1954.

chose diffère de toutes les autres ; Proust remarque que, dans la création inépuisable de Tolstoï, il n'y a qu'un petit nombre de thèmes fondamentaux. Les personnages proustiens vivent en dehors de leur créateur : ils semblent avoir une vie propre, autonome, mystérieusement acquise en dehors du récit et qui survivra même à l'auteur du livre. Le Charlus et l'Albertine que nous voyons aujourd'hui sont sans doute assez différents de ceux que « voyaient » les contemporains de Proust. Avec le temps, leur épaisseur, leur densité se sont accrues. Toutes sortes d'énigmes n'ont d'ailleurs pas été résolues. Puisque Gilberte est veuve de Saint-Loup, comment deviendra-t-elle, ainsi que l'auteur nous l'a dit, duchesse de Guermantes ? Et quel est cet obscur écrivain, si semblable au narrateur, que doit un jour épouser la fille de Gilberte ? Peut-être Proust lui-même. Proust nous permet d'imaginer et de rêver au-delà de ce qu'il a dit. Car le monde de la *Recherche* est plus riche que celui où nous vivons. Proust croit avec Jean-Jacques que tout esprit humain est un lieu d'expérimentation valable de ce qui se passe dans tous les autres esprits. « Là où je cherchais des lois, on m'appelait un fouilleur de détails ». On a dit que la notion de *thème personnel* peut « se superposer à celle de *dominante impersonnelle,* ancrée, comme l'autre, dans un sol profond, celui de l'enfance ». Cette trace qu'un souvenir d'enfance a laissée en la mémoire d'un poète n'est d'ailleurs pas toujours inconsciente et peut revêtir une pluralité d'aspects. Bergson lui-même ne ramenait-il pas toute la complexité d'un système philosophique à un « point unique », à une « image médiatrice » unique, à quelque chose de simple, d'infiniment simple, de si extraordinairement simple que le philosophe n'a jamais réussi à le dire » ? C'est également là cette vision dont Proust suggérait qu'elle est comme « le chant de notre patrie perdue », la vision particulière à chaque écrivain. « Aider le lecteur à être impressionné par ces textes singuliers, écrivait-il, placer sous ses yeux des textes similaires qui lui permettent de les tenir pour les traits essentiels du génie d'un écrivain, devrait être la première partie de la tâche de tout critique ». Et l'on sait comment l'auteur de *Swann* a su mettre en lumière certains traits personnels qui caractérisent un romancier : chez Stendhal, par exemple, les hauts-lieux et les tours auxquels est toujours associée la méditation du prisonnier (Fabrice ou Julien) ; chez Barbey d'Aurevilly, les étranges paysages, les sites, les demeures, les étoffes (rideau cramoisi)...

**

Dès l'apparition de son roman, Proust prévenait l'un de
ses correspondants qu'il fallait prendre le titre *A la Recherche
du Temps Perdu* dans son sens « ésotérique » : le « temps
perdu » dont il s'agissait était un « paradis perdu » et « la
recherche » elle-même était « une quête du Graal », une quête
de l'Absolu. Disciple de Baudelaire, Proust voulait, à la manière de son maître, réaliser scientifiquement l'absolu, en le
rendant objet de savoir ; il désirait « s'élever à l'inconditionnel » ; il comptait, par « l'exercice assidu de la volonté et la
noblesse permanente de l'intention », créer à son usage « un
jardin de vraie beauté ». Pourtant, ce mot de « recherche », il
fallait aussi l'entendre dans un sens pascalien : Proust n'eût
pas cherché cette beauté, cet absolu, s'il ne les avait déjà trouvés. Cette recherche n'a rien, en vérité, d'un effort mnémoni-
que volontaire et conscient ; c'est une attente, une disponibilité, l'espoir d'un état de grâce et de réminiscence, puisque
Proust a découvert que seule la mémoire *affective* conduit au
paradis perdu de l'enfance. Si ses « romans » (il a mis le mot
au pluriel) vont être, selon son propre aveu, « comme un essai
d'une suite de romans de l'inconscient », il tient à préciser que
son œuvre est dominée par la distinction entre ces deux formes de mémoire, distinction qui non seulement ne figure pas
dans la philosophie de Bergson, mais est même contredite par
elle. Pour lui, les souvenirs involontaires « ont seuls une griffe
d'authenticité ». Non moins que le Hamlet de Shakespeare, le
Narrateur de la *Recherche* représente « le malaise de l'âme
dans la vie passée faite pour elle ». Cela tient à la quantité
d'humanité et à la quantité de mystère qui est en lui. Proust
s'acharne, avec quelle exigence ardue, à transcrire, à transmuer verbalement sa plus secrète musique. Il écrit : « De
même que certains êtres sont les derniers témoins d'une forme
de vie que la nature a abandonnée, je me demandais si la
musique n'était pas l'exemple unique de ce qu'aurait pu être
— s'il n'y avait pas eu l'invention du langage, la formation
des mots, l'analyse des idées — la *communication des âmes*.
Elle est comme une possibilité qui n'a pas eu de suite ; l'humanité s'est engagée dans d'autres voies, celles du langage
parlé et écrit, mais ce retour à l'inanalysé était si enivrant
qu'au sortir de ce Paradis, le contact des êtres plus ou moins
intelligents me semblait d'une insignifiance extraordinaire ».
Ici Proust se rapproche de Bergson qui note : « Que la musique exprime la joie, la tristesse, la sympathie, nous sommes à
chaque instant ce qu'elle exprime ». La musique offre, en

effet, avec l'œuvre de Proust, la comparaison la plus appropriée. Il a lui-même rapproché de celle de Wagner sa composition à base de leit-motiv, ses « préludes rituels », ses reprises et ses phrases interrogatives à la manière de Beethoven. Il faut dire de Proust également ce qu'on a dit de Claude Debussy : il a « une manière inédite de créer le développement... par le raffinement des transitions ». On trouve en son style une sorte de nostalgie qui, comme certaines phrases musicales, prolonge jusqu'à l'énervement sa dissonance avant de se résoudre brusquement en un accord libérateur ». Telle était la phrase de Vinteuil, « petite âme désenchantée, mystérieuse et souriante, qui survivait à nos maux et semblait supérieure à eux, à qui (Swann) voulait demander le secret de sa durée et le bonheur de son repos ».

Or les phrases de Proust sont « comme ces mélodies qu'on rejoue cent fois de suite sans descendre plus avant dans leur « secret ». Il écrira lui-même : « Ainsi, rien ne ressemblait plus qu'une belle phrase de Vinteuil à ce plaisir particulier que j'avais éprouvé quelquefois dans ma vie, par exemple devant les clochers de Martinville... ou, au début de cet ouvrage, en buvant une certaine tasse de thé ». Pour donner *cette impression de profondeur et de vérité,* une belle phrase de Vinteuil symbolisait sûrement pour Proust « un genre de réalité intellectuelle ». On pourrait également comparer le récit de Proust à quelque *anamorphose* (4) : celui qui l'aborde de face, rapidement, n'y voit au premier regard qu'une peinture de la vie mondaine et de ses vanités ; mais aussitôt qu'il s'éloigne de biais, il y découvre cette hallucinante et lancinante expression de la mort, qui ne nous quitte plus que pour la joie de l'instant d'éternité.

.*.

Proust ne sera maître de ses moyens qu'assez tard : afin de brasser l'abondante matière qu'il s'assignera pour domaine, il lui faudra trente années d'apprentissage ; c'est en 1909 seulement qu'après bien des ébauches, il prendra la plume pour écrire *Du Côté de chez Swann.* En quoi diffère-t-il alors de ses prédécesseurs ou de ses contemporains les plus illustres ? J'aurais aimé reconstruire ici, selon la méthode de Paul Valé-

---

(4) On a dit que l'anamorphose est une métamorphose surveillée.

ry, « l'homme Proust », en cherchant ce que l'apprenti romancier avait voulu « faire de lui-même » : je me serais laissé
guider dans cette enquête par ses aveux plus encore que par
les témoignages assez discordants de ses amis... On pourrait
d'ailleurs appliquer à Proust le mot de Baudelaire : « Le
caractère, le génie, le style d'un homme est formé par les
circonstances en apparence vulgaires de sa première jeunesse.
Si tous les hommes qui ont occupé la scène du monde avaient
noté leurs impressions d'enfance, quel excellent dictionnaire
psychologique nous posséderions. » (5)

N'oublions pas que, selon Proust, le roman véritable est
beaucoup plus qu'une exploration du réel, que la restitution
de la vie quotidienne ou qu'un simple spectacle ; il ne s'agit
pas non plus de débattre, à la faveur d'une action plus ou
moins emblématique, des problèmes moraux, religieux et
métaphysiques.

Pour l'auteur de la *Recherche*, il s'agit de concevoir une
véritable *polyphonie*, une marche vers l'inconnu, une ouverture sur un monde illimité...

Peut-être ne dirait-il pas forcément, comme Gide plus irréductiblement subjectif, que *c'est de l'auteur que tout émane*,
qu'il est le seul garant et le seul juge de la vérité qu'il révèle ;
mais, à tout prendre, il a mis, dans chacun de ses portraits,
autant de lui-même que de son modèle. Si Proust a réussi,
presque du premier coup, son grand roman, alors que Gide,
auteur de récits achevés, délicats et subtils comme *la Porte
Etroite* et l'*Immoraliste*, n'a pas su, dans ses *Faux Mon-
nayeurs*, nous donner plus que l'épure et la trame d'un roman
ou, comme l'a noté Maurice Nadeau, « les étapes juxtaposées
et entremêlées de plusieurs romans possibles, » cela tient à ce
que Proust était doué d'un sens des rapports humains infiniment plus vivant et plus vrai, ce qui lui permet de réaliser
entre les personnages pourtant si disparates de la *Recherche*
une véritable communauté humaine ; qu'importe qu'entre le
giletier Jupien, les Guermantes altiers, la bonne Françoise, le
dilettante Swann, l'obscur Vinteuil, il n'y ait en commun ni
le milieu, ni les aspirations, ni le langage ? Proust parvient à
établir entre ces êtres venus de tant d'horizons divers, certains
contacts, certains points de fusion qui donnent au lecteur le
sentiment d'une véritable nécessité. Et, en acceptant, — non

_____

(5) Baudelaire, *Œuvres Posthumes*, p. 195.

par hypocrisie, comme l'en accuse Gide, mais par souci de l'universel — de peindre en certains de ses héros, notamment en son protagoniste principal, une passion amoureuse normale, Proust a réussi à opérer une transposition esthétique essentielle ; son génie créateur lui permet de rendre vraiment libres, autonomes les créatures auxquelles il s'identifie si souvent, mais auxquelles il permet d'accomplir des actes ou d'éprouver des passions pour lesquelles l'homme Proust n'avait peut-être aucun goût. Ajoutons que ces deux romanciers s'opposent encore davantage, quoi qu'on pense, par le *secret profond de la chair,* car tandis que Gide avoue avoir trouvé le bonheur dans les plaisirs des sens, pour Proust *la chair est triste, hélas* ! comme pour Mallarmé.

*
**

Cependant, Proust ne s'est pas complu dans sa « différence essentielle » ; il n'a pas été, comme Valéry, « d'intelligence avec ses périls » ; à distance égale de l'hypocrisie et du cynisme, il nous a décrit le mal dont il se savait atteint, et son diagnostic pourrait être celui d'un clinicien observant sur lui-même le cours d'une infection qu'il a contractée. C'est ce qui fait de son roman une œuvre de science autant qu'une œuvre d'art. C'est ce qui donne également à ses caractères leur puissance de suggestion, leur obsédante réalité, leur portée universelle et toujours récurrente. Gide, Giraudoux, Cocteau sont des romanciers et des poètes de leur temps ; Proust est à la fois un novateur et un classique. A-t-il eu plus de courage et de lucidité que les autres ? Il me semble qu'il eut le double souci d'être vrai et de soustraire son jugement personnel aux trompeuses illusions que lui proposait son orgueil pour le consoler de son anomalie. C'est pourquoi son œuvre conserve un caractère d'universalité, sinon de moralité, dont celle de Gide me semble dépourvue. L'œuvre de Proust est un *anti-Corydon.* Il appelle les choses par leur nom et ne revêt pas des prestiges de l'Arcadie les tristes plaines sulfureuses de Sodome et de Gomorrhe. Aussi Charlus et Saint-Loup demeurent-ils plus vrais, plus vivants que l'oncle Edouard et que Lafcadio — ces *alibis* qu'inventa le génie équivoque de Gide...

Il est curieux de noter que le jeune Proust, écrivant à Anatole France, au sujet de l'*Histoire Contemporaine,* une lettre hyperbolique, le loue d'avoir composé « la Comédie humaine la plus vraie », et d'avoir écrit comme « un Saint-Simon harmonieux ». On voit par là que, aux yeux de Proust, les éloges les plus élevés qu'il puisse concevoir sont le parallèle avec les deux auteurs (Balzac et Saint-Simon), dont, inconsciemment peut-être, il se prépare déjà lui-même à prendre les chefs d'œuvre pour modèles.

N'hésitant pas à recevoir au sein de la solitude « l'impulsion d'un autre esprit », Proust savait par cœur « des passages entiers de Montaigne, de Racine, de Saint-Simon, de Balzac, de Stendhal, de Chateaubriand, de Flaubert, de Vigny, de Hugo, de Baudelaire, et même de Dostoïevsky, de Tolstoï, de Ruskin, de Dickens et de Meredith ». (6) Tous ces chefs d'œuvre du passé, Proust les regardait comme « les épaves naufragées de grandes intelligences ». Il savait donc les admirer sans idolâtrie ; se regardant travailler, il était à la fois ouvrier et juge et tirait de cette contemplation « une beauté nouvelle, extérieure et supérieure à l'œuvre ». Mais il possédait également un don de mimétisme, ce qui lui permettait d'entrer dans le personnage qu'il imitait, « comme ces hystériques qu'on n'est plus obligé d'endormir pour qu'ils deviennent telle ou telle personne. »

Peut-être ne serait-il pas absurde de voir en l'œuvre de Proust, dans une certaine mesure, une réaction, une protestation, — et j'irais jusqu'à dire une volonté de *réparation* — contre ce pouvoir, latent en lui, qu'il redoutait si fort, (et dont ses pastiches nous offrent tant d'exemples éclatants), ce pouvoir caricatural de démasquer, de décomposer, de démembrer, de défigurer et de dénaturer non seulement les œuvres d'art qu'il admirait le plus, mais les sentiments qui étaient en lui les plus viscéraux ou les plus vénérables. Ayant avec effroi reconnu ce trait destructeur en sa nature, il va, par un retournement héroïque, muer en un don créateur cette disposition dissolvante. Et délaissant Aristophane pour Platon, c'est du non-sens et de l'absurde qu'il s'élèvera jusqu'à la perception des essences éternelles. Car son œuvre, non moins que celle de Kafka, aboutira sans doute à « un immense cri d'espoir ». (On l'a déjà dit de la première). Telle fut « la vertu purgative exorcisante, du pastiche volontaire ».

_____

(6) Selon le témoignage de Jacques Porel.

Proust créera donc des mythes afin de nous rendre plus présentes certaines réalités invisibles auxquelles, sans le secours d'une doctrine ou d'un système, il entend conférer une sorte de solennité rituelle et de présence incantatoire.

Enorme sera la part du *jeu* dans la société que nous décrira Proust et où, pour emprunter à Roger Caillois sa terminologie, *simulacre* et *vertige* auront au moins autant de part que chance et compétition, si bien que l'on croira parfois y voir revivre, comme à Venise, une civilisation du masque. Et ce sera sur le carnaval de la Matinée Guermantes — mascarade non moins que danse macabre — qu'on verra s'achever le *Temps Perdu* et *Retrouvé*.

Tous ces figurants, aux masques naturels, aux *loups* de chair, ne nous offriront-ils pas à la fois la nuit de Walpurgie et le *tohu-bohu* d'un sabbat de faux-visages, de spectres, de revenants ?

Proust semblera même redonner vie à quelques-unes des fables et des allégories de la plus vieille humanité païenne, telle cette identification de la mère et de la fille (Perséphone et Déméter), lorsqu'il nous laissera, dans son récit, confondre ou superposer les traits de la *mère* et de l'*aïeule* du narrateur.

**
*

Comme Barrès, Proust a quelquefois le sentiment qu'il trouve *aux mains d'une étrangère le livret sur lequel il pourra le mieux faire chanter sa musique*. Ne nous a-t-il pas confié qu'une de ses « clefs magiques » est la lecture, car elle ouvre au fond de lui les portes des demeures où il n'eût pu pénétrer seul ? Il va donc s'appliquer, comme un interprète musical, à déchiffrer les *partitions* que sont à ses yeux les œuvres des romanciers et des poètes. L'art sera toujours pour lui le seul moyen de livrer « la partie incommunicable de nous-même », en un mot d'exprimer « l'ineffable de notre moi individuel, de convertir nos sensations en un équivalent spirituel, de sortir de nous, de communiquer avec les autres ».

Un ouvrage était pour Proust « un tout vivant ». Bien plus, cette réalité vivante, il en étendait les bornes : ce n'était plus pour lui *un seul livre*, mais toute l'œuvre d'un auteur qui formait un univers mystérieux et caché. Il cherchait dans l'art *une réalité plus profonde où notre personnalité trouve une expression que ne lui donnent pas les actions de la vie.* Son

roman sera, comme ceux de Joyce, de Kafka, de Musil, délibérément *anti-romanesque*. Chez Proust, le « fait positif a,
pour ainsi dire, à peine de surface au milieu du développement psychologique ».

Certes, à la différence d'un pur poème, Valéry l'a souligné,
le roman, comme il se doit, veut exciter et soutenir en nous
cette attention générale et irrégulière, qui est notre attente des
événements réels ; il se relie au monde réel, « comme le *trompe-l'œil* se raccorde aux choses tangibles parmi lesquelles un
spectateur va et vient » ; mais, en fin de compte, cette épopée,
formée de vies imaginaires, est bien un monde clos et complet
en lui-même. Proust demande à la création littéraire non pas
une évasion mais une revanche sur la vie. Il s'identifie avec
ses personnages le plus qu'il est possible. Au fur et à mesure
qu'il écrit la *Recherche,* la vie de Proust et les événements de
son temps viennent se mêler au roman, y ajouter leurs sédiments les plus imprévus, et sinon en détourner du moins en
infléchir le cours, l'enrichir d'incroyables méandres. Cependant, les sentiments des personnages, comme chez Rousseau,
importent plus que les aventures. Proust sait que « notre
moindre désir, bien qu'unique comme son accord, admet en
lui les notes fondamentales sur lesquelles notre vie est construite ». Il sait aussi que nos qualités morales sont étrangement compatibles avec une espèce de folie ou de cruauté. Il
nous fait pénétrer dans les refuges de sa vie intérieure, dans
son « impalpable cloître », sa « chaude alcôve » où s'accumule
son expérience double de la parole et du silence, car il connaît
« la béance entre soi et soi ». Proust disait : « Nous ne savons
plus lire ». Il déchiffrait (selon la remarque de W. Benjamin)
un livre comme un texte dont il faut « chercher la signification entre les lignes, littéralement entre les interstices, pas
dans les mots ».

En outre, Proust aurait pu dire, comme, dans la *Fanfarlo,*
le Samuel Cramer de Baudelaire : « Nous avons tant abusé du
microscope pour étudier les hideuses excroissances et les hon-
teuses verrues dont notre cœur est couvert, et que nous gros-
sissons à plaisir, qu'il est impossible que nous parlions le
langage des autres hommes. Ils vivent pour vivre, et nous,
hélas, nous vivons pour *savoir.* » Ne trouve-t-on pas déjà, dans
ces mots, l'accent de Rimbaud dans sa *Lettre du Voyant* ? La
chaîne existe, dont les anneaux distincts se nomment : Nerval,
Baudelaire, Mallarmé, Rimbaud, Proust... Et si l'on voulait
remonter plus haut, sans doute faudrait-il passer Outre-Man-

che, chercher du côté de Thomas de Quincey, de Lawrence
Sterne, de Coleridge... (7)

Peut-être Proust est-il de ces êtres prédestinés à la création littéraire et dont la fatalité a voulu qu'ils eussent connu
la vie dans les livres ou les œuvres d'art avant de la connaître
en elle-même. On ne s'étonne donc point que son roman, comme ceux de Henry James — il était lui-même conscient de
cette affinité — ait emprunté davantage à l'art qu'à la vie. Il
concevait l'art comme « une valeur absolue » et son œuvre
nous montrera le rapport du romancier au monde qu'il exprime. Cependant, à la différence de James, Proust n'est pas
demeuré un pur esthète : il n'a pas eu *peur de soi*. Il a su
dominer ses craintes et ses espérances, et son art, se refusant
à l'imitation des formes passées, a su exister en face du monde
réel comme une création rivale. Les livres qu'il avait aimés
dans son enfance prendront cependant pour lui valeur de signe
et de symboles, et marqueront l'évolution, disons même la
mue et la métamorphose de son être. Il en agira de même avec
chacun des personnages en lesquels il a multiplié son propre
moi.

On a pu dire qu'à l'origine, Proust avait voulu, dans son
roman, remplir tout l'espace que Balzac avait laissé plus ou
moins disponible, vacant, peindre les types et les milieux que
le créateur de Vautrin, de *La Fille aux yeux d'Or* avait volontairement négligés, ou que les préventions de son siècle ne lui
permettaient pas de décrire avec insistance. (Ainsi seraient
nés les Charlus et les Morel). Il reste que Proust fera mieux
que prolonger Balzac. Il fera, par une vue plus sensible et plus
aigüe de la création esthétique, passer au plan du *style* une
vision qui, chez Balzac, n'était pas toujours suffisamment
transformée. Certes, les héros de Balzac avaient, dès la jeunesse de Proust, été pour lui des connaissances dans la familiarité desquelles il se plaisait à vivre. Avec ses grands-parents
et ses parents, Proust aimait à discuter tel personnage de *La
Comédie Humaine* en lui cherchant des sosies ou des affinités
parmi les personnes de leur entourage. Et Proust s'attachera
à nous montrer que si la vie des héros de Balzac est un effet

---

(7) Taine disait précisément de Sterne que son talent ressemble à
ces maladies de la rétine dans lesquelles, le nerf surexcité devient à la
fois obtus et perspicace. Proust est de ces esprits où, selon le mot de
Victor Hugo, « la vision a remplacé la vue ».

de l'art du romancier, on y trouve une satisfaction qui n'est pas du domaine de l'art, car l'œuvre s'adultère ici de trop de détails réels et devient une sorte de Musée Grévin. L'élément de décantation n'est pas suffisamment présent dans cette immense production qui fait concurrence à l'état-civil. Proust trouve donc le roman de Balzac parfois antipathique et grimaçant, dépourvu de cette sérénité qu'il aime à reconnaître dans la construction intellectuelle de Tolstoï, où chaque trait dit d'observation est une loi dégagée par le romancier.

**

Jean Rousset a été « frappé de l'importance donnée par Proust aux livres de chevet de plusieurs de ses héros, à certaines rencontres ou connivences du personnage avec un livre ou un auteur. » C'est ainsi que Charlus « incarne dans la *Recherche* l'admirateur et le familier des romans balzaciens ». Déjà, dans *Jean Santeuil,* Proust fait dire au romancier C..., parlant de Balzac : « Il essaye de nous prendre *comme la vie* par un tas de mauvaises choses, et *il lui ressemble* »... Dans la Préface à *La Bible d'Amiens,* Proust, dénonçant « l'idolâtrie esthétique » de Ruskin, esquisse un aspect assentiel du futur Charlus, dont le prototype fut ici Montesquiou. « Passer de l'œuvre à l'objet, de l'art à la vie, comme s'ils étaient interchangeables », sera le péché capital des deux esthètes noncréateurs » du roman futur : Charlus et Swann. « Charlus a pour fonction de relayer et de prolonger Swann en vue d'incarner comme lui l'échec de l'artiste », ou plutôt la mort de l'esprit créateur tué par la paresse, le dilettantisme et la mondanité. (8)

« Il semble bien, écrit Rousset, que les livres de chevet des personnages proustiens aient une destination et une signification. Comme une enseigne au-dessus de leur tête, ils attirent notre attention sur un trait essentiel de leur destinée ou de leur fonction ; comme un éclairage indirect, ils servent à projeter sur eux une lumière supplémentaire ; ils permettent à l'auteur de suggérer maintes choses sans les dire. Ce sont de ces *ressources* secrètes qui renforcent et enrichissent une architecture complexe, et de ces moyens raffinés qui plaisaient

---

(8) Cf. *Mélanges Lugli-Valeri,* 1959.

à Proust comme ils enchantent son lecteur attentif. Ils sont
au reste bien à leur place dans une œuvre dont les personnages importants vivent tous d'une relation organique et révélatrice avec l'art... »

Si Saint-Simon, par exemple, est l'un des auteurs favoris
de Swann et de Charlus, c'est que Proust veut par là suggérer
le snobisme profond de ces deux personnages en lesquels il
incarne quelques-unes de ses propres inclinations naturelles
avant qu'il se fût, par le travail et la contemplation créatrice,
purgé de son dilettantisme et de son idolâtrie.

Quant à *François le Champi,* si malgré les réserves qu'il est
contraint de faire sur l'art de George Sand, Proust a choisi
ce premier livre pour lui assigner un rôle dans son roman,
c'est surtout parce que le héros est un enfant trouvé aimant
et sensible comme Proust lui-même, un enfant qui éprouve
une tendresse passionnée pour la jeune meunière qui lui tient
lieu de mère adoptive et qu'il finira par épouser un jour.
Voilà, sans doute déjà, la préfigure de l'amour filial que
« Marcel » ressent pour sa mère, et voilà peut-être la signification attachée par Proust à cette lecture. Le livre sert à
« doubler le thème visible », à lui donner « un éclairage
latéral ».

Si la grand-mère et la mère du héros (qui ne font qu'une
seule et même personne) sont responsables de l'introduction
du roman de George Sand « dans le champ de connaissance »
de Marcel, elles se trouvent également unies dans leur prédilection pour Mme de Sévigné. Or ce n'est pas seulement parce
que l'épistolière est un grand écrivain, « dont le mode de
perception est rapproché de celui d'Elstir » (et même de Dostoïevsky) ; c'est aussi parce que Proust a des raisons d'établir
« cette insistante relation entre ces deux dames et leur chère
Sévigné : les motifs éclatent dès qu'on se rappelle la passion
amoureuse de Mme de Sévigné pour sa fille ; Charlus à Balbec
est chargé de nous faire savoir que « ce sentiment peut prétendre beaucoup plus justement ressembler à la passion que
Racine a dépeinte dans *Andromaque* et dans *Phèdre* que les
banales relations que le jeune Sévigné avait avec ses maî-
tresses. »

Ce qui importe, ce ne sont pas les intentions secrètes qui
percent sous les propos de Charlus, c'est que « la passion de
Mme de Sévigné est destinée, dans l'économie du roman, à
compléter symétriquement le message de *François le Champi,*
en vue de souligner la nature du lien qui joint le héros à sa

mère et à sa grand-mère : un véritable amour, passionné et absolu, et que déchire l'absence ; non pas un amour heureux, il n'en est pas, mais le seul amour de toute l'œuvre proustienne qui ne soit pas illusoire, le seul qui assure une communication réelle entre les partenaires... » Faut-il n'y voir que le maléfice de la mère profanée ? » demande Jean Rousset. Et il s'empresse de répondre : « Cela me paraît secondaire. Je préfère beaucoup, tenant compte de l'architecture générale du roman, y reconnaître l'opposition, bien accusée par tous ces parallélismes, de la réussite et de l'échec en amour »...

Le héros est aussi, dans l'œuvre de Proust, « doté d'un livre de prédilection » : ces Contes arabes qu'il aime entre tous, qu'il relit à des époques diverses de sa vie et qui sont liés à son enfance par les assiettes peintes de Combray. On peut les admirer à Illiers ! Rousset discerne chez Proust, plus qu'une affinité avec l'univers oriental. « D'abord, l'homme proustien est sujet, comme maints personnages des *Mille et Une Nuits*, à de surprenantes métamorphoses ; Saint-Loup, Albertine, sont aussi multiformes, peuvent se montrer aussi différents d'eux-mêmes, que ces êtres qu'une fée transforme en chèvre ou qui échangent leurs sexes. D'autre part — et ceci concerne plus spécialement le protagoniste — il arrive fréquemment que celui-ci soit transporté en un pays lointain par un génie ou par un tapis-volant ; chez Proust, le magicien, la fée existent aussi, et jouent même un rôle considérable : c'est la mémoire involontaire qui, soudainement, miraculeusement, arrache le héros à sa condition présente. »

En outre, à l'arrière-plan de *La Prisonnière* et de *La Fugitive* se dessine Venise — fleur de corail et de marbre surgie du sein de la mer. Proust présente Venise assez curieusement comme un Combray maritime et oriental, un double fabuleux du bourg de l'enfance, transposé et magnifié au sein des eaux-mères de l'Adriatique. Cette Venise byzantine, pourprée, aquatique, « tout encombrée d'Orient », elle projette ses reflets diaprés jusque dans l'appartement parisien de la *Prisonnière*, grâce aux robes de Fortuny — le grand couturier Vénitien — qui drapent Albertine ; or, c'est Albertine elle-même — nouvelle Eurydice et nouvelle Mélusine — qu'on nous invite à contempler à travers le souvenir des légendes mahométanes : Albertine enfermée comme une sultane favorite dans un palais enchanté où elle est comblée mais captive, se vêtant de somptueux brocarts et jouant du pianola pour son amant, de même que la belle Schensel-Nihar se pare et joue du luth pour son prince ; Albertine, certes, prisonnière, étroitement surveillée, comme les épouses des califes, mais entretenant comme elles de mystérieuses relations avec le dehors, et échappant à son possesseur, malgré des portes aussi bien gardées que celles des sérails de Bagdad. Enfin *Les Mille et Une Nuits,* c'est Shéhérazade se maintenant en vie par la grâce de ses récits, se souvenant en se racontant ; de même, quoique en un sens plus spirituel, le héros proustien se sauve en créant. Sa vie, morose, morbide et vaine, trouve son salut par l'art, par la création, dans ce roman qu'il compose la nuit, et qui fera son existence seconde, plus vraie que la vie extérieure de tous les jours.

*
**

Tel est ce Proust nocturne, oriental, à la fois tendre et terrible, dont les affinités avec le conteur des Nuits arabes m'avait jadis frappé. Claude Vallée, comme nous et comme Barrès (9), a été fasciné par le caractère asiatique du génie proustien : *actes sans cause, oppositions subites, déplacements instantanés, chutes profondes, mobilité sans arrêt, bonds et repos (où la chronologie prend la place de la logique), temps instinctif substitué aux ordonnances de la raison, charme de la douleur, transes de l'agonie, monstruosité de l'acte qui ne se rallie à rien (semblable à la folie de Xerxès fouettant la mer).* Il y voit, comme dans l'intrusion d'Athalie à l'intérieur du Temple, « *un de ces grands effets d'art baroque* »... Et dans la scène où Charlus est flagellé par Jupien (scène qui paraît due au pouvoir d'un esprit, d'un *Djinn,* des *Mile et Une Nuits*) Vallée a pu trouver un émerveillement : le *charme odieux* de cette *humanité convulsive en une si horrible féerie* qui nous transporte de Paris en plein Orient.

Proust s'est fait le complice du Temps, maître-ouvrier en l'art des métamorphoses. Il a fait surgir pour nous les enchantements des plus trompeuses apparences, puis, plus cruel que le nain vert Auberon (ou Obéron) — ce *djinn* des nuits arabes étrangement passé dans la fable française — Proust fait s'évanouir soudain dans les sables de son désert les dômes, les tours, les sérails, les jardins, les vergers, les villes irréelles

---

(9) Barrès disait : « Proust c'est un conteur arabe dans la loge de la portière. »

dont les mirages, un instant, nous avaient abusés et ravis. Tel ce fruit du grenadier entrevu dans les solitudes de la Mer Morte, au seuil des cités maudites, sa vision ne laisse entre nos doigts qu'un peu de cendre.

Oui, dangereux illusionniste, tout comme son Elstir, Proust « dissout maisons, charettes, personnages dans quelque grand effet de lumière »... et tout cela se mue en « l'albâtre translucide de nos souvenirs ». Telle est sa vision, précaire mais impérissable, chaque fois que s'éveille en lui et remonte à la surface de sa conscience l'Esprit intérieur, « habituellement ensommeillé », qui l'anime.

Proust était lui-même très conscient de cette parenté. Dans le *Temps Retrouvé,* n'a-t-il pas comparé aux nocturnes récits de Shéhérazade l'œuvre qu'il vient d'entreprendre, qu'il compose aussi chaque nuit, et dont il prétend qu'elle sera peut-être « *les contes arabes d'une autre époque* » ?

Ces *Nuits Arabes* qui firent l'enchantement de son enfance, leurs mirages devaient le suivre et le troubler toute sa vie durant ; il nous a confié qu'il les relisait lors de son second séjour à Balbec. dans ce sérail mystérieux dont le Levantin Nissim Bernard hantait les couloirs non moins tortueux que les *Soukhs* de Bagdad ; nous savons aussi que le seul nom de Bassorah avait le pouvoir de réveiller en lui tout ce monde de *djinns* et de *péris* auquel l'histoire de Sindbad-le-marin l'avait rendu familier.

Et pendant les tragiques ou crapuleuses nuits de la première Grande Guerre, lorsque aux heures des bombardements, dans les rues noires de Paris, Charlus rôdait d'un pas de somnambule vers quelque bouge infernal, c'est encore au vieil Orient criard, pittoresque, secret, truculent, que songeait Marcel halluciné, mais toujours lucide en son analyse spectrale.

Par une nuit transparente et sans un souffle, Proust imagine que la Seine ressemble au Bosphore, tandis que la lune, étroite et recourbée comme un sequin, semble mettre le ciel parisien sous le signe oriental du croissant ; et si, par une nuit semblable, Charlus rêve à l'Orient de Decamps, de Fromentin, d'Ingres et de Delacroix, Marcel lui-même se laisse entraîner par son imagination dans le monde fantasmagorique et funambulesque de ces *Mille et Une Nuits* qu'en son enfance il avait tant aimées ; et, se perdant dans le lacis des impasses d'un Paris obscurci, en compagnie du baron de Charlus, il pense au calife Haroun-Al-Rachid en quête d'aventures dans les quartiers perdus de Bagdad. L'impression s'accentue encore lorsqu'il croise un défilé militaire d'Africains, d'Hindous et de Zouaves, si bien qu'il croit se promener dans une imaginaire cité exotique, d'un Orient exact en ce qui touche au décor, semblable à ces villes que peignait Carpaccio et dont la merveilleuse bigarrure évoquait Constantinople ou Jérusalem.

On peut voir en Proust la frénésie qui rend possibles les merveilles et les métamorphoses, comme ces nuits d'Asie où les hommes devenaient cigognes sous l'effet d'une poudre magique. Proust dénature l'homme et rend son *être* semblable à celui des animaux ou des plantes, tandis que les choses inanimées sont promues au rang d'êtres humains. L'enchanteur a poussé la porte d'un Paradis de perdition ; l'illusionniste nous a fait pénétrer dans un univers mythologique, dans un parage enchanté où tout est expressif ; et, dans ce jardin de l'Orient où nous transporte le *Djinn* Proust, à force de subir la surprise des métamorphoses environnantes, nous devenons nous-mêmes des créatures de l'air, de l'eau et du feu dont les sens plus subtils s'éveillent à quelque vie nouvelle. A Balbec, « les choses elles-mêmes, nous dit Legrandin, y sont des personnes rares et d'une essence délicate ». Une lampe, un fauteuil contiennent des rêves, une guêpe herborise, un clocher a une vieille figure bizarre, des fleurs regardent la neige tomber, une ogive vénitienne parle à Marcel de sa mère..., un paysage l'étreint, un arbrisseau l'embrasse : tout l'univers est un agrandissement et comme un corps mystique du poète.

On a souvent parlé du platonisme de Proust. (10) Ne faudra-t-il pas plutôt rattacher aux courants néo-platoniciens ou même néo-pythagoriciens, voire gnostiques, cet instinct générateur de poésie que Proust semble avoir hérité de Novalis et de Nerval et qui lui fait reconnaître partout « sur les ailes, dans les nuages, dans la neige, dans les cristaux et pétrifications, à l'extérieur et à l'intérieur des montagnes, des plantes, des animaux, des hommes, une *espèce d'écriture chiffrée* ? L'auteur de la *Recherche* a voulu voir dans la littérature, non pas un jeu de dilettante, mais un *état* où nous avons comme objet, par delà « l'essence variée et individuelle de la vie », une « essence éternelle ». Il a voulu connaître cette « réalité », *de laquelle nous nous écartons de plus en plus au fur et à mesure que prend plus d'épaisseur et d'imperméabilité la con-*

---

(10) Pourtant Gilles Deleuze le juge anti-platonicien, mais H. Bonnet l'a réfuté.

naissance conventionnelle que nous lui substituons — cette réalité qui est « *tout simplement la vraie vie...* enfin *découverte et éclaircie* ». C'est pourquoi Proust a jugé que « ce n'est pas le plus instruit des hommes » qui devient un créateur, mais celui qui sait se faire *miroir* et « peut ainsi refléter sa vie, fût-elle médiocre »...

Cependant, à côté du poète amoureux des métamorphoses, il y avait en Proust un mage de Chaldée, un Kabbaliste et un prophète. Un de ses détracteurs n'a pas hésité à saluer en lui, pour la splendeur de son lyrisme, un petit-fils d'Ezéchiel et de Salomon dont les images de pourpre nous laissent entrevoir le grand flamboiement du désert. N'appartenait-il pas, par sa mère, par l'être qui lui était le plus cher, à cette race épuisée mais acharnée à vivre, qu'il nous décrit se débattant dans des agonies terribles ?... Ces spectres errant dans une sorte de schéol, ces fantômes pareils aux créatures que fait apparaître la puissance du spiritisme, on croit entendre autour d'eux monter comme un chant funèbre et comme un gémissement. Ce n'est pas impunément qu'on appartient à la race prophète, à la race des prophètes. Une sorte de plainte et de lamentation accompagne en sourdine les accents les plus humains de Proust. C'est comme le thrène, la mélopée d'une antique litanie orientale qui, çà et là, retentit, se répercute, prêtant au déroulement de son récit je ne sais quelle tonalité nostalgique. Ce *lamento* de l'âme errante et trahie, cette sérénité douloureuse à laquelle il aboutit par de lentes étapes, trahissent une incurable angoisse messianique. Ce n'est pas seulement le méchant qui se lamente en cette apocalypse, c'est le mal. Et Proust pouvait confesser : « Le nom de Zohar était resté pris dans mes espérances d'enfant. »

Proust est pour nous un avertissement autant qu'une diversion. Il nous habite comme s'il était notre propre songe. Ou plutôt, armé de la seule lampe de ses rêves, ce nouvel Aladin projette ses rayons dans les plis et les replis de sa caverne intime, dont il inventorie les trésors, tout ce labyrinthe terrible et délicieux que sa *Recherche* nous offre, comme à Nissim Bernard les couloirs du Grand Hôtel de Balbec. Parfois même, abandonnant l'Orient de Bagdad pour celui de Jérusalem, il quitte les soukhs et les sérails pour nous faire pénétrer sous les portiques du Temple, jusqu'au seuil même du Saint-des-saints. Comment, alors, ne serions-nous pas saisis de respect devant la lente maturation de cet enfant gâté, de cet infirme, de ce reclus, qui, réduit au douloureux isolement, au labeur assidu, finit par accéder à la seconde solitude, à la solitude intérieure d'une pensée qui ne peut plus s'exprimer qu'à tous ou à personne ? Ici, l'ascèse de Proust fait songer à celle des mystiques de l'Inde et de la Perse, à celle des *Soufis* de l'Islam. Quand Marcel Proust n'était qu'un enfant lisant l'Histoire Sainte, le sort de Noé lui paraissait misérable, à cause du déluge qui le tint enfermé dans l'Arche pendant quarante jours. Plus tard, souvent malade, il dut lui-même rester enfermé de longs jours ; alors il comprit que « jamais Noé ne put si bien voir le monde que de l'Arche malgré qu'elle fût close et qu'il fît nuit sur terre ».

Proust qui, dès son enfance, avait rêvé d'un « monde d'oiseaux et de génies », Proust peut enfin voir s'ordonner l'architecture de son rêve cristallisé, dont les symétries « ne sont pas des parités et des contraintes, mais des eurythmies ». Telle est alors sa voix ambigüe, insinuante, pareille aux cloches de Combray ; elle nous conduit, consentants, vers les demeures intérieures, vers le dépouillement de leurs arêtes, l'exhaussement de leurs voûtes, l'éclat prismatique et salomonien de leurs gemmes, de leurs feux, de leur orient. Ici, tous les objets deviennent emblématiques comme des talismans. L'espace apparaît alors *la dimension même du spirituel*, en cette perspective neuve où le seul culte visible — hormis le sacrifice et les lois de l'esprit — demeure comme à Chartres celui de la noire et souterraine maternité.

CHAPITRE IV

PASSAGE DE L'ENFANCE PROLONGEE A LA MORT

> *Je ne vivrai jamais l'âge d'homme :*
> *d'enfant je deviendrai vieillard.*
>
> F. KAFKA

> *De ma vie passée, je compris en-*
> *core que les moindres épisodes*
> *avaient concouru à me donner la*
> *leçon d'idéalisme dont j'allais pro-*
> *fiter aujourd'hui.*
>
> M. PROUST

> *Tout commencement effectif est un*
> *deuxième moment.*
>
> NOVALIS

Proust avait d'abord voulu donner à son grand cycle romanesque ce titre ternaire : *L'Age des Noms, l'Age des Mots, l'Age
des choses.* Le nom propre semble avoir pour lui, comme pour
le Kabbaliste, une vertu secrète : c'est un monde enchanté,
c'est un talisman (1). John Ruskin, si cher au jeune Proust,
avait souligné que l'on découvre dans le choix des noms des
personnages shakespeariens un étonnant mélange, souvent
barbare, de traditions et de divers langages : « La signification de Desdémone (*desdemonia* : misérable fortune) est...
évidente. Othello, c'est, il me semble, le « soucieux » — toute
l'infortune tragique rattachée à un simple défaut, la faille du

_____

(1) R. Barthes souligne que « toute la *Recherche* est sortie de quelques noms ». La littérature est l'exploration du nom. Pour le Narrateur
« l'essence des choses » est dans « le sens caché de leurs noms ».

doute dans cette force superbement sûre d'elle-même. Ophélie, « serviabilité », épouse perdue d'Hamlet, dont le nom grec est à rapprocher de celui de Laërte, son frère ; et celui-ci fait délicatement allusion au sens de ce nom dans un dernier éloge de sa sœur morte, en opposant sa douce image consolatrice à la lourde impuissance du prêtre : « *A ministering angel shall my sister be, when thou liest howling* »... (2).

On sait tout ce que représente dans la *Recherche* le seul nom, le seul prénom de Mlle Swann, prononcé devant le Narrateur encore enfant : « Ce nom de Gilberte passa près de moi, évoquant d'autant plus l'existence de celle qu'il désignait qu'il ne la nommait pas seulement comme absente dont on parle, mais l'interpellait ; il passa près de moi en action pour ainsi dire ; [...] jetant enfin sur cette herbe pelée, à l'endroit où elle était, [...] une petite bande merveilleuse et couleur d'héliothrope, impalpable comme un reflet »...

De même, un peu plus tard, Proust nous fera méditer sur « ce qui reste de la magie du nom d'Albertine » après la mort de celle qui sera tout à la fois, pour lui, la Mélusine, l'Ophélie et l'Amazone et l'Eurydice. Proust ne pensait pas aux noms « comme à un idéal inaccessible », mais « comme à une ambiance réelle dans laquelle (il) irait (se) plonger ». (3) Il était à l'âge « où l'on croit que l'on crée ce qu'on nomme », à « l'âge où les êtres et les choses ne sont pas rangés pour nous dans les catégories communes, mais où les noms les différencient, leur imposent quelque chose de leur particularité. » Tel était ce château dont il n'avait jamais connu que le nom et « qui semblait devoir se trouver sur la carte du Rêve » : c'était Guermantes, où « le temps avait pris la forme de l'espace ». Nous y sentirons « le courant mystérieux que le nom, cette chose antérieure à la connaissance fait courir, semblable à rien que nous connaissions, comme parfois dans nos rêves »... La châtelaine et tous les siens « nous apportent forcément moins que ce que nous rêvions d'eux ». Comment Proust aurait-il « pu croire à une communauté d'origine entre deux noms qui étaient entrés en (lui), l'un par la porte basse et honteuse de l'expérience, l'autre par la porte d'or de l'imagination » ? Proust voulait « dégager des bandelettes de l'habitude et revoir dans sa fraîcheur première ce nom de Guermantes, » (4) « lieu sans chemins ».

---

(2) J. Ruskin, *Munera Pulveris*, cité par N .Frye.
(3) I, p. 390.
(4) *Contre Sainte-Beuve*, p. 316.

Il y avait également une magie « dans le nom de Balbec, comme dans le verre grossissant de ces porte-plumes qu'on achète aux bains de mer » ; Proust y apercevait « des vagues soulevées autour d'une église de style persan ». (5) Il se promenait « en dormant dans ces jours de notre enfance ». Il éprouvait « des sensations... qui ne reviendront plus qu'en rêve. » Il note : « Ce monde de l'ancienne loi, j'y pénétrais aisément en dormant. » « Il ne peut pas, disait-il encore, y avoir identité entre la poésie inconnue qu'il peut y avoir dans un nom, c'est-à-dire dans une urne d'inconnaissable, et les choses que l'expérience nous montre et qui correspondent à des mots, aux choses connues. » Si Proust parvint à mettre quelque poésie dans le snobisme, c'est que « l'âme des Croisades » animait pour lui certains noms portés cependant par de « banales figures contemporaines ». A chaque nom, notait-il, « vous sentez s'éveiller, frémir et presque chanter, comme une morte levée de sa dalle blasonnée, la fastueuse vieille France ». C'est tout cela que résumait pour Proust le nom de « Guermantes » — comme les noms de La Rochefoucauld, de Gramont, de La Trémoille, de Noailles, de Polignac, d'Uzès, de Castellane... « Les noms, pensait-il, nous offrent l'image de l'incommensurable que nous avons versé en eux, dans le même moment où ils désignent pour nous un bien réel ; (...) alors chaque château, chaque Hôtel ou palais fastueux a sa dame ou sa fée, comme les forêts leurs génies ou leurs divinités des eaux. » Pour le Narrateur de la *Recherche,* on sait que le nom magique était celui de la duchesse de Guermantes, issue de Gilbert le Mauvais et de Geneviève de Brabant, « enveloppée du mystère des temps mérovingiens » et qu'il pouvait admirer de loin à l'église de Combray en un temps où elle lui paraissait encore inaccessible et qu'il se croyait épris d'elle. Car l'enfance est « l'âge des noms ». On passera plus tard par « l'âge des mots » et par « l'âge des choses ». (Proust avoue : « Perpétuellement, je passe du présent au passé et *vice-versa* »). C'est pourquoi le nom de Guermantes, qui fut d'abord « une tour jaunissante et fleuronnée », deviendra plus tard, « successivement, sept ou huit figures différentes. »

*
**

---

(5) *Pléiade,* I, p. 389. Peut-être Proust a-t-il pensé à la Perse à cause du nom d'Uzbec, mais Balbec sonne surtout comme la ville libanaise de Baalbeck. Il existe en Normandie un lieudit Bolbec. Dans les ébauches des *Cahiers,* Balbec s'appelle Querqueville.

Pour beaucoup d'entre nous, l'enfance est à la fois un éveil et un rêve. L'importance des anecdotes se rattachant à l'enfance d'un écrivain, Baudelaire a raison de le souligner, n'a jamais été suffisamment affirmée. Le poète des *Fleurs du Mal* ajoutait : « Souvent, en contemplant les ouvrages d'art, non pas dans leur matérialité, facilement reconnaissable (...), mais dans l'âme dont ils sont doués, dans l'impression atmosphérique qu'ils comportent, dans la lumière ou les ténèbres spirituelles qu'ils déversent sur nos âmes, j'ai senti entrer en moi comme une vision de l'enfance de leurs auteurs. » (6)

En comparant les ouvrages de l'artiste mûr et l'état de son âme quand il était enfant, Baudelaire a pu prouver que « le génie, » n'est que l'enfance nettement formulée, douée maintenant pour s'exprimer « d'organes virils et puissants ». Ainsi, « tel petit chagrin, telle petite jouissance de l'enfant, démesurément grossis par une exquise sensibilité, deviennent plus tard dans l'homme adulte, même à son insu, une œuvre d'art.» L'imagerie de l'écrivain provient autant de ses lectures que de ses sensations et des souvenirs de sa prime jeunesse. De tels souvenirs revêtent par leur déflagration une valeur symbolique ; mais ce que nous ne savons pas, c'est ce que représentent exactement ces symboles émanant des profondeurs sensibles, que nous ne pouvons sonder. (7) Proust nous ouvre « des horizons qu'on n'eût pas osé espérer ». Il tâche d'aller « avec sa pensée au-delà de l'image et de l'odeur ». (8)

Peut-être l'enfance n'est-elle qu'une « préfiguration projetée dans le passé de l'idéal que l'homme doit réaliser dans l'avenir. » Proust savait que l'adulte n'est jamais qu'un enfant cultivé. Il avait à peine neuf ans lorsque l'asthme le contraignit à vivre avec son mal, expulsé pour ainsi dire de lui-même, recroquevillé, privé de tout, séparé des autres, ne se sentant lui-même que seul, se réfugiant dans la lecture, « la seule amitié vraie », demandant à ses livres préférés de lui fournir, « à travers le monde des Esprits, l'expansion qui (lui était) refusée. » Il comprit alors que « ce qui est le plus important pour notre cœur ou pour notre esprit ne nous est pas appris par le raisonnement mais par des puissances autres ». Cette sensation est aussi débarrassée des formes analytiques du

---

(6) Baudelaire, *Les Paradis Artificiels*, « Le génie Enfant », p. 317.
(7) Baudelaire, *Les Paradis Artificiels*, « Le génie Enfant », p. 317.
(8) I, 178.

raisonnement que si elle était exercée dans le monde des anges ». (9) L'imagination et la sensibilité étaient pour lui des qualités interchangeables. Or « ce que nous n'avons pas eu à déchiffrer, à éclaircir par notre effort personnel, ce qui était clair avant nous n'est pas à nous ». Proust ne pouvait toujours démêler ce qui était affinité naturelle et ce qui tenait au fait de prêter sa sensibilité à l'écrivain qu'il aimait. Plus tard, son enfance lui apparaîtra comme le seul moment « vécu » de son existence. C'est qu'il était alors déchargé par sa mère du soin de vivre. Elle était, elle sera toujours pour lui « le seul miel » de sa vie, son seul but, sa seule douceur, son seul amour. Elle le savait si incapable de vivre sans elle, si « désarmé devant la vie » ! Etre séparé de sa mère eût été pour lui « le comble de la misère ». Il dira : « Il ne s'est jamais agi entre nous de nous prouver que chacun aimait l'autre plus que tout au monde : nous n'en avons jamais douté. »

Proust était alors aux écoutes de son moi futur. Ses rêves lui semblaient « flotter au-dessus de sa propre vie, réalisant les destinées qui ne lui viendront que plus tard. » Un jour, *Jean Santeuil* reflètera « le puits de tristesse » où s'agita misérablement l'enfance de Proust quand, l'heure du sommeil venue, le monde entier semblait l'abandonner et que l'étreignait une angoisse indéfinissable, une déréliction « grande comme la solitude, comme le silence et comme la nuit »... Vivant dans la « continuelle impatience du présent », il semble nous dire à la façon des arbres qui s'éloignent en agitant leurs bras : « Ce que tu n'apprends pas de nous aujourd'hui, tu ne le sauras jamais. » Il se croit « préposé par la nature à la conservation de quelque dieu habitant en lui, dans les marais de son esprit ». On le sent à la recherche de « cette pensée qui lui est seulement apparue voilée par une vague image », « comme un jeune pêcheur rapporte au soleil, sur un lit frais d'herbe — de l'herbe arrachée au fond de l'étang où il l'a pris — le poisson qu'il vient de pêcher ». Proust possède l'amour inné des choses qui sont « si belles d'être ce qu'elles sont », l'amour de cette existence qui est « une si calme beauté répandue »... Ce jeune Marcel, tendre et mutin, dès la prime jeunesse il est « en communication avec le soleil et le vent imprégné de l'odeur des bois... » C'est un temps qui lui semblera plus tard « avoir été vécu par une autre person-

---

(9) III, 256.

ne ». Avec des impressions comme celles des récits de son enfance, et de l'imagination, il arrive, selon le mot de Barbey, « à une espèce de somnambulisme très lucide ». Il parle de « tous ces gens que je ne reconnais que comme dans un rêve ». Poursuivant « son pas-à-pas plein de difficultés et de périls », Proust voulut rompre le charme de la « désobéissance originelle » perpétrée au jardin de Combray. Notre Marcel, apparemment civilisé, avait quelque chose de sauvage et de primitif : il était prêt à « se délivrer de tout ce qu'il était pour s'ouvrir *à l'autre* ». Il attirait ainsi les autres dans son univers, mais « son univers n'était pas celui des autres ». Il savait que la beauté n'est pas dans les objets « car alors, elle ne paraîtrait pas si profonde et si mystérieuse ». Il comparait le poète à un amoureux ou à un espion qui reste « arrêté devant toute chose, semblant regarder à la fois en lui-même et dans l'objet qu'il considère, cherchant au-delà de cet objet, éprouvant avec allégresse la beauté de toute chose dès qu'il l'a sentie dans les lois mystérieuses qu'il porte en lui... A ce moment, il a changé son âme contre l'âme universelle ».

Cependant, faute d'énergie, — la maladie le faisant vivre « enchaîné à un être d'un règne différent » — il hésita longtemps avant de réaliser sa vocation véritable. « Désirer avoir de la volonté, disait-il, ne suffisait pas : il eût fallu précisément ce que je ne pouvais sans volonté : le vouloir ». (10) L'obstination y suppléa — et le génie présomptif qui ne vient qu'à la longue, à force de souffrir. Un jour, de l'obscure chrysalide nous verrons l'hyménoptère prendre son essor vers le soleil. Proust nous a dit ce qu'avait été pour lui « le paradis de l'enfance » tandis qu'il parcourait les côtés de Méséglise et de Guermantes : « C'est parce que je croyais aux choses, aux êtres,... que les choses et les êtres qu'ils m'ont fait connaître sont les seuls que je prenne encore au sérieux et qui me donnent de la joie. » Il s'adonnait alors à l'enchantement des premières lectures, dont le souvenir le hantera toute sa vie : « Douceur de la suspension de vivre, vraie trêve de Dieu qui interrompt les travaux, les désirs mauvais. » Il découvre *François le Champi* dont sa mère lui fait la lecture et où l'on voit un enfant élevé par une mère adoptive qu'il finit par épouser. Il se laisse griser par ces *Mille et Une Nuits* que son œuvre évoquera plus d'une fois. Il lit ce *David Copperfield*

---

(10) On songe au vers d'un sonnet de Michel-Ange.

dont il rêvera d'égaler un jour la mystérieuse féerie, et ce *Moulin sur la Floss* qu'il ne pourra relire sans pleurer. Il a déjà fait choix de quelques-uns de ses maîtres futurs. En s'inspirant d'un grand modèle, dit-il, « dans cet effort profond, c'est notre pensée elle-même que nous mettons, avec la sienne, au jour ». Il ajoute : « Il n'y a peut-être pas de jours de notre enfance que nous ayons si pleinement vécus que ceux que nous avons cru laisser sans les vivre, ceux que nous avons passés avec un livre préféré. » (11) Ces après-midi de lecture, « vidés des incidents médiocres de (son) existence personnelle », étaient remplacés par une vie d'aventures et d'aspirations étranges ».

Depuis que Proust avait, « pour la première fois, tourné son regard à l'intérieur », vers sa pensée, il sentait « tout le néant de sa vie » et « cent personnages de roman lui demandaient « de leur donner un corps ». Mais il devinait ce que lui coûterait l'enfantement de ce monde où le réel se mêle au rêve, à l'imaginaire ; il savait déjà que « c'est seulement par absence d'esprit créateur qu'on ne va pas assez loin dans la souffrance ». Il va dorénavant prendre la plume et commencer sa « sublime phrase intarissable ». Claustré, reclus dans sa chambre du Boulevard Haussmann, parmi les vapeurs de ses fumigations, en face de la Chapelle Expiatoire — décor le plus lugubre de Paris —, il va, comme Dostoïevsky, écrire sa confession romancée entre des murs capitonnés de liège, véritable caveau sans lumière ; c'est là que, se qualifiant lui-même « d'étrange humain », vivant « comme un hibou », il évoquera, il explorera les rêves de son sommeil diurne. Car Proust était « un de ces hommes à la Carlyle, avertis par leur génie de la vanité de tout plaisir, et, en même temps, de la présence auprès d'eux d'une réalité éternelle, intuitivement perçue par l'inspiration. » Son mal inexorable, l'asthme, va le contraindre — ou plutôt lui permettre — d'échapper aux dispersions du monde, d'éluder les entraves que nous impose le temps des horloges, lui fournissant l'occasion d'explorer un temps plus précieux : sa propre durée intérieure. Nerval avait observé que « notre enfance attend longtemps avant d'être réintégrée dans notre vie ».

Il y avait en Proust « une juvénilité qui persiste ». Mais il n'avait pas, comme Musil, « consommé les notes de l'enfant

(11) *Pastiches et Mélanges*, p. 225.

et de l'adulte ». Cependant, Proust ne voulait pas ressembler à ces esprits malades « qu'une sorte de paresse ou de frivolité empêche de descendre spontanément dans les profondeurs de soi-même ». Parmi ces esprits paresseux Proust rangeait Coleridge et Sainte-Beuve. Le passé pesait sur Proust, et, comme le héros de *Volupté,* ses résolutions les plus fermes cédaient au moindre choc. La volupté, qui lui « était d'abord apparue comme une inexprimable séduction, s'est convertie par degrés en habitude »... Tous deux, Proust et Sainte-Beuve, ont analysé le penchant, la passion, le vice même qui dominait en *leur* âme en lui donnant « un ton languissant, oisif, secret, mystérieux et furtif »...

N'hésitant pas à surcharger ses périodes pour les faire coïncider avec la complexité d'un développement de l'idée et du sentiment, Proust a dit lui-même : « De plus en plus le devoir se présentait à ses yeux comme l'obligation de se con-sacrer aux pensées qui, à certains jours, envahissaient en foule son esprit. » (12) Il allait, on l'a dit, « entrer en littéra-ture comme on entre en reliigon ». Ses parents et l'un de leurs amis diplomate ayant voulu lui conseiller la carrière des Affai-res Etrangères, Marcel répondit, en rougissant, comme « s'il eût parlé devant Dieu » : « Je suis déjà trop porté, monsieur, à aimer le monde... Si le peu que je travaille est donné à des choses extérieures... ce sera très desséchant pour moi. Ce dont j'ai besoin, c'est de me concentrer, de m'approfondir, de cher-cher la vérité, d'exprimer toute mon âme... » La poésie, telle qu'il l'entendait, n'avait rien à faire avec ces qualités brillan-tes que réclamaient les grandes carrières. (Baudelaire qui était à ses yeux le plus pur, le plus profond des poètes, n'avait-il pas été incapable de passer des examens ?) Proust aimait à dire qu'il n'était lui-même que seul : « Ma frivolité, dès que je n'étais pas seul, me faisait désireux de plaire, plus désireux d'amuser en bavardant que de m'instruire en écoutant. »

L'art sera pour Proust « l'école la plus austère de la vie et le vrai jugement dernier » ; il nous délivrera du monde grima-çant de l'amour charnel et des plaisirs en triomphant de la mort par la grâce de la pureté retrouvée : « La beauté ne peut être aimée d'une manière féconde si on l'aime seulement pour les plaisirs qu'elle donne. Et, de même que la recherche du bonheur pour lui-même n'atteint que l'ennui, et qu'il faut

_____

(12) *Jean Santeuil.*

pour le trouver désirer autre chose que lui, de même le plaisir esthétique nous est donné par surcroît, si nous aimons la beauté pour elle-même, comme quelque chose de réel existant en dehors de nous et infiniment plus important que la joie qu'elle nous donne. « Selon le conseil de Poe et de Baudelaire, il cherchait « dans un livre de poésie à perfectionner la conscience ».

Proust goûtait dans les êtres « la saveur profonde d'un pays » ; il croyait aux influences du terroir et de l'hérédité ; mais il s'étonnait qu'on visitât « le lieu où un grand homme est né, celui où il est mort », plutôt que « les lieux qu'il admirait entre tous », les paysages qu'évoquent ses livres et qu'il « habitait davantage ». Ce qui fait paraître ces lieux « plus beaux que le reste du monde, c'est qu'ils portent en eux comme un reflet insaisissable l'impression qu'ils ont donnée au génie ». On sait que Proust a composé son Combray d'un mélange d'Illiers, d'Auteuil et de bien d'autres lieux ; or ce parage imaginaire est plus vrai que les pays réels qu'on peut trouver sur la carte. Il a su nous rendre à jamais familière et prenante cette bourgade du pays chartrain (13) dont il évoque « l'étrange et pieuse tristesse » et dont il fera « un petit univers au milieu du grand ». En vertu de son contact ancestral et de ses attaches terriennes avec « la vie intime, paroissiale, villageoise de cette petite ville comme tant d'autres », pleine de survivances médiévales, en raison même de ce qu'il appelait « les vertus de Saint-André-des-Champs » ou « l'esprit de Combray », Proust est inspiré par le sentiment « traditionnel et local » qu'il retrouve dans les paroles de sa vieille cuisinière campagnarde, Françoise. Dès sa seizième année, Marcel, replié sur soi, souffrait de ce dédoublement constant qui lui faisait analyser chacun de ses sentiments. Il vivait et se regardait vivre. Il nous a confessé dans *Jean Santeuil* que « ses grands élans perpétuels, son air effaré, ses grandes passions et ses adjectifs » le rendaient parfois « insupportable à ses camarades ». Tant de gentillesse, un tel « besoin de sympathie » eussent dû pourtant toucher ses amis ; mais bien peu d'entre eux étaient capables de saisir l'ardeur de ce cœur qui « débordait d'amour ». On ne pourrait saisir la réalité de l'être exceptionnel qu'était déjà Marcel Proust qu'en comprenant ce qu'il y avait d'unique en lui : sa part d'*irrationnel*. Nous savons,

---

(13) Finalement transférée en Champagne.

par le texte qu'on retrouve en l'un de ses Cahiers, que pour lui l'amour le plus passionné restait alors le plus pur ; plus que la mort, il redoutait que l'être qu'il aimait pût deviner la nature de ses penchants, car il joignait à son amour « une sorte de respect et de vénération ». Quand il était las d'observer en lui-même et autour de lui, il lui arrivait d'*inventer*, de voir les idées par-dessus les images. Il savait que « les livres, les romans que nous écrivons sont toujours un peu nous-même » ; mais, véritable sourcier, il devinait la présence de courants et de points d'eau qui demeurent invisibles aux yeux des autres. Et son trait de génie fut de faire — tout comme Shakespeare — chacun de ses personnages « vrai et faux » ; Tolstoï, grand romancier mais mauvais critique, n'a pas compris que, dans *Le Roi Lear,* la suprême invention de Shakespeare a été la donnée absurde du drame et la folie du personnage principal. L'art, en vérité, ne cesse de « rendre réel l'irréel », selon le mot d'Ionesco. Dans la *Recherche*, l'art de Proust est « une chose qui signifie une autre chose ». Les répétitions, les réitérations, qui ont l'air textuelles, sont insensiblement déformées, comme « le développement d'une fugue et la synthèse de toutes les possibilités de la variation. » (14) Enfin, l'imparfait de l'indicatif — « de ce temps cruel qui nous présente la vie comme quelque chose d'éphémère à la fois et de passif » — était resté pour lui « une source inépuisable de mystérieuses tristesses. »

*
* *

« Ceux qui produisent des œuvres géniales, notait Proust, ne sont pas ceux qui vivent dans le milieu le plus délicat, qui ont la conversation la plus brillante, la culture la plus étendue, mais qui ont le pouvoir, cessant brusquement de vivre pour eux-mêmes, de rendre leur personnalité pareille à un miroir, de telle sorte que leur vie... s'y reflète, le génie consistant dans le pouvoir réfléchissant et non dans la qualité du spectacle reflété. »

Proust cherchait non pas à se « mirer dans les autres », mais à « devenir soi-même miroir ». Sachant rendre son âme toujours plus translucide, il semble vouloir « pénétrer dans ces choses étrangères que la sympathie ne lui ouvre pas, briser le faisceau de ces forces qui semblent lui être opposées, faire un

---

(14) F.-R. Bastide.

chemin dans ce monde compact, dur et glacé. » Il a vu dans
l'art « une réalité plus profonde où notre personne trouve une
expression que ne lui donnent pas les actions de la vie. » Un
tel art est « garantie de la promesse que la réalité n'est pas ce
que l'on croit, que la splendeur de la poésie peut y resplen-
dir ». De là vient « cette végétation féerique » que Proust a
fait pousser sur « les zones irréelles de son palais de contes
de fées, qui a l'air de sortir d'un songe ».

A la façon de Gustave Moreau, Proust « emplit les jardins,
la campagne, le ciel, les fleurs, d'une essence précieuse, il les
intellectualise comme si elles avaient été visitées par un Dieu,
qu'elles contenaient un présage, un sceau, un secret »... Proust
écrit : « ...déjà à Combray, je fixai avec attention devant mon
esprit quelque image qui m'avait forcé à la regarder, un nuage,
un triangle, un clocher, un caillou en sentant qu'il y avait
peut-être sous ces signes quelque chose que je devais tâcher de
découvrir, une pensée qu'ils traduisaient à la façon de ces
caractères hiéroglyphes qu'on croirait représenter seulement
des objets matériels... Elles me paraissaient toutes... plus
irréelles encore que les projections de la lanterne magique, et
pouvoir louer une chambre rue de l'Oiseau serait une entrée
en contact avec l'au-delà plus merveilleusement surnaturelle
que de faire la connaissance de Golo... »

Proust, lorsqu'il embrassera Albertine, se comparera lui-
même à « un enfant qui tette avec avidité ». Il était, selon un
mot d'Alain, « un enfant qui n'a point fini de naître, toujours
retournant à la pulpe maternelle comme le petit de la sarigue,
vêtu et enveloppé de ses parents chéris, qui voit hommes et
choses en ombres sur sa fenêtre. » Enfant « de santé chétive
et d'imagination précoce », Proust éprouvait au contact de la
réalité de constantes désillusions : « la déception du voyage,
la déception de l'amour n'étaient pas des déceptions différentes »... Il pensait déjà que « le désir fleurit, la possession flé-
trit toutes choses ». Une « nervosité délicate » était chez lui
« l'enveloppe harmonique de sa sensibilité, de son imagination
et de son cœur ». Il ne pouvait jouir que dans l'attente ou le
regret. Mais il savait que « si nos joies sont moins profondes
que nous ne les imaginons, nos chagrins sont aussi moins
durables ». Proust a dit lui-même que ce qui nous rend pri-
sonniers de l'enfance, c'est « la maladie, les vices, les habitudes du corps, les sensations et les souvenirs qui sont tapis
derrière... » Cherchant à expliquer l'accouplement que formait
en son cœur le vice avec la pureté, il pensait peut-être qu'il y
avait en lui, comme en Mlle Vinteuil, « l'union d'un soudard

brutal et d'une innocente jeune fille ». Dans la dépendance
où le maintenaient ses relations avec sa mère, Proust aspira
longtemps à « cette liberté que les circonstances ne lui avaient
pas encore permis de se donner ». Mais, tissu de contradictions, il avait parfois pensé qu'il se tuerait dans l'instant qui
suivrait la mort de sa mère. Ayant connu « la désolation au
lever du jour », Proust n'a pas voulu vivre « une vie dévouée
à la désillusion ». Il trouvera son équilibre dans l'acceptation
momentanée du relatif, en face d'une réalité contre laquelle il
n'avait pas de recours et qu'il lui faudra convertir en « un
équivalent spirituel ».

L'adolescent traverse, a-t-on dit, une « crise d'identité »,
qui précède une sorte de « seconde naissance ». Le héros de
Proust est, comme le Faust de Goethe, l'homme à la recherche
de son âme, à la recherche de sa jeunesse, rêvant le bien, faisant le mal. Toute sa vie, Proust semble avoir été hanté par
le sentiment de la culpabilité. Il souffrait en outre de ne pouvoir être « acteur », mais seulement « spectateur », car il
admettait le primat de l'action par rapport à la connaissance
théorique ; et, pour lui, la signification essentielle de l'acte
moral était cet effort ou ce sacrifice dont il se sentait incapable. Pour combien de poètes, le seul acte possible est l'écriture ! La conscience est la source du tragique de Proust
comme de celui de Pirandello. Il a vécu jusqu'à l'angoisse le
drame de la connaissance. Il n'est pas seulement un « voyeur »
mais un « décrypteur ». Il n'est pas seulement romancier, mais
moraliste, mémorialiste, essayiste, esthéticien : il est poète.
Dans l'enchaînement plus ou moins discontinu de ses souvenirs ou de ses rêves, il se réfère aux émotions de sa prime
jeunesse. C'est dans son seul commencement que Proust trouvera sa véritable fin, et c'est seulement quand il aura renoncé,
dénoncé son enfance qu'elle lui sera rendue, comme au cen-
tuple, en la félicité de l'instant intemporel, en « cette espèce
d'instant éternel et tragique, d'insouciante attente et de calme
engourdissement qui, rétrospectivement, semble avoir précédé
l'explosion d'une bombe ou la première flamme d'un incen-
die. » Désormais, Proust communiquera les instants de joie
et de vérité » qui palpitent derrière ses instants d'illumination. (15)

_____

(15) Il est curieux que certaines « illuminations » de Proust aient
été, comme celles de Luther, liées à des instants passés dans le « cloa-
que ». (Illuminations de la Tour »). On se souvient du cabinet sentant
l'iris à Combray.

Franchissant ton seuil, jardin perpétuel de l'Enfance, c'est à l'ombre de tes feuillages, sur tes pelouses, au bord de tes eaux tranquilles que le poète un jour ira trouver refuge ! Proust savait qu'entre « le moindre point de notre passé et tous les autres, un riche réseau de souvenirs ne laisse que le choix des communications ». Le rapprochement du présent et du passé a créé la « distance intérieure ». L'œuvre de Proust tout entière n'est-elle pas semblable tantôt à ce haut-lieu, « ce lieu de tous les prodiges », à cette plate-forme mystérieuse près de la clôture du Pré Catelan d'Illiers, « sorte d'entrée du royaume du soleil », et tantôt à cette entrée des enfers, des abîmes aquatiques, des mers glaciales et des océans polaires, seuil de tout un monde fantastique, inconnu de tous et pourtant si proche de nous. Cette région mal définie, où nos amis deviennent des déïtés ou des monstres, ne représente-t-elle pas en quelque sorte le parage interdit, le monde sacré, quasi mythologique, où nous introduit la *Recherche du Temps Perdu* ?

*
**

Proust notait que l'esprit d'enfance s'éloigne jusqu'à ce que « la maladie ait percé la douloureuse fissure au bout de laquelle l'âme de l'enfant réapparaît ». Il bénissait la maladie qui nous rapproche des réalités d'au-delà de la mort, et qui fut pour lui une « collaboratrice inspirée » : elle ouvrit en lui la vie intérieure, « l'essence enchantée ». « Notre caractère et notre corps sont si liés qu'ils participent à la même infortune. » Sachant, comme Heine, cet autre grand malade, que la maladie est presque une condition du génie, il s'est servi de son infirmité comme moyen d'atteindre la connaissance de l'humanité, car il avait « le démon de l'expérience ». Son alcôve enfumée était le « laboratoire charbonneux..., la chambre magique qui se chargeait d'opérer la transmutation tout autour d'elle ». (16) Proust déploie « les aspects successifs et contrastés d'une disposition intime qui change sans cesse et n'est pendant plus d'un moment doucement progressive sans que vienne l'arrêter, se heurtant à elle et s'y juxtaposant, une toute différente, mais toujours avec un accent intime et maladif ». Comme Nerval, Proust a « cherché à se définir laborieu-

---

(16) *S.* II, p. 251.

sement à lui-même, à saisir, à éclaircir des nuances troubles, des impressions presque insaisissables de l'âme humaine ». « Le passé ouvrait son cœur au présent et l'heure qui s'écoulait était devenue comme de l'âme. » Sa sensibilité se répandait dans tous les domaines de son imagination. Il s'est frayé une route inconnue qu'il a souvent crue mortelle, la route qui, sans passer par l'âge d'homme, mène *au-delà*. Ayant horreur d'être satisfait, d'être repu, Proust, d'une dépossession, d'une déception, savait faire une possession. Il écrit : « Même dans les désirs les plus charnels... concentrés autour du même rêve, j'aurais pu reconnaître comme moteur une idée, une idée à laquelle j'aurais sacrifié ma vie, et au point le plus central de laquelle, comme dans mes rêveries, pendant les après-midi de lecture au jardin de Combray, était l'idée de perfection. » Il voulait pénétrer dans les choses étrangères que la sympathie ne lui ouvrait pas, briser le faisceau de ces forces qui semblaient lui être opposées. Même des choses inanimées, il extrayait « une généralité de mille réminiscences inconscientes. » Quelle force il a su tirer d'un sujet médité, mûri, couvé pendant près de vingt ans ! Il a créé chacun de ses personnages en surimposant des portraits réels et en transfigurant délibérément la réalité. Il a écrit comme pour se délivrer, pour faire entendre toutes les voix discordantes qui étaient en lui : et de tous ces personnages différents qui étaient *lui*, Proust a su tirer une véritable puissance créatrice.

La manière romanesque de Proust « se compose elle-même de manières successives, dont la dernière est une innovation par rapport à celle qui l'a précédée »... La *Recherche* est au roman mondain de Bourget, d'Abel Hermant, ce que *Don Quichotte* est aux grands romans de chevalerie que Cervantès dénonce à sa façon, après les avoir trop aimés sans doute... Proust, d'ailleurs, ne cessera de renoncer, de renier ses maîtres d'autrefois. Sa sagesse commence où la leur finit. A travers les ruminations du Narrateur obsédé, Albertine apparaît comme un songe, comme « la rêverie d'un mort », un de ces personnages étranges que Proust fait émerger des derniers recès de sa mémoire. Son roman polyphonique n'est pas seulement « un livre d'histoire sur ce qui se passe dans une tête humaine » ; (17) c'est un univers vivant « où tout tient à tout » :

---

(17) Comme dans le *Tristram Shandy* de Sterne.

c'est une « complexe et indivisible totalité ». Un influx créateur donne à cette œuvre « la plus finalisante unité », même
sur le plan social. On a voulu voir en elle « une épopée du
quotidien », mais elle est encore une métaphysique et une
satire.

*
* *

Ramon Fernandez, étudiant la vie sociale dans l'œuvre de
Proust, a montré comment la « nébuleuse poétisée, » née
autour du nom de Guermantes, « se cristallise et se refroidit
lentement en idées », comment « le passage de l'intuition sensible à la *loi*, qui est le vrai processus proustien, aurait pu
s'exercer sur une autre matière que le monde ». Et Benjamin
Crémieux a souligné que Proust avait étudié la vie sociale « en
historien des sociétés et non pas seulement en entomologiste » ;
car « le grand sujet social de l'œuvre proustienne, c'était la
fusion du Faubourg Saint-Germain et de la grande bourgeoisie »... Ou plutôt, il a voulu, dans *Le Temps Retrouvé*, montrer « la transformation d'une société dans la durée, son épuisement et son renouvellement, pareils à ceux des individus. »
Certains souvenirs semblent « comme des odeurs qui sont à la
fois du passé et du présent ». Proust suit la « corrélation
absurde des événements ». Il nous dépeint la montée d'une
certaine bourgeoisie (les Verdurin, les Legrandin, les Swann,
etc...) et le déclin de la vieille noblesse terrienne. Ramuz me
disait un jour : « Proust peint un monde clos, comme je fais
moi-même. Ses aristocrates oisifs ne sont pas moins vrais que
mes paysans ou que les rois de Racine » (18).

*
* *

Issu par sa mère d'une race longtemps nomade, ce sédentaire endolori ne fera jamais que camper dans ses apparte-
ments successifs : il gardera toujours sa mobilité de vieil
errant, de proscrit, d'anathème, d'exclu, d'expulsé du paradis
terrestre. Proust s'attachait à recueillir l'arôme persistant des

---

(18) Proust notait d'ailleurs que « les ouvriers ne sont pas moins
curieux des princes que les princes des ouvriers ». Il a prévu que les
pauvres, qui regardaient les repus au restaurant de Balbec, finiraient
peut-être par les manger à leur tour.

choses, sur quoi repose « l'édifice immense du souvenir ». C'est pourquoi nulle phrase de la langue française ne l'émouvait autant que celle où Chateaubriand évoque une « fine et suave odeur d'héliotrope » qui « s'exhalait d'un petit carré de fèves en fleurs », quand cette senteur lui fut apportée en mer, non par une brise de la patrie, alors lointaine, mais « par un vent sauvage de Terre-Neuve, sans relation avec la plante exilée, sans sympathie de réminiscence ou de volupté. » Et dans « ce parfum non respiré de la beauté, non épuré dans son sein, non répandu sur ses traces », dans « ce parfum chargé d'aurore, de culture et de monde », Proust allait retrouver, comme Chateaubriand, « toutes les mélancolies des regrets, de l'absence et de la jeunesse ». A l'influence décisive de Chateaubriand, de Nerval et de Baudelaire se mêlait aussi, chez Proust, je ne sais quel écho de la mélodie wagnérienne, de sa phrase ascendante, de son *crescendo*, qui semble aboutir à la pâmoison. Il y a donc, chez Albertine et ses amies, un reflet des « filles-fleurs qui couleraient vers moi leurs longs regards caressants ». Plantevignes, qui fut longtemps l'un des confidents de Proust, note que « le goût de l'inavoué, de l'inavouable menait assez loin dans ses recherches le secret dandysme de Proust ». C'est en naturaliste qu'il se sentait ennobli par le résultat de ses observations ; car c'était par ce travail d'entomologiste ou d'ornithologue qu'il parvenait à soulager sa sourde et constante angoisse d'enfant trop tôt sevré. Proust n'échappe à la solitude, au pessimisme, qu'en recueillant ses moments d'extase et de révélation. Combien il est par là différent de Gide ! Ayant lu *Les Caves du Vatican*, Proust écrit à André Gide : « Moi, je ne peux pas, peut-être par fatigue, ou paresse, ou ennui, relater, quand j'écris, quelque chose qui ne m'a pas produit une impression d'enchantement poétique, ou bien où je n'ai pas cru saisir *une vérité générale*. » (19)

Proust écrivait encore qu'il était « toujours déçu en présence des lieux et des êtres », éprouvant l'impuissance que nous avons à nous réaliser dans la jouissance matérielle, dans l'action effective » ; mais l'irruption brutale du passé dans le présent lui octroyait « une sensation d'éternité ». Proust n'est donc heureux que lorsque le miracle d'une analogie lui a permis « d'échapper au présent », car ce miracle a le pouvoir de lui faire retrouver *les jours anciens*. Toutefois, par-delà

---

(19) *Lettres à André Gide*, pp. 25-26.

ses propres particularités, ses attachements, Proust cherche sans cesse à atteindre l'universel et le transcendant. C'est bien le contraire de la démarche d'un Gide, heureux de se singulariser de plus en plus. Cette terrible — et parfois cruelle — lucidité lui a permis de se voir tel qu'il était (20), sans se leurrer, et de se juger sévèrement : c'est cette lucidité qui fait la beauté de son style, dont les grandes arabesques sont reconnaissables à travers les chassés-croisés de la perspective.

Opposant la complexité, l'enchevêtrement de son propre style au langage de la duchesse de Guermantes, Proust note malicieusement : « Il est difficile, quand on est troublé par les idées de Kant et la nostalgie de Baudelaire, d'écrire le français exquis d'Henri IV, de sorte que la pureté même du langage de la duchesse était un signe de limitation, et qu'en elle, et l'intelligence et la sensibilité étaient restées fermées à toutes les nouveautés. » L'écriture de Proust (l'image est de lui) est « un autre visage qui, sur un autre plan, le décrit presque aussi minutieusement que le premier. »

**<center>*
* *</center>**

Par une de ces aberrations si fréquentes dans l'histoire des lettres, Proust passa longtemps pour « un gentil amateur », un dilettante, un de ces oisifs qui sont tourmentés du désir d'écrire et de publier leurs œuvres à leurs propres frais. Or il pensait que la littérature est la dernière expression de la vie. Il n'avait pas besoin d'être d'accord avec un auteur « pour admirer sa conclusion dialectique ». Mais il était loin de tout admirer sans réserves... Il reprochait par exemple à Péguy « cette indolence au cours de laquelle un mot vous en fait imaginer un autre, et où l'on n'a pas le courage de sacrifier ses tâtonnements ». Il trouvait cela « le contraire de l'inspiration et de la solidification artistique ». Proust pensait que « les livres, comme les jets artésiens, ne s'élèvent jamais qu'à la hauteur d'où ils sont descendus ». Il se défendait de chercher à complaire à ses lecteurs : « J'obéis à une vérité générale qui me défend autant de songer aux sympathiques qu'aux antipathiques ». Il s'indignait que son ami Louis de Robert parlât

---

(20) Marcel ivre aperçoit dans un miroir son reflet « hideux », image d'un « moi affreux ».

de son « art minutieux du détail ». Il répondait fermement :
« J'omets tout détail, tout fait, je ne m'attache qu'à ce qui me
semble (d'après un sens analogue à celui des pigeons voyageurs...) déceler quelque loi générale. Or, comme cela ne nous
est jamais révélé par l'intelligence, que nous devons le pêcher
en quelque sorte dans les profondeurs de notre inconscient,
c'est un effet imperceptible, parce que c'est éloigné, c'est difficile à percevoir, mais ce n'est nullement un détail minutieux. »
Il dégageait « sous les petites choses la réalité qui s'y dérobe ».
Chacune de ses métaphores exprime son secret. Il était « enfermé dans le présent ». Mais, à la place de ce qu'il voulait dire,
s'épanouissait « une phrase tout autre, émergée d'un lac
inconnu où vivent ces expressions sans rapport avec la pensée
et qui pour cela même la révèlent » (21). Ses intonations contiennent sa philosophie. Proust voulait composer son roman
« comme Dostoïevsky raconterait une vie » ou comme Elstir
peindrait la mer, « par l'autre sens, et à partir des illusions,
des croyances qu'on rectifie peu à peu ». Il est celui qui nous
aide à surmonter les désillusions, car, démasquant sans merci
toutes les apparences fallacieuses, tous les mirages trompeurs,
il nous guide vers des félicités plus réelles sur lesquelles le
Temps n'a pas de prise, lorsque nous recomposons nos états
intérieurs intermittents. « Si les sujets qu'il traite sont troubles, il les éclaire par sa recherche ». Et les « épiphanies », les
pentecôtes qu'il lui fut donné de connaître, « ressuscitant le
passé, rendent possible l'avenir ». Proust voit dans les savantes
symétries d'un Elstir ou d'un Dostoïevsky « le signe de l'unité
de la vision, mystère même du génie créateur ». Il aimait donc
ces reprises, ces parallélismes, ces jumelages, ces doublets, ces
chassés-croisés, ces diptyques, enfin ces répétitions d'un même
thème ou d'un même effet, ces harmoniques « réciproquement
évocatrices l'une de l'autre ».

Les passages analogues, en venant se confondre donnent à
son œuvre une espèce de volume et d'épaisseur, quand tous les
thèmes ont commencé à se combiner, comme dans une symphonie.

*
* *

---

(21) III, p. 89.

Avec quel art Proust incorpore ses idées au mouvement de son intrigue ! Il narre avec lenteur, et cette lenteur nous touche : il semble avoir pour maxime, selon les Anciens : « Hâte-toi lentement. » De là vient la mélancolie qui fait le charme de ses idées, malgré la fièvre qui le dévore au spectacle de l'abandon des choses défuntes. Il écrit : « Tous ceux qui ont éprouvé ce qui s'appelle l'inspiration, connaissent cet enthousiasme soudain qui est le seul signe de l'excellence d'une idée qui nous vient, et qui, à son apparition, nous fait partir au galop à sa suite et rend aussitôt les mots malléables et transparents, se reflétant les uns dans les autres... Ces transports sont le seul signe que ce que l'on va dire en vaut la peine et pourra plus tard jeter d'autres cœurs dans le même transport. » En outre, « seule la beauté de l'expression individualise l'idée et mesure les profondeurs où elle a été élaborée dans l'âme du poète ». « Quelquefois, note Proust, l'avenir habite en nous sans que nous le sachions ; et nos paroles qui croient mentir deviennent une réalité prochaine. » Néanmoins, il écrira : « Momentanément éclipsé, mon passé ne jetait plus devant moï cette ombre de lui-même que nous appelons notre avenir. » (22) « En moi bien des choses ont été détruites. »

« Enfermé dans la vie et la voyant du dedans », Marcel Proust est le premier de nos romanciers qui ne soit pas trop pressé (23), qui ait su se mettre « dans un état de paix, de sympathie, de pure réceptivité », prenant non seulement connaissance mais conscience d'un milieu humain à la manière d'un Saint-Simon, grâce à « des années de patience et d'imprégnation ». C'est ce qui, selon l'aveu de Claudel, rend intéressant « son récit éternellement recommencé », où « le foisonnement des épisodes vient empêcher un dénouement toujours odieux au véritable lecteur ». Après Mallarmé, Proust aurait pu dire : « J'ai toujours vécu mon âme fixée sur l'horloge. J'ai tout fait pour que le temps qu'elle sonna restât présent dans les chambres et devînt pour moi la pâture et la vie... J'ai recueilli précieusement les moindres atômes du temps dans des étoffes sans cesse épaissies ». La musique l'aidait à descendre en lui-même ; la musique était pour lui « un exemple de ce qu'aurait pu être la communication des âmes ». Elle lui permettait de faire sortir de la pénombre ce qu'il avait senti.

*
* *

---

(22) J.F. II, 106.
(23) Goethe dit que le roman doit marcher lentement.

« J'ai essayé, nous confie Proust, d'envelopper mon premier chapitre dans des impressions de demi-réveil ». Tel est son lyrisme. Dans la *Recherche,* nous voyons le Narrateur passer insensiblement du rêve au réveil et du réveil à la rêverie. Il sort du sommeil « plus dénué que l'homme des cavernes ». Mais l'habitation du songe l'a mûri. Le dormeur n'a-t-il pas entrevu « ce mystère que nous appelons le songe » ? Il lui faut « sortir du réel pour entrer dans le vrai ». George Sand, naguère, lui avait enseigné que les rêveries du jour lucide sont faites pour nous reposer des rêves de la nuit ». Il doublera donc l'invisible par le visible : son enfance sera renouvelée par le souvenir et, s'il est vrai qu'il demeura toujours un enfant, les êtres qu'il a créés, tenant du réel et de l'irréel, auront une profonde durée. Ils sont la contre-partie de l'idéal qu'il se propose. C'est pourquoi les premiers lecteurs de Proust se sont mépris sur le sens de la *Recherche* ; et les ébauches antérieures au grand œuvre ne font que nous égarer. Quelque rémunérante que soit la découverte des inédits de Proust, rien ne saurait remplacer une lecture attentive de la *Recherche.* Redoutant les indiscrétions posthumes, Proust écrivait : « La pensée ne m'est pas très agréable que n'importe qui (si on se soucie encore de mes livres) sera admis à contempler mes manuscrits, à les comparer au texte définitif, à en induire des suppositions qui seront toujours fausses sur ma manière de travailler, sur l'évolution de ma pensée, etc... » (24)

Bien qu'Eckermann ait un jour affirmé : « Dis-moi qui tu crées, je te dirai qui tu es », Proust pensait qu'on ne doit pas « chercher le créateur parmi ses personnages : ses secrets sont dans sa manière de créer », (25) et « l'on ne décrit bien que ce qu'on n'a pas vécu ». Ce qu'il nous a livré, ce n'est pas seulement lui-même, ce sont ses monstres et ses chimères interdites dont il avait peur lui-même, comme on a peur des revenants. Mais le monstre éclaire l'homme.

Selon Proust, « il semble que les événements soient plus vastes que le moment où ils ont eu lieu et ne peuvent y tenir tout entiers. Certes, ils débordent sur l'avenir par la mémoire que nous en gardons, mais ils demandent une place aussi au passé qui les précède. » (26) Combien originale est cette con-

---

(24) Lettre à Sidney Schiff (en littérature Stephen Hudson), *Corr. Gén.* III, p. 51.
(25) Elsa Triolet.
(26) On songe à Henry James.

ception d'un *continuum* espace-temps qui peut être rétroactif et se dilater ! L'acte que commet aujourd'hui Proust n'est jamais entièrement nouveau parce qu'il se sait solidaire d'un autrefois qui l'endosse, dont il le tient responsable (27). Les événements sont pour lui comme des envoyés. Tel Baudelaire, il évoque « à chaque sensation les scènes du passé ». Il sait que, dans le rêve, on ne lie pas deux actions par leur causalité. Ce n'est pas seulement le passé qu'il se remémore « à travers les brumes de la mémoire » ; c'est aussi l'avenir rêvé qui fait l'objet de sa ressouvenance, qui lui revient avec une impérieuse nostalgie : *futura olim*. Immenses sont alors les champs de sa visée ! Il possède « la mémoire de l'avenir ».

Non ! Proust n'a pas « noté le temps d'une manière méticuleuse et parcellaire » (selon le mot de Gœthe) : il a su rendre *signifiants* tous les objets regardés dans le temps. Et chaque chose en son œuvre devient le « miroir de tout ». Ayant eu l'intuition révélatrice du désaccord que provoque en nous la multiplicité des individus qui nous composent », Proust a su réconcilier, harmoniser ces présences diverses ; car « nous ne sommes pas un tout matériellement constitué et identique pour tout le monde ».

La fascination de la *Recherche* ne tient-elle pas en partie à ce que nous sommes constamment à l'écoute du Narrateur, qui ne nous intéresse pas moins que ses personnages ; que nous sommes « saisis » par sa voix, son intonation, son timbre, son *tempo*, son accent ? En tout cela Proust me semble prouver qu'il ne cherche pas « l'illusion parfaite », mais que, comme Stendhal, il veut ramener « le jeu » dans le roman, aux dépens du « mirage », et cherche moins « l'illusion » que l'hallucination : car il nous engage dans son rêve, il transporte avec lui son espace clos, « Chouette fabuleuse », pauvre oiseau nocturne qui ne voit clair que dans la ténèbre, Proust fuyait le soleil fatal à son asthme. Il aurait pu dire avec l'Ecriture : « C'est dans la nuit que j'ai mon illumination. » Il nous confesse qu'il passait la plus grande partie de la nuit à se rappeler les personnes qu'il avait connues dans des lieux différents. Semblable à l'être qui, « après la métempsycose », est pour-

---

(27) « Il n'y a pas d'homme... qui n'ait, à telle époque de sa jeunesse, ...mené une vie dont le souvenir lui soit désagréable... Mais il ne doit pas absolument le regretter parce qu'il ne peut être assuré d'être devenu un sage que s'il a passé par toutes les incarnations ridicules ou odieuses... » I, 864.

suivi par « les pensées d'une vie antérieure », Proust ouvrait
« les yeux pour fixer le kaléïdoscope de l'obscurité ». Il espérait peut-être y retrouver le « vitrail vacillant et momentané
de la lanterne magique » qui avait fait l'enchantement de sa
prime jeunesse à Combray, le ramenant à un passé mérovin-
gien et lui faisait savourer « la sonorité mordorée du nom de
Brabant. » Evoquant le tintement de la sonnette de Combray,
Proust écrit : « Pour tâcher de l'entendre de plus près, c'est
en moi-même que j'étais obligé de descendre. C'est donc que
ce tintement y était toujours, et aussi, entre lui et l'instant
présent, tout ce passé indéfiniment déroulé que je ne savais
pas que je portais. Quand il avait teinté, j'existais déjà, et
depuis, pour que j'entendisse encore ce tintement, il fallait
qu'il n'y eût pas discontinuité, que je n'eusse pas pris de repos,
cessé d'exister, de penser, d'avoir conscience de moi puisque
cet instant tenait encore à moi, que je pouvais encore le retrouver, retourner jusqu'à lui rien qu'en descendant plus profondément en moi ».

Juché sur « les hauteurs silencieuses du souvenir », comme sur « de vivantes échasses », Proust survolait son passé,
tous ses passés « superposés comme des reflets » ; « traversant
en sens inverse « tous les sentiments » pour lesquels il avait
passé, dans une « perspective extrêmement profonde de la
chose observée », ce survol symbolisait le point de vue absolu,
bien que se révélant en des fragments fugitifs ; et, comme dans
la sonate de Vinteuil, on y retrouvait « l'étendue, les groupe-
ments symétriques », marquant à la fois des analogies et des
différences.

*
* *

Des êtres tels que Proust et Baudelaire ne peuvent connaître le bonheur présent que dans le « passé restauré ». Le Narrateur pourra dire que jamais aucune maîtresse ne lui a donné
ce bonheur, cette paix sans trouble qu'il avait jadis connue
quand, le soir, au coucher, sa mère venait l'embrasser ; et dans
Gilberte, dans Albertine, c'est encore le souvenir de cette mère
qu'il cherchait. Son amour s'étendait « bien au-delà des régions
du désir physique », car, — ainsi que le prouvera l'audition de
la « petite phrase » de la sonate de Vinteuil — il retrouvera
cet amour qu'il croyait perdu dans « cet être surnaturel et
pur qui passe en déroulant son message invisible », commé le
chant de la patrie perdue.

Certes, Proust ne fut jamais tout à fait un adulte. S'il survécut un peu plus de quinze ans à sa mère, elle demeura toujours présente en son cœur, en sa pensée, avec une force si grande qu'il disait : « Si j'étais sûr de retrouver ma mère, je demanderais à mourir tout de suite. » Les dépravations qu'on lui prête — en supposant qu'elles fussent réelles — n'étaient que les formes d'un désespoir qu'entretenaient le doute et la maladie, ainsi que le désir aberrant de tromper sa solitude qu'il savait essentielle et nécessaire : ne disait-il pas : « Je ne suis moi-même que lorsque je suis seul » ! (28) Sous les espèces du roman d'amour et de jalousie le plus prosaïquement quotidien, Proust a dissimulé la constellation des thèmes et des mythes. Assurément, Proust, qui fut élevé dans un milieu nettement agnostique, ne semble pas avoir jamais versé dans les étranges croyances ésotériques dont il avait sans doute eu connaissance par la lecture de Nerval et de quelques autres ; mais, sur un plan tout différent, il nous est permis de voir en son œuvre des allusions furtives aux symboles exprimés par certaines traditions néo-pythagoriciennes. Ce lointain accompagnement en mineur donne la plus étrange résonance à l'*andante* de son récit où l'imaginaire se marie au réel. (On retrouve les mêmes démarches chez Goethe). Toute la vie de Proust ne fut-elle pas un passage de l'enfance prolongée à la mort ? C'est pourquoi, dans la *Recherche,* comme dans les vieilles épopées, les cosmogonies orientales, « le passé se réunit à l'avenir », l'enfant de Combray retournant à Tansonville chez Gilberte, la première aimée, une fois que le temps perdu est retrouvé, « comme un voyageur revient par la même route au point dont il est parti ».

---

(28) Lettre à Emmanuel Berl.

CHAPITRE V

LES PILOTIS DE PROUST
TRANSFIGURATION DU REEL

> *C'est au dedans de soi qu'il faut regarder le dehors.*
>
> V. HUGO

> *La vie d'un artiste, c'est son œuvre : voilà où il faut la chercher.*
>
> H. JAMES

> *La pensée ne m'est pas très agréable que n'importe qui sera admis à compulser mes manuscrits...*
>
> M. PROUST

On sait que Stendhal appelait « pilotis » les personnes qui avaient servi de point de départ à la création de l'un de ses caractères romanesques. Proust eût pu se servir du même mot : Bergotte n'est pas M. Bergeret, il n'est ni l'homme Anatole Thibaut, ni le romancier du *Lys Rouge* ; mais il est vrai que M. France est à l'origine de la composition par laquelle Proust a voulu synthétiser les aspects les plus frappants d'un homme de lettres qu'il connut dès son adolescence, qu'il fréquenta chez Madame de Caillavet, qu'il entraîna dans l'affaire Dreyfus et auquel il demanda même une préface pour son premier ouvrage : *Les Plaisirs et les Jours*. Tout nous porte à croire que l'admiration qu'il avait vouée à l'auteur du *Mannequin d'Osier* ne tarda pas à décliner avec les années, à mesure que Proust découvrait des écrivains plus proches de son cœur. On a pu voir en Bergotte une figure composite où se superposeraient les traits de Ruskin, de Renan, de Lemaître, de Barrès et de bien d'autres écrivains, (1) sans oublier le modèle principal qui fut toujours Proust lui-même. Curieusement, dans *Jean Santeuil,* où nous sommes plus près de la réalité, le nom de Bergotte (sans doute pour détourner les soupçons) figure comme celui d'un peintre, qui a même quelques-uns des traits physiques de Rodin. Quel est donc ce Bergotte, qui a révélé au héros de la *Recherche* « le secret de la beauté et de la vérité à demi pressenties » ? (2) A n'en point douter, c'est en partie Ruskin, dont Proust nous dit qu'il aurait voulu avoir une opinion sur toutes choses, et particulièrement sur d'anciens monuments français et sur des paysages maritimes. Les choses qu'aimait Ruskin lui semblaient « chargées d'une valeur plus grande même que celles de la vie ». Mais si l'œuvre que Proust attribue à Bergotte évoque à maintes reprises celle de Ruskin, la vie et l'aspect du personnage que nous voyons évoluer chez Odette Swann n'ont guère de rapport avec le mage de Brantwood, et l'on sait, en revanche, qu'ils rappellent à bien des égards Anatole France, avec sa barbiche et son nez en colimaçon.

Sans doute l'image première d'Anatole France, « le doux chantre aux cheveux blancs », ses relations avec Madame Arman de Caillavet, la déception que Proust éprouva lorsqu'il entra en contact avec l'écrivain dont le style avait fait l'enchantement de son adolescence, toutes ces touches éparses servent-elles à donner au personnage collectif de Bergotte la saveur d'un caractère vivant. Cependant, plus qu'à Ruskin, plus qu'à France lui-même (3), c'est à sa propre expérience subjective d'écrivain, à la conscience qu'il eut de ses faiblesses, de ses contradictions, que Proust eut recours pour animer du dedans, si l'on peut dire, cet inoubliable portrait de l'artiste par lui-même.

---

(1) Cf. notre *Iconographie de M. Proust,* Cailler Ed., Genève, 1960.

(2) Cette phrase est curieusement inspirée d'un passage de la Comtesse de Noailles.

(3) Il semble donc que le nom de Bergotte ait été dans une première version Berget. Gérard Bauër et Jean Pommier y ont vu presque l'anagramme de Bourget ; d'autres ont pensé à Bergson, dont Proust en sa jeunesse, avait admiré la philosophie, bien qu'il se défendît d'écrire « des romans bergsoniens ». On peut également lire sur ce sujet une excellente étude de M.J. Levaillant : « Notes sur le personnage de Bergotte », parue dans la *Revue des Sciences Humaines,* I, III, 1952, p. 450-459).

S'il n'y a pas de clefs dans la *Recherche,* chaque type a
plus d'un modèle. Laissons la parole à Proust lui-même : « Il
n'est pas un personnage inventé sous lequel je ne puisse mettre
soixante noms de personnages vus, dont l'un a posé pour la
grimace, l'autre pour le monocle, tel pour la colère, tel pour
le mouvement avantageux du bras (4), etc... » Bien plus, ce ne
sont pas seulement les êtres vivants qu'il a peints « d'après
nature » ; Proust pouvait écrire : « Comme les individualités
(humaines ou non) seraient dans ce livre faites d'impressions
nombreuses, qui, prises de bien des jeunes filles, de bien
des églises, de bien des sonates, serviraient à faire une
seule sonate, une seule église, une seule jeune fille. » (5)
Ces divers aspects permettaient à Proust de recomposer
« tel jeu de physionomie commun à beaucoup d'êtres, vrai
comme s'il était gravé sur le carnet d'un anatomiste, mais
gravé ici pour exprimer une vérité psychologique ». L'œuvre
de Proust est singulière par l'étrange amalgame qu'il fait de
la vie et de l'art. Elstir, lorsqu'il n'est que M. Tiche, emprunte
quelques traits à Jacques-Emile Blanche, à Forain, à Helleu ;
mais l'œuvre du peintre se rapproche surtout de celle de
Whistler, de Turner, de Renoir, de Monet, de Degas, de Vuillard et même de Cézanne... On sait que, sur des plans différents, comme l'affirmait Proust au sujet des « clefs », « il y
en a tant pour chaque porte, qu'en vérité il n'y en a aucune ».
Qu'il soit dépeint d'après Charles Haas ou Charles 'Ephrussi, (6) Swann nous est présenté comme un cliché négatif
de la vie des créateurs ». Il est celui qui n'entrera pas dans la
terre promise. Certes, il semble un moment avoir eu le désir
et presque la force de consacrer sa vie aux réalités invisibles ».
Mais, comme le sculpteur Ski, comme Charlus également, ce
ne sera jamais qu'un amateur, un dilettante, un collection-
neur... Sans doute lui a-t-il manqué de posséder « le pouvoir
d'approfondissement de la douleur ». Exclu du « petit noyau »
Verdurin, Swann est comme un poisson qui se heurte contre
le vitrage de son aquarium. Swann cherche à capter la volonté
fugace, insaisissable et sournoise d'une Odette qui a déjà
perdu son charme et ses attraits. En cela, ainsi que par bien
d'autres caractères, Charles Swann préfigure les rapports du
Narrateur et d'Albertine. Ajoutons que tous deux trouvent un

_____

(4) T.R. II, p. 54.
(5) T.R. II, p. 242.
(6) Ch. Ephrussi avait été l'un des fondateurs de la *Gazette des
Beaux-Arts.*

plaisir à voir certains êtres en lesquels ils découvrent une ressemblance avec divers tableaux des maîtres de la Renaissance italienne, ce qui justifie à leurs yeux leur culture esthétique et fait pénétrer ces êtres dans un monde de rêves. L'idée qu'Odette ressemblait à la *Sephora fille de Jethro* de Botticelli la métamorphosait aux yeux de Swann. Craignant sans doute de voir se déchaîner contre lui la colère du dandy, de l'esthète qui fut l'un des modèles de Charlus, Proust écrivait lui-même à Robert de Montesquiou : « Dans tout l'ouvrage... il y a à peine deux ou trois clefs et qui n'ouvrent qu'un instant... Au moment où Monsieur de Charlus me regarde fixement et distraitement, près du casino, j'ai pensé un instant à feu le baron Doasan, habitué du salon Aubernon... » Assurément Palamède, Baron de Charlus, dut avoir plus d'un prototype et plus d'un « pilotis » parmi les vivants que Proust ne cessa d'observer ou plutôt, selon son expression, de *radiographier* : on a pu citer, en dehors de Montesquiou et de Doasan, Jean Lorrain, Oscar Wilde, Eulenbourg, et même, pour la morgue aristocratique, Aymery de La Rochefoucauld, Jean de Castellane, etc... mais il faudrait aussi chercher dans les livres quelques-unes des sources de l'inspiration proustienne, et c'est bien le ton du duc de Saint-Simon dans ses *Mémoires* que rappellent l'insolence de Charlus et sa verve et son infatuation nobiliaire ; d'autre part, le fait que, dans les premières versions, ce personnage ait porté le prénom d'Astolphe nous fait inévitablement penser à Custine ; enfin, parmi les héros de roman, l'on a pu le rattacher tantôt à Vautrin, à H. de Marsay, tantôt à Des Esseintes, tantôt au comte Aymery de Mayarett (personnage de J. Lorrain dans *M. de Phocas*), tandis que Charles Morel serait plutôt de la lignée de Lucien Chardon de Rubempré. Toutefois, on l'a souvent remarqué, « il serait vain de rechercher une correspondance absolue entre les réalités de la vie et la fiction des romans, l'œuvre n'étant jamais exactement superposable au document » (6 bis). Proust disait : « Charlus est entièrement inventé. » Jacques-Emile Blanche insinue que, à force de contrefaire « les gémissements, les reproches, les mines dolentes, piquées, les gronderies, les glapissements suraigus » de Montesquiou, Proust avait fini par se laisser « gagner » lui-même par le mimétisme et la contagion, si bien qu'il avait adopté à s'y méprendre la ma-

---

(6 bis) Cf. Jacoubet, « Stendhal », *N.R.C.* 1943.

nière de parler du fameux « Comte Robert ». L'effet en était d'un comique irrésistible.

C'est peut-être pourquoi Montesquiou est le premier « modèle » qu'on ait désigné parmi les personnages de Proust, dès l'apparition de son livre ; mais l'auteur se montrait fort mécontent de cette arbitraire « identification ». Il aurait pu répondre : Montesquiou est poète, mon Charlus a fait un peu de peinture ; Montesquiou est très mince, mon Palamède est gras ; il y a chez Charlus plus de traits du mémorialsite Saint-Simon que du poète des *Hortensias bleus !*...

On peut même insinuer que l'œuvre de Proust s'est construite, je l'ai dit, *contre* lui-même, contre son moi qu'il veut expurger, mortifier, transcender. En Charlus, il fustigera les esthètes auxquels il fut si près de ressembler en sa jeunesse ; et l'on sait qu'il a voulu, dans ce personnage, incarner le péché d'idolâtrie qu'il ne craignait pas de dénoncer en Ruskin. C'est Sainte-Beuve qu'on retrouvera dans Legrandin, lequel ne voulait voir dans la poésie qu'un assaisonnement de l'existence. Ce sont des sentences extraites des discours et des articles de Gabriel Hanotaux que Proust placera dans la bouche de Norpois. Enfin, à travers Mme de Villeparisis, il raillera ceux qui jugent du génie d'un écrivain d'après ses propos de table. La création de Bergotte représentera peut-être une élaboration plus complexe. Si Bergotte est pour « Marcel » un père retrouvé, c'est qu'en le lisant il croit pénétrer dans les « royaumes du vrai » et qu'il pleure de confiance et de joie, en une région de lui-même plus profonde, plus unie et plus vaste, « d'où les obstacles et les séparations ont été enlevés ».

Madame Verdurin n'est ni madame de Caillavet, ni madame Bulteau, ni madame Aubernon, ni madame Lemaire, ni madame Ménard-Dorian (7), ni madame Straus, dont les noms ont été si souvent proposés comme modèles de la protectrice de Bergotte, d'Elstir et du violoniste Morel ; mais il est évident que Proust emprunta certains traits aux unes et aux autres, ce qui ne fait d'ailleurs qu'accentuer encore les différences entre ces « pilotis » et la création puissante du personnage. Quand, après la guerre, madame Verdurin, deux fois veuve,

---

(7) Dans le journal des Goncourt certaines pages m'ont été signalées par Jean Hugo, petit-fils de Mme Menard-Dorian. Elles décrivent le mariage de sa nièce Dora Dorian avec Jean Ajalbert. Proust a su s'inspirer de ce fragment pour pasticher les Goncourt.

(8) Elle avait entre temps épousé le duc de Duras.

change brusquement de goûts et de milieu en devenant la seconde épouse du prince de Guermantes, Proust a sans doute
songé au mariage de Mme Ferdinand Blumenthal avec Louis de
Talleyrand-Périgord, duc de Montmorency. Parmi les hôtes du
salon Verdurin, le talentueux et superficiel Ski a quelque chose
de Coco de Madrazo ; le pédant Brichot est tantôt Brochard,
tantôt Joseph Reinach écrivant, sous le pseydonyme de Poly-
be, ses articles de guerre dans le *Figaro* ; le docteur Cottard,
quant à lui, présente bien des caractères observés par Proust
chez les collègues de son père, dont l'un portait le nom de
Cottet. Tous ces fantoches sont, a-t-on dit, « les Bouvard et
Pécuchet de la mondanité ». (9)

Dans une lettre à Lucien Daudet, Proust écrivait : « Je
reconnais qu'il y a un peu de la fille Contades à certains moments de madame de Villeparisis, un peu de Walewski opposé
à Cholet dans le prince de Borodino, et que j'ai tenu compte
(d'une façon infime) d'une remarque stupide et identique que
m'avaient faite Montholon et Félix Faure, le premier sur le
duc d'Orléans, le second sur le prince de Galles. Ils ne les
trouvaient pas assez solennels, assez majestueux. Si cela amuse
ton frère, je lui donnerai des précisions. Enfin, il y a un rien
(un bien petit rien) du genre médecin à la Brissaud, plus élo-
quent et sceptique que clinicien, chez Du Boulbon » (10).
Proust ajoute : « Mais je me laisse gagner par ta délicieuse
lettre et me mets naïvement à chercher des clés, comme si
cela pouvait intéresser quelqu'un ! » On aura remarqué que
souvent Proust conserve une syllabe ou quelques lettres du
nom de son modèle principal dans le nom du type qu'il crée,
car il croyait peut-être, comme Balzac, que « certains noms
attirent certains états ». En faisant poser plusieurs êtres pour
un seul sentiment, Proust souligne que « ces substitutions
ajoutent à l'œuvre quelque chose de plus désintéressé et de
plus général » et nous donnent une « leçon austère que ce
n'est pas aux êtres que nous devons nous attacher, que ce
ne sont pas les êtres qui existent réellement et sont par conséquent susceptibles d'expression, mais les idées ». Je ne vou-
drais pas me livrer impunément à ce que Robert Kemp appelle
« l'inutile et fastidieuse recherche des desseins, des sources,
des modèles ». Je crois, comme lui, que « la réalité romanes-

---

(9) Lester Mansfield, *Le Comique chez M. Proust.*
(10) Dont le modèle serait le Dr Reboulet.

que » ne doit pas être cherchée ailleurs » et ne se situe pas
« hors du livre ». Je crois que Charlus est plus vrai que Montesquiou, que Doasan ; Saint Loup, plus vrai que Fénelon, que
Castellane... Le seul modèle des héros de la *Recherche* qui
m'intéresse vraiment, c'est Proust lui-même. Je ne puis cependant négliger le fait que Proust, comme Stendhal, eut ses *pilotis* ; ou, si l'on préfère, que le Charlus qui était en Proust em-
pruntait à Montesquiou certains gestes, à Doasan certains
regards... Si Proust demeure le principal sujet et le protagoniste de sa propre œuvre, il n'en a pas moins eu « le sentiment
profond de ce qu'on appelait autrefois les mœurs » (11) : Il a
peint l'homme du xxᵉ siècle ; il nous a fait entendre le « dialogue solitaire » de l'homme et du Dieu absent et muet ; il a évo-
qué l'opposition de l'aristocratie et de la roture, la « fusion des
émotions morales aux sensations naturelles », enfin le « désenchantement salubre » du héros. Le roman de Proust est l'écho
de plus d'un moment de sa vie et de ses lectures. Dans la
création des personnages de la *Recherche,* peut-être les associations historiques ou littéraires ont-elles joué un rôle aussi
déterminant que les observations faites parmi le monde des
vivants.

Ainsi, quand je songe à Albertine, je me demande parfois
si Proust n'a pas eu (consciemment ou inconsciemment) présentes à l'esprit les fiançailles rompues d'Astolphe de Custine
et d'Albertine de Staël ? Astolphe est le prénom que porte,
dans *Jean Santeuil,* le duc de Réveillon, prototype initial des
futurs Guermantes, parmi lesquels figure, au premier plan,
Palamède, Baron de Charlus. On sait par ailleurs tout ce qu'a-
vait (à l'avance) de proustien cet Astolphe célèbre par la tendresse qu'il portait à sa mère autant que par son « charlis-
me »... Ne semble-t-il pas annoncer Proust lui-même, ce jeune
homme trop doué, dont les amis louaient la malice enveloppée
autant que le « bon ton », chez lequel on s'étonnait de trouver
une « modestie douloureuse » alliée aux « éclairs vifs », aux
« étincelles de l'aperçu », brillantes qualités transmises par
une « famille de jugeurs ». Et comment ne pas rapprocher du
héros de *La Prisonnière* cet égotiste hésitant qui, parlant de
sa fiancée, tantôt se complaisait dans les « ennivrantes illusions de l'absence » et tantôt confessait : « Je cessais de l'aimer dès que je ne la voyais plus ». (12)

---

(11) Thibaudet sur Sainte-Beuve.
(12) Barbey d'Aurevilly a pu servir de maillon entre Custine et Proust.

Il en est des monuments comme des personnes : Proust savait extraire « une généralité de mille réminiscences inconscientes ». Il disait à Montesquiou : « Les monuments viennent apporter doucement, tel sa flèche, tel son pavage, tel son dôme... » Il ajoutait : « Je ne peux pas vous dire combien d'églises ont « posé » pour mon église de Combray. » Bien des lieux — comme Doncières par exemple — sont également composites. Certains traits de cette petite ville de garnison sont empruntés à Orléans, où Proust fit son service militaire ; d'autres proviennent de Provins, de Caen ou de Fontainebleau. C'est dans cette résidence royale, en particulier, que le Narrateur connut, à l'Hôtel d'Angleterre, la mystérieuse chambre à double-fond évoquée dans *Recherche*.

Si, dans la *Recherche*, il n'y a pas de clef pour chacun des individus, fermés par des verrous, la clef de tout le roman est dans « toute une société » tourbillonnant dans le kaléidoscope du *Temps Retrouvé*. D'autre part — ainsi qu'il importe de le souligner — Proust n'a pas été le premier à dénoncer « l'écueil qui consiste à identifier un écrivain avec le sujet de l'état-civil et à reverser sur l'un les péchés de l'autre ». Proust estimait en outre qu'une étude indiscrète et trop minutieuse des procédés de composition d'un auteur peut parfois enlever à son œuvre quelque chose de son imprévu, de son mystère et de sa magie. Il est vain de vouloir déceler les infinies combinaisons d'un roman. Si Proust s'est voulu tout autre que ses prédécesseurs, s'il s'est même dressé contre Balzac, affirmant sa différence essentielle, c'est qu'il voyait dans le génie « une sorte de crime contre la routine du passé ». L'art était à ses yeux « quelque chose de trop supérieur à la réalité pour se borner à la contrefaire ». Il est donc évident que jamais il n'a voulu, dans la *Recherche*, dépeindre des personnes ayant réellement existé, car il a nettement déclaré que « c'est la déchéance des livres de devenir, si spontanément qu'ils aient été conçus, des romans à clef après coup ». Une œuvre, « même de confession directe, est pour le moins intercalée entre plusieurs épisodes de la vie de l'auteur ». Proust reprochait précisément à son ami Jacques-Emile Blanche de refaire l'inverse du trajet qu'accomplit l'artiste pour se réaliser, d'expliquer l'artiste, celui qu'on ne trouve que dans son œuvre, à l'aide de l'homme périssable, pareil à ses contemporains, pétri de défauts, à laquelle une âme originale était enchaînée et contre lequel elle protestait. Il lui reprochait de chercher l'homme dans l'écrivain.

Proust est l'auteur de la *Recherche*. En est-il également le héros ? Et le narrateur se confond-il avec l'auteur ? Proust, dans une lettre à Lucien Daudet, nous met en garde contre cette dangereuse confusion : il s'agit bien d'un roman, non d'une autobiographie ou de Mémoires. Si Proust, comme à contre-cœur, se décide de donner son propre prénom, Marcel, à son héros, ce n'est qu'à la fin du récit, et à deux ou trois reprises seulement. Le Narrateur exagère la naïveté du héros. C'est ainsi que, dans l'épisode de la lanterne magique, le mouvement de Golo nous est présenté comme un fait objectif, tel qu'il apparaissait à l'imagination de l'enfant de Combray.

Le premier, Louis Martin-Chauffier a souligné que le « je » de la *Recherche* est un faux « je », un alibi, un trompe-l'œil, une création ». (17) Ce « je », bien loin de l'écarter, Proust l'attire, le déploie « comme un écran derrière lequel il conserve toute liberté de mouvement, de feintes et de métamorphoses »... Le « je » de Proust est double. La confusion entre l'homme, l'auteur et le personnage « est remplacée ici par quatre éléments » de valeur fort inégale. « Ce personnage de fiction, qui écrit « je », est lui-même double dans son action et sa durée »... « A qui l'auteur l'a-t-il pris ? A l'homme. Quelles sont donc les lois de ces emprunts, de ces prêts, de ces métamorphoses ? Ici commence le roman. » Les personnes sont : Marcel, le narrateur, qui dit « je » ; Marcel le héros, qui est « je » ; Proust, l'auteur, qui ne dit jamais « je » mais intervient sans cesse... et qui dirige tout ; ...Marcel Proust enfin dont le snobisme, la politesse, la gentillesse, les nerfs, la maladie, les vices fournissent à Proust... l'écran derrière lequel celui-ci fait son miel et les petits objets qu'il métamorphosera... » Proust lui-même disait : « ...celui qui dit « je » dans mon récit... est moi bien entendu sans être tout à fait moi. »

A son tour, Germaine Brée écrit : « Le récit à la première personne est (...) le fruit d'un choix esthétique conscient, et non le signe de la confidence directe, de la confession, de l'autobiographie... Il n'est pas aisé de départager ce qui, sous le couvert de ce « je », revient directement à Proust de ce qui ne lui revient qu'indirectement à travers son narrateur, au même titre qu'à travers Swann, Elstir ou tout autre personnage. » (18) Et elle ajoute avec raison : « Toute une partie de

(17) Louis Martin-Chauffier, « Proust et le double « je » de quatre personnes, « *Confluences* », 1943, pp. 55-63 et 69.

(18) G. Brée, *Du temps perdu au temps retrouvé*, p. 15.

l'expérience de Proust dépasse son narrateur et va s'incarner dans d'innombrables autres personnages ». Marcel Muller remarque également que « cet apport de Proust va s'y mêler à celui de tel ou tel qu'il a fréquentés ; le fleuve du *je* sourd d'un seul point ». (19) Jean Pouillon se demande : « Où se trouve Proust en fin de compte ?... Qui est ce *je* ? Celui qui se couchait de bonne heure ? Celui qui s'en souvient, mais quand et pourquoi ? L'un et l'autre évidemment, c'est-à-dire ce funambule insaisissable qui glisse à sa guise, et dans toutes les directions, sur les fils du temps ». (20)

Avec beaucoup de subtilité, Marcel Muller aboutit à une conclusion bien plus radicale encore que Pouillon ne semble le soupçonner. Le « funambule insaisissable » se révèlera posséder sept voix différentes : « Les démasquer, tenter de déterminer dans quelle mesure le mouvement « sur les fils du temps » s'opère au gré d'un pur caprice, ou au contraire semble obéir à certaines lois instinctives ou conscientes, orienter notre investigation dans un sens propre à éclairer cette œuvre romanesque en tant que telle et mettre en valeur ses qualités éminentes d'œuvre littéraire, c'est-à-dire écrite, tel a été le souci de notre travail ». (19)

Muller souligne le fait que « l'absence de préface présentant le récit comme l'œuvre d'un tiers (procédé utilisé par Benjamin Constant, Fromentin, Gide dans *l'Immoraliste,* et même encore par l'auteur de *Jean Santeuil*) a trop facilement induit un très grand nombre de critiques à confondre sans réserves le *je* du Protagoniste avec celui de Proust ». Tel aurait été le cas de commentateurs aussi avertis que Léon Pierre-Quint en 1925 et Léo Spitzer en 1928. (Et je me trouve rangé à leur suite en compagnie d'Elisabeth de Gramont, de Jean-François Revel, de Tauman, tandis que Souday et Martin-Chauffier auraient les premiers protesté contre cette erreur...) Toujours est-il que Muller distingue sept voix narratives différentes dans le récit de Proust : « Héros-je, Héros-nous, Sujet Intermédiaire, Narrateur, Ecrivain, Romancier et Signataire ». Pourtant, Muller reconnaît lui-même que le problème des rapports entre le protagoniste et la personne de Marcel Proust

---

(19) M. Muller, *Les Voix Narratives dans « la Recherche du Temps Perdu »,* p. 14.

(20) J. Pouillon, « les règles du « Je », *Les temps modernes,* XII (1956-57) 1594.

(...) est loin d'avoir été résolu »... « L'étude des entorses que
Proust a fait subir au principe de l'incognito confirme donc
l'impression que Proust a parfois tergiversé devant les problèmes posés par l'identité du je et permis que s'effacent, à
l'occasion des limites entre le fictif et le réel ». (21) Muller
concède également qu'« un relâchement de la discipline du
romancier est aussi manifeste lorsqu'une personne ayant servi
par ailleurs de modèle pour un personnage est désignée par
son véritable nom ». Et il cite les exemples de Céleste Albaret,
du marquis du Lau, de Bertrand de Fénelon, de Charles Haas,
de Dieulafoy et des Larivière (22). Afin de prouver que Proust
n'a pas eu « le sot dessein de se peindre », Muller cite le
reproche que le traducteur de *Sésame et les Lys* adressait précisément à Fromentin et à Musset : « Fromentin, Musset,
malgré tous leurs dons, parce qu'ils ont voulu laisser leur
portrait à la postérité, l'ont peint fort médiocre ; encore nous
intéressent-ils infiniment, même par là, car leur écho est instructif. De sorte que quand un livre n'est pas le miroir d'une
individualité puissante, il est encore le miroir de défauts
curieux de l'esprit. Penchés sur un livre de Musset, nous
apercevons au fond du premier ce qu'il y a de court et de
niais dans une certaine distinction, au fond du second, ce
qu'il y a de vide dans l'éloquence » (23).

Je ne puis cependant admettre, selon l'hypothèse de Germaine Brée, que Proust ait donné à son Héros le prénom de
Marcel « par inadvertance », ni davantage les suggestions de
H. Waters et de Susuki, lesquels « rejettent d'un commun
accord l'attribution du prénom « Marcel » au Protagoniste de
la *Recherche* ». Muller a dû lui-même montrer la fragilité de
certains argument relatifs à la date de la « fête » du héros
(alors qu'il s'agissait d'un anniversaire, non d'une « fête ono-
mastique »), ainsi qu'au silence de l'auteur quant à ses
mœurs ou à son ascendance maternelle. (24)

Bien que Proust ait dit à Antoine Bibesco et à Elie-Jules
Bois : « Le personnage qui raconte, qui dit « Je » (et qui n'est

---

(21) M. Muller, *les Voix Narratives dans la « Recherche du Temps
perdu »*, p. 165.
(22) Le fait que la plupart de ces mentions sont « tardives » ne
prouve rien.
(23) John Ruskin, *Sésame et les lys,* trad. et préf. de M. Proust, Mercure de France, 1906, p .50.
(24) Cf. Muller, *ibid*, p. 13 et note 22.

pas moi) », dès 1914, dans une lettre à J. Rivière, il use des pronoms « je » et « moi » pour désigner tour à tour sa propre personne et les différentes instances que Muller s'est efforcé de distinguer. Peut-être la vérité serait-elle dans la phrase de l'article sur Flaubert où Proust écrit que « quelques miettes de « madeleine » trempées dans une infusion, me rappellent (ou du moins rappellent au narrateur qui dit « je » et qui n'est pas *toujours* moi, tout un temps de ma vie »... (25) (Je souligne à dessein). Muller cite encore d'autres exemples de confusion et reproche à Proust lui-même « la désinvolture avec laquelle (il) fait alterner les deux « je » : « Vous verrez la terrible nuit que je passe, à la fin de laquelle je viens en pleurant demander à ma mère la permission de me fiancer à Albertine »... (26) « Si vous vous rappelez vaguement *A l'ombre des Jeunes Filles en Fleurs*, au moment où M. de Charlus me regarde fixement et distraitement près du casino, j'ai pensé un instant à feu le baron Doasan, un habitué du salon Aubernon et assez dans le genre ». (27) Parfois d'ailleurs, Proust engage des dialogues avec le lecteur. « On peut donc affirmer que Proust, dans son roman même et dans les commentaires extérieurs au roman, a eu vis-à-vis du *je* romanesque deux attitudes opposées, qui se résument respectivement dans les formules : « je n'est pas moi » et « je est moi ». Germaine Brée, elle-même reconnaît que, dans certains passages écrits vers la fin de sa vie et insérés dans son texte, Proust pressé par la mort et délaissant son récit fictif, semble prendre directement la parole ». Dans *Pastiches et Mélanges*, s'étant abstenu de reproduire diverses pages inspirées par des églises, à l'exception de celles consacrées aux clochers de Martinville, il précise : « Si j'ai fait exception pour celles-ci, c'est que dans *Du Côté de chez Swann*, elle n'est que citée, partiellement d'ailleurs, entre guillemets... » D'autre part, dans une lettre à Jacques Boulenger, Proust écrit : « Je vous prie seulement de ne pas me croire snob. Si vous faites attention à Swann et aux autres livres, vous verrez que j'y donne toujours à *ma* famille et à *moi* la situation la plus modeste, que les ducs n'éblouissent ni ne mettent en colère. Vous pouvez

(25) « A propos du style de Flaubert », XIV, n° 76, Janvier 1920, p. 89 et *Chroniques*, p. 210.
(26) *Lettres à M. Scheikevitch*, 1928, pp. 57-66.
(27) *Corr. Gén. de M. Proust*, Plon, lettre XLVII, p. 282.

demander à Guiche qui me connaît bien ». (28) Enfin dans
une note ajoutée au manuscrit du *Temps Retrouvé*, Proust
écrit en marge : « Bergotte avait trouvé *mes* pages de collégien
parfaites » (III, 1041), « allusion au premier livre de l'auteur,
Les Plaisirs et les Jours ». On a remarqué que, dans la *Recherche*, Proust relate, avec un recul de quinze à vingt ans, les
événements qui eurent lieu au temps de sa jeunesse. Benjamin
Crémieux lui ayant reproché certains anachronismes au sujet
des Ballets russes, de la germanophilie de Caillaux, des auto-
mobiles, etc..., Proust a tenté de se justifier dans une lettre où
il explique qu'il y a, dans son récit, des intervalles, des hia-
tus... (29) Proust admirait George Eliot parce que ses personnages évoluaient au cours de son récit. C'est ainsi que « le
Lydgate amer et réduit des dernières pages de *Middlemarch*
est un autre individu que le médecin enthousiaste et altier de
la jeunesse ». (E. Jaloux). Cependant, chez Proust, les mutations sont parfois plus brusques : « le changement ne s'est
pas opéré sous les yeux du lecteur », a-t-on souligné, lorsqu'il
s'agit d'un Cottard ou d'un Biche-Elstir, si bien qu'on ne croit
guère à la métamorphose. (30) Certains amis de Proust
comme Lucien Daudet, ont même déploré la dégradation qu'il
fait subir à la plupart de ses caractères : Oriane, Swann, la
Berma et même Saint-Loup. Cela ne tient pas toutefois à une
vue de plus en plus pessimiste chez l'auteur, comme l'a suggéré M. Feuillerat, puisque Proust nous a dit que le dessein
avait été pris d'avance.

D'une certaine façon, tout le roman converge vers mademoiselle de Saint-Loup, lieu géométrique où se rencontrent
son grand-père, Swann, sa grand-tante Oriane, aussi bien que
sa grand-mère Odette, symbole du « petit clan » Verdurin,
son père, ami du Narrateur, sa mère, premier amour du
Héros... « Elle était, dit Proust, pleine d'espérance, riante,
formée des années mêmes que j'avais perdues, elle ressemblait
à ma jeunesse. » C'était donc pour lui une « véritable déesse
du temps », en même temps qu'une « étoile, un carrefour dans
une forêt », puisqu'en elle se croisaient les chemins de Mésé-

----

(28) Corr. Gén., pp. 202-203.
(29) Cf. B. Crémieux, *Du côté de M. Proust,* suivi de lettres inédites.
1929.
(30) Cf. R.A. Donzé, *Le Comique dans l'œuvre de M. Proust,* Ed. Attin-
ger, Neuchâtel, 1955.

glise, qui viennent « du côté de chez Swann » et la route royale qui mène à Guermantes. Sa mère, Gilberte, ayant joué avec le Narrateur aux Champs-Elysées, il pouvait la « placer successivement dans tous les sites les plus différents » ; un riche « réseau de souvenirs » lui laissant « le choix des communications », « faisant s'aligner ainsi à côté des deux côtés de Combray, des Champs-Elysées, la belle terrasse de la Raspelière ». D'ailleurs, pour mieux fondre ensemble tous les passés du Narrateur, « madame Verdurin, tout comme Gilberte, avait épousé un Guermantes », une fois devenue veuve. Or c'était chez madame Verdurin que le Héros avait entendu jouer la musique de ce Vinteuil dont la fille avait été l'amie d'Albertine ; et c'était Albertine qui l'avait amené, à Balbec, dans l'atelier du peintre Elstir, jadis intime du « petit noyau » des Verdurin. Ne pourrions-nous hasarder une hypothèse plausible ? Si le héros de la *Recherche* ne se confond pas avec l'auteur, avec l'écrivain, le romancier et signataire, avec le Marcel Proust historique, s'il est plus jeune que lui de dix ou quinze années, s'il n'a pas une mère juive, s'il n'y a pas trace en lui de tendances uraniennes ou saturniennes, il n'en demeure pas moins, en quelque sorte, un autre « Marcel », également écrivain de vocation, non moins nerveux et malade, non moins passionnément attaché à sa mère (et à sa grand-mère), enfin résolument dreyfusiste en dépit de ses liens avec les milieux aristocratiques. Proust lui-même s'est plaint de ceux qui reconnaissent dans le mécanisme présidant à ses associations « le jeu spontané d'une conscience en proie au rêve ou livrée au mécanisme de la mémoire ». Il a dit très nettement que son roman n'était pas « un recueil de souvenirs s'enchaînant selon les lois fortuites de l'association des idées ». Il a beaucoup insisté sur le fait que la *Recherche* était « un tout très composé, quoique d'une composition si complexe que je crains que personne ne le perçoive. »

***

Proust a tiré de lui-même ses personnages. Il a fait plus : par une sorte de mimétisme, il s'est transformé en chacun d'eux, souffrant de leurs travers, vivant de leur vie et mourant de leur mort. Si l'on peut retrouver la personnalité de Proust à travers la *Recherche* mieux que d'après sa correspondance et surtout mieux qu'en lisant les chroniques de ses contemporains où il est question de lui, ce n'est pas que cette œuvre soit autobiographique, comme on l'a cru parfois, c'est parce que, selon le mot de Léonard de Vinci, « chacun des caractères de cette peinture est un des caractères du peintre ». Nous chercherons donc, selon le conseil de Proust, « les rapports secrets, les métamorphoses nécessaires qui existent entre la vie d'un écrivain et son œuvre, entre la réalité et l'art », ou plutôt entre « les apparences de la vie et la réalité même ». Albertine n'était pour lui « que des moments ». Il se demandait : « Comment m'a-t-elle paru morte ? Ce qu'il m'eût fallu anéantir en moi, ce n'était pas une seule mais d'innombrables Albertine ».

Tous les personnages de la *Recherche* sont des Proust possibles, mais, à l'inverse de ceux de Stendhal, qui donnait en chacun d'eux une peinture idéalisée de lui-même, ils poussent jusqu'à l'excès et l'outrance les défauts que Proust devinait en son propre caractère. Il est par là plus proche de Balzac. Si Vautrin parlait à Rastignac de « ces vastes sentiments concentrés que les niais appellent vices », Charlus (ce Vautrin bien né, dont Proust disait qu'il n'est pas « si horrible que ça ») exagère à la fois les passions et les travers qui sont en puissance dans Proust. La vieille tante Léonie elle-même représente assez bien l'éternel malade que fut Proust, Bloch nous rend sensible un certain pédantisme qu'eut peut-être dans sa jeunesse l'auteur de *Jean Santeuil* ; et jusque dans le snobisme honteux de Legrandin on pourrait retrouver des caractères qui ne furent pas étrangers à l'auteur de *Swann*. Quand « le Père Goriot » est mourant, ses filles vont au bal, comme Oriane ira dîner en ville au moment où elle apprend que son vieil ami Swann n'a plus longtemps à vivre. Ce dernier trait si cruel, Proust le tire encore de ses propres remords, comme il aimera à se reconnaître, lui fils aimant et tendre, dans le parricide Henri Van Blarenghem. Ne connaît-il pas les égarements dont sont capables les naturels sensibles ? Stendhal dotait ses héros « des qualités qu'il aurait voulu avoir » ; Proust prête aux siens les défauts qu'il voudrait extirper, exorciser.

Assurément, tous les romanciers n'ont pas toujours le même idéal ou les mêmes scrupules que Proust. C'est ainsi que, dans *Béatrix*, Balzac n'a pas hésité à peindre George Sand sous le nom de mademoiselle des Touches, madame d'Agoult sous la figure de Béatrix, marquise de Rochefide, tandis que l'amant de celle-ci, Gennaro Conti a la plupart des traits de Franz Liszt et que l'on reconnaît facilement Gustave Planche en Claude Vignon. De même, Aldous Huxley, dans *Contrepoint*, a dépeint presque sans les transposer ses amis de jeunesse. Lady Rachel n'est autre que Lady Ottoline Morrell, dont le mari Philip porte le nom de Sidney Quarles, tandis que le héros, c'est-à-dire Huxley lui-même se réserve d'être Philip Quarles, fils du couple qu'il décrit, et que D.H. Laurence est facilement reconnaissable en Mark Rampion... Il s'agit là d'un véritable roman à clefs.

Proust n'avait pas attendu Montherlant pour savoir que l'art des romanciers ressemble à celui des comédiens. « Ils créent un personnage qu'ils peuvent être plus ou moins, qu'ils peuvent n'être pas du tout, mais qu'ils *sentent* ». C'est ainsi que Proust « branchait ses personnages sur son cœur ». On voit combien sa position diffère à la fois de celle des Romantiques et de celle de Diderot dans son *Paradoxe sur le Comédien*.

Avec quelle cruelle lucidité Proust n'a cessé de s'examiner soi-même, de poursuivre jusque dans ses plus obscurs recès et replis les symptomes de son anomalie ! Mais, connaissant la complexité de la nature humaine, Proust n'a-t-il pas été quelque peu le romancier de l'ambiguïté ? Toute son œuvre nous fait assister au combat du désir et de la satiété. Ce désir que rien n'émousse, est en fait lui-même ambigu. Bien avant Foucault, Proust nous a montré « la série des couches qui forment notre sol »... Proust savait que tout homme est créateur de lui-même et que souvent, chez l'artiste, c'est l'œuvre qui engendre l'homme. Il y avait par dessus tout en Proust « une exigence de vérité envers soi et envers les autres ». Il aurait pu parler de lui-même comme d'un étranger.

Il y a, dans la *Recherche*, nous l'avons dit, quelques personnages auxquels Proust a donné leurs véritables noms (31). tels sont, non seulement le Dr Dieulafoy, les Larrivière, mais Céleste Albaret et Marie Gineste, ces deux sœurs, dont la première fut sa fidèle gouvernante ; il nous dit de Céleste qu'elle était « molle et languissante, étalée comme un lac, mais avec de terribles retours de bouillonnement »... laissant voir

---

(31) Les noms des personnages de la *Recherche,* qui nous sont devenus si familiers, Proust ne les a pas trouvés d'un seul coup. Albertine et Gilberte furent précédées par Mlle Floriot. Jupien fut Borniche et Julot, Robert de Saint-Loup fut Charles de Montargis, Charlus s'appela M. de Gurey et M. de Fleurus, et Bloch se nomma Ragenot...

l'eau qui coule « dans la transparence de sa peau bleuâtre ». Née au bord de ruisseaux et de torrents, elle semblait avoir gardé la nature de l'eau ; sa fureur rappelait le danger des crues et des tourbillons liquides qui entrainent tout, saccagent tout. Proust aimait le naturel presque sauvage du ton dont elle lui parlait et savourait son étrange génie linguistique. Quant à Céleste, tant que son maître fut vivant, elle ne se contentait pas d'admirer ses extases, mais elle se permettait parfois de le rudoyer. Frappée de son génie comique, de ses dons d'imitateur, de son sens du ridicule, elle lui avait donné le surnom de « Molière » et, parlant à sa sœur, elle lui disait en désignant Proust : « Regarde Marie... O profonde malice ! ah ! douceur Ah ! perfidie. Rusé entre les rusés, rosse des rosses ! »

* *

Admettant que Proust « a convaincu à peu près tout le monde que la méthode de Sainte-Beuve était sinon radicalement fausse, du moins inefficace », Queneau (32) constate néanmoins que l'on s'intéresse aux détails de la vie des écrivains bien que l'on sache que le comportement dans la vie quotidienne d'un individu n'a rien à voir avec son œuvre ; et il ajoute que la chose est encore plus manifeste dans le cas des poètes. Proust est donc bien le père de cette critique moderne, dite abusivement « structuraliste », qui illumine les desseins les plus secrets d'une œuvre ; le lecteur — on pourrait dire le spectateur — « revient en arrière » pour affronter différents passages dont les récurrences trahissent les obsessions du créateur, « la fixité des éléments composants de son âme », une vraie lecture étant un dialogue entre l'auteur et le lecteur. Lire, c'est pour Proust « essayer de mimer au fond de soi » le geste du créateur : cette attitude nous explique la composition des étonnants pastiches où Proust se montre doué de cette même faculté simiesque qu'un Montaigne reconnaissait à sa nature. Proust est longtemps resté dans le rythme d'un Saint-Simon, d'un Balzac, d'un Flaubert, d'un Renan,

---

(32) Il note que Proust « a donné de sa personne pour justifier sa critique : il rencontre Joyce au cours d'un dîner, ils ne se disent rien ».

pour pouvoir mieux en les mimant se détacher d'eux et de leurs tics.

René Crevel a reproché à Proust d'avoir — en transposant son expérience intime — risqué de fausser le sens de son œuvre ; car « vêtu d'un manteau d'invisibilité », il a dû supporter d'être lui-même l'acteur et le spectateur, tous deux enfermés, « tous deux sous le même nom, dans un même sac de peau, sans issue qui permît à l'un d'échapper à l'autre »... A cela, Carlos Lynes répond que nous aurions tort de prétendre juger d'une œuvre romanesque, de sa valeur et de sa vérité, d'après la correspondance matérielle entre les événements ou les personnages de la vie réelle (qui servent de point de départ) et les personnages qui, dans le roman, vivent sur un autre plan. Assurément, note-t-il, « la marge est si étroite entre la vie de l'homme qui a créé l'œuvre et cette œuvre même, que l'on risque de tout méconnaître de ce qui fait la valeur insigne d'*A la Recherche du Temps Perdu,* si l'on s'obstine à chercher dans ce grand roman des documents sur la vie au jour le jour de l'auteur, si on le lit comme la simple transcription romanesque de données autobiographiques. Mais il y a bien dans le roman de Proust — c'est ce qui en fait le prix pour beaucoup d'entre nous — une figure d'homme qui prend forme peu à peu en notre esprit, en notre imagination, et qui nous accompagne familièrement dans nos lectures répétées ; il y a une conscience humaine, une image spirituelle de l'homme qui ne se fane guère, qui reste plus fidèle en somme à la personnalité essentielle de l'auteur que la figure triviale, par trop contingente, que nous propose la biographie documentée de Marcel Proust (33). Cette opposition est si vraie que Proust nous a dit et redit qu'il fallait chercher le *moi* profond, le *moi* essentiel du créateur, non dans sa vie quotidienne qui ressemble à celle d'un homme quelconque, mais dans l'œuvre où il a mis le meilleur de lui-même. « La chose sérieuse » ce sont les personnages du livre qui sont « plus familiers à l'auteur que sa propre existence ». D'ailleurs Proust a maintes fois affirmé que le personnage qui porte son prénom, « Marcel », le Narrateur, celui qui dit « je » n'est pas entièrement lui-même et que, pour les besoins de la vérité du roman, il lui a prêté des traits de caractère assez différents des siens

---

(33) Carlos Lynes, « Tel qu'en lui-même » *Cahiers du Sud,* N° 337, 43ᵉ année.

propres. J'irai plus loin : de la lecture des lettres de Proust
à Rivière (autant que d'une lecture nouvelle de la *Recherche*)
il ressort que Proust semble avoir, en sa création, cherché à
sécréter, à fixer des « antidotes » de sa propre nature ou,
comme dirait Valéry, « à imprimer à son ouvrage des caractères tout opposés aux siens propres ».

CHAPITRE VI

INTERCESSEURS ET DEVANCIERS

(Essayistes et Poètes)

> *Si je n'avais déjà porté en moi le monde par pressentiment avec les yeux ouverts, je serais resté aveugle.*
>
> Goethe

> *Cette matière plus elle est personnelle, plus grande est son appartenance au monde entier.*
>
> P.J. Jouve

> *Tu te fais souvenir non d'autres, mais de toi.*
>
> P. Valéry

On ne s'étendra jamais assez sur les ascendances littéraires de Proust. (1) Il a lui-même fait allusion aux passages de Chateaubriand et de Nerval qui semblent annoncer la « remémoration tranquille » de ses années expirées, « ressuscitant et l'environnant comme une bande de fantômes » ; il n'a donc pas rougi de ces filiations avouées. Chateaubriand avait, de son côté, souligné « les affinités d'imagination et de destinée entre le chroniqueur de *René* et le chantre de *Childe-Harold* » ; mais il s'était empressé d'ajouter : « Deux esprits d'une nature

_____

(1) Je renonce à parler ici des philosophes : Bergson, Darlu, Kant, Spinoza, Maine de Biran, Th. Ribot, Janet, Freud, etc... au sujet desquels on a tout écrit.

analogue peuvent très bien avoir des conceptions pareilles sans qu'on puisse leur reprocher d'avoir marché servilement dans les mêmes voies ». Mieux que tout autre, Proust, pèlerin passionné, absorbé par les souvenirs qui se dévoilaient à ses yeux, a su « joindre par des fictions les réalités du passé aux réalités de l'avenir ». Il est resté par là le fidèle disciple de l'auteur d'*Aurelia* et de celui des *Mémoires d'Outre-Tombe*, tandis qu'il a parfois renié des maîtres comme Ruskin et Balzac et s'est révolté contre eux pour mieux affirmer sa singularité, les « résurrections involontaires du souvenir » donnant une sorte d'unité thématique, comme des épiphanies, à ce grand cycle qu'est *la Recherche du Temps Perdu*.

Proust s'est laissé plus d'une fois inspirer par les écrivains des siècles passés, tout en métamorphosant leurs données, comme Rembrandt le fit des peintres de la Renaissance italienne. Au mystère des génies antérieurs Proust ajoute un mystère tout différent. Il crée des espèces nouvelles en des terres qu'ont enrichies les eaux alluviales. En France même, Proust eut bien des modèles et des maîtres qui ne furent pas romanciers, mais essayistes comme Montaigne, moralistes comme Pascal, La Bruyère et Joubert, épistoliers comme madame de Sévigné, mémorialistes comme Saint-Simon, poètes comme Racine, Baudelaire et Mallarmé, philosophes comme Maine de Biran, Pierre Janet, Th. Ribot et Bergson, entomologistes comme Fabre, voire historiens de l'art comme Emile Mâle. Curieusement, il ne fréquenta qu'assez tard les auteurs de la N.R.F., ayant eu pour familiers de bonne heure des boulevardiers comme Robert de Flers, Gaston de Caillavet, et même ce Francis de Croisset pour lequel il se montra parfois cruel. Non moins paradoxalement, Edmond Rostand l'admirait quand Gide le méconnaissait... Ce ne furent pas Thibaudet ou Charles Du Bos, mais Léon Daudet et Gaston Calmette qui le révélèrent au grand public. A cela tint la notoriété de mauvais aloi qui fut d'abord attachée à son œuvre : on le prit pour un romancier mondain, pour un dilettante et pour un précieux, si ce n'est pour un auteur licencieux et presque obscène. « Il y a, disait Proust, des auteurs originaux dont la moindre hardiesse révolte parce qu'ils n'ont pas d'abord flatté le goût du public et ne lui ont pas servi les lieux-communs auxquels il est habitué ».

La sagesse critique d'un Sainte-Beuve était pour Proust le contraire de « la Devination littéraire ». La lecture ouvrit à Proust « la porte des demeures où il n'eût pu pénétrer seul ».

Il semble qu'il n'y ait pas eu « de replis et de détours » qui aient échappé à Proust. Comme Montaigne, il trouve malaisé de rattacher nos actions les unes aux autres, tant elles sont « doubles et bigarrées »... Bien qu'il ait cherché, comme M. Teste, à établir les lois de l'esprit, il paraît y avoir modestement renoncé. Malgré tout ce que Proust a dû aux romanciers russes et anglo-saxons, on voit qu'il s'insère d'abord dans une très vieille tradition romanesque française qui remonte à *La Princesse de Clèves* autant qu'à Saint-Simon. Proust prête à ses personnages des sentiments qui vont bien au-delà de ce que ces personnages pourraient savoir eux-mêmes. Son goût de la nuance et de l'ambiguïté l'incite d'ailleurs à admettre pour cause possible d'un même acte plusieurs mobiles différents. En tant que la *Recherche* est, dans une certaine mesure, un roman autobiographique, Proust se trouve être l'héritier de Rousseau, de Senancour, de Benjamin Constant, voire du Stendhal d'*Henri Brulard,* du Baudelaire de *La Fanfarlo,* du Nerval d'*Aurélia.* Ses phrases si neuves, il nous plaît de chercher « leur apparentement, leur généalogie ». « Pourquoi, disait-il, puisqu'on décrit les lieux où l'on vit pour la première fois telle personne qui devait avoir de l'influence sur notre vie, ne décrirait-on pas de même les lieux où l'on fit la rencontre de telle vérité qui devait elle aussi avoir son influence sur notre vie. » (2)

*
**

C'est à Montaigne que Proust fait d'abord songer, à ce Montaigne dont sortirent Cervantès, Shakespeare et Pascal ; à ce Montaigne dont se réclameront Goethe, Stendhal et Nietzsche ; à ce Montaigne, en qui l'on a pu voir le plus universel des génies français, le père même de l'humanisme européen. Chez tous deux, je retrouve ce que Pascal avait reconnu chez le premier, et qui faisait que la lecture des *Essais* lui avait gagné trente ans d'études : la même curiosité toujours en éveil et qui, dans l'espace et dans le temps, voyage si facilement ; la même diversité des hommes évoqués ; la même humanité intérieure et concrète ; la même tolérance et la même fantai-

---

(2) Inédit de Proust publié par M. Bardèche.

sie ; la même faculté d'unir en soi des dons qui d'ordinaire s'excluent ; enfin, le même esprit de synthèse qui fait que, lorsqu'ils ne paraissent décrire que du particulier, ce sont des lois générales qu'ils découvrent. Il y a dans l'histoire des lettres françaises, de surprenants retours d'étranges correspondances ; Montaigne et Proust offrent une de ces symétries. La mère de Michel Eyquem appartenait à l'une de ces familles de Marranes qui, fuyant l'Espagne et le Portugal, trouvèrent un refuge à Bordeaux. Paraphrasant Barrès, on pourrait s'écrier : « Quelle histoire on écrirait avec une goutte de sang juif dans les lettres françaises ! »

Bien avant Proust, Montaigne avait dit : « Et qui y regarde primement ne se trouve guère deux fois en même état. Je donne à mon âme tantôt un visage tantôt un autre, selon le côté où je la couche. Si je parle diversement de moi, c'est que je me regarde diversement. Toutes les contrariétés s'y trouvent selon quelque tour et en quelque façon. » Nous savons que le *Livre de Bonne Foi* de Montaigne n'est autre chose qu'une confession composée d'essais ; or la *Recherche* de Proust est bien, on l'a noté, moins un roman dans le sens traditionnel du roman en France, qu'un ouvrage de fiction qui tient à la fois du romanesque, de la confession et de l'anatomie. Mais, après tout, *Tristram Shandy* ou *Les Aventures de Gulliver* ne sont pas non plus, à strictement parler, des romans. Qu'importe ! Chaque novateur doit créer sa forme et son instrument. Ce serait une erreur de voir chez Proust de la négligence, parce qu'on ne trouve pas dans la *Recherche* les principes ordinaires de composition ; tout y est concerté. Entre Montaigne et Stendhal avait paru Rousseau, qui lui-même avouait : « Le *Connais-toi toi-même* du Temple de Delphes » n'est pas « une maxime si facile à suivre que je l'avais cru dans mes confessions ».

Je crois avoir été, avec Thibaudet, l'un des premiers à souligner les affinités profondes entre le génie de Proust et celui de Montaigne. L'auteur des *Essais* écrivait : « Finalement, il n'y a aucune constante existence... ; et nous, et notre jugement et toutes choses mortelles, vont coulant et roulant sans cesse : ainsi, il ne se peut établir rien de certain de l'un à l'autre, et le jugeant et le jugé étant en continuelle mutation et branle ». Ces lignes pourraient être signées de Proust. On a dit que « le plastique, l'écorce des choses ne représentent pour eux que des apparences qu'il s'agit de traverser pour aller chercher le mouvement intérieur qui s'est arrêté ou qui s'est exprimé par elles ». (3)

Proust et Montaigne se ressemblent par cette vue perçante qui les fait se refuser à être dupes de quoi que ce soit. La matière de leurs livres est véritablement *eux-mêmes,* leur être entier, ses affections, ses songes, ses maladies, ses angoisses, ses méditations sur la mort. Ils se ressemblent même par ces défauts dont Proust a dit que plus que les qualités ils nous éclairent sur notre nature fondamentale. (4) Tous deux étaient « sociables à l'excès ». Affinité significative, tous deux étaient doués de cette « condition singeresse et imitative » qui fit à l'un écrire ses *Pastiches et Mélanges,* tandis que l'autre, s'il se mêlait de faire des vers latins, « ils accusaient évidemment le poète qu'il venait de lire ». Tous deux aimaient à enrichir leur texte de citations qui venaient non point les aider à penser, mais étayer leurs découvertes. Tous deux accroissaient leur premier jet par d'incessantes retouches, additions et amplifications inscrites dans les marges, recouvrant pour ainsi dire par de riches alluvions successives l'humus originel. Leur style et leur esprit ne vont-ils pas vagabondant de même, « s'égarant plutôt par licence que par mégarde » ? Je retrouve en tous deux mêmes transitions, même enchaînement par association, contagion d'idées, même bonne foi, même mépris de la gloire, même sens du changement qui se fait en nous : « Non un passage d'âge en un autre ou, comme dit le peuple, de sept ans en sept ans, mais de jour en jour, de minute en minute ». Avec Montaigne, Proust pourrait dire : « Il faut accomoder mon histoire à l'heure ». Et quand Montaigne écrit : « Les autres forment l'homme. Je le récite. Je ne puis assurer mon objet. Il va trouble et chancelant d'une ivresse naturelle ; je le prends comme il est à l'instant où je m'amuse à lui ; je ne peins pas l'être : je peins le passage », c'est tout à la fois Bergson et Proust qu'il annonce et précède. Car dans la tour de son manoir, tandis qu'on se battait sauvagement autour de lui, ce gentilhomme périgourdin travaillait déjà à acquérir une conscience complète de soi, au point que, bien avant Freud et Proust, il cherchait à capter à l'état naissant les impressions

----

(3) N.R.F., 1ᵉʳ Janvier 1923. Mon article parut dans *Ménorah* de décembre 1922.

(4) Brantôme reproche à Montaigne son « snobisme ». Mais Montaigne estimait que « chaque homme porte en lui toutes les formes de l'humaine condition ».

de son sommeil ; et, « à cette fin que le sommeil ne m'échappât ainsi stupidement, dit-il, j'ai autrefois trouvé bon qu'on me le troublât pour que je l'entrevisse. »

Comment n'être pas frappé par cet étrange parallélisme entre la pensée de Montaigne et celle de Proust. Reliant le fils d'Antoinette Lopez au fils de Jeanne Weil, une longue lignée apparaît à mon esprit, une double rangée où figurent, d'une part, les moralistes français et, d'autre part, Spinoza, Heine, Disraeli, Bergson. Entre ces différents génies, je distingue, plus encore que les affinités, une sorte de *consanguinité*, qui peut aller de pair avec des conceptions très différentes du monde et de la vie.

Pas plus que Montaigne, Proust n'a jamais eu « le sot projet de se peindre ». Si nous ne connaissons guère les autres, nous savons bien peu de chose sur nous-même. Stendhal assurait qu'on « peut tout connaître hors soi-même ». Ne partageant pas l'erreur de Rousseau, d'Amiel, de Gide et de quelques autres qui voulurent mettre leur cœur à nu, Proust s'est attaché à peindre un « moi » universel, humain : son Narrateur ou son héros ne doivent donc pas être confondus avec l'auteur de la *Recherche*, avec l'homme quotidien que fut Marcel Proust, bien qu'il lui ressemblât comme un frère.

Pierre Abraham a pu soutenir sans paradoxe que le *Temps Perdu* est un vaste travail d'auto-définition. Il ajoute : « On pourrait en dire autant de Montaigne. Et la forme romanesque, en ce qui touche au narrateur, aboutit à un résultat dont l'analogie s'impose avec les *Confessions* de Jean-Jacques. Les trois œuvres apparaissent comme des dictionnaires psychologiques... Ce sont à trois égards des livres de réponses... La question qui se pose sitôt après : « Que fais-je ? » c'est : « Qui suis-je ? » La démarche fondamentale qu'ils suivent pour y répondre, c'est de se conformer eux-mêmes aux diverses apparences du monde qui les entoure ». Proust sait qu'en touchant l'homme, on ne touche pas à des « orgues ordinaires », mais « bizarres, changeantes, variables, dont les tuyaux ne se suivent pas par degrés conjoints ». Toutes choses sont « en fluxion, nuance et variation perpétuelle ». Montaigne dit : « Le discours couché, dans le corps aéré de la voix, ne contracte pas un grain de la poussière des livres ».

.•.

On pourrait encore comparer la *Recherche* à ce *Don Qui-chotte* dont Dominique Aubier (5) a voulu nous restituer la clef perdue : elle serait d'ordre Kabbalistique et mystique. A l'ombre d'une bouffonnerie, le manchot de Lépante aurait voulu réaliser une véritable suite prophétique. N'est-ce pas conforme à l'esprit d'une époque qui vit s'épanouir le lyrisme dans la farce, au siècle de Rabelais, de l'Arioste et de Rubens ? Mais Cervantès est surtout le contemporain de Shakespeare, en lequel certains ont voulu démasquer un « rosicrucien ». Ortega y Gasset avait déjà vu dans *Don Quichotte* le gardien du secret espagnol ; or Dominique Aubier y retrouve, figurée en énigme, une allégorie où l'on peut reconnaître, comme en filigrane, le destin même d'Israël, exilé, moqué, persécuté, mais aussi la grande revendication messianique d'Ezéchiel selon les inter-prétations du *Zohar*. Peut-être la *Recherche* de Proust, où Denis Saurat voyait tant d'analogies talmudiques, inspirera-t-elle un jour une exégèse aussi féconde, aussi savante, aussi subtile que celle de Dominique Aubier. *Don Quichotte*, en ses divers aspects, est encore un des modèles de la *Recherche* proustienne. Il y a une « progression » comme le guide du récit, où l'on retrouve, dans une forme renouvelée du roman, le même mélange de poésie, d'humour et de réalité. Si Don Quichotte a rêvé de Dulcinée et d'Amadis de Gaule, « Mar-cel », le héros de la *Recherche,* rêvera d'une « princesse loin-taine » qui porte le même nom que la bien-aimée d'Amadis : Oriane... Les moments caractéristiques de ce roman — ou de cette biographie mystique — ne correspondent en rien au rythme des événements ou des épisodes, et les récits sont encastrés les uns dans les autres. Et, de même que Cervantès, pour nous apporter quelques précisions sur les personnages de son livre, a recours au texte de Hamet Benengeli, Proust citera le *Journal* des Goncourt afin de nous donner les renseigne-ments qui nous manquent sur ses personnages. Dans l'œuvre de Proust, comme dans celle de Cervantès, on trouve l'exis-tence de « doublets » qui évoquent intentionnellement l'*Odys-sée,* cette première recherche d'une patrie perdue, où le héros se trouve toujours aux prises avec les mêmes difficultés, séduit par les mêmes Sirènes, obligé de combattre les mêmes Lestry-gons... C'est en son âme, « nulle part apatriée », que le héros doit trouver sens et substance. A la fin du récit, comme le

---

(5) Dominique Aubier, *Don Quichotte, prophète d'Israël,* 1966.

chevalier de la Manche, il abandonne ses illusions et sa folie afin de trouver sagesse et raison avant de mourir. (6)

*
* *

Il y a chez Proust, je l'ai dit, un héritier des grands moralistes français. Peut-être sera-t-on plus surpris de trouver chez lui des accents presque pascaliens. Le parallèle a même tenté Henri Masis et A. Barnes. Proust sait, comme l'auteur des *Pensées*, qu'il n'y a point d'homme plus différent d'un autre que de soi-même dans les divers temps ». Avec un courage digne de Pascal il a su se vaincre d'abord, vaincre les haltes, les doutes, les tergiversations de son esprit angoissé. Suivant l'exemple de Pascal, Proust sait qu'il ne peut montrer « toute sa grandeur véritable qu'en touchant aux deux extrémités dont (était) capable sa nature ». Avec juste raison, François Mauriac témoigne que Proust usa de la maladie comme Pascal eût voulu qu'on le fît, pour le don total de soi-même.

*
* *

La parenté de Proust avec l'auteur des *Maximes* n'est pas moins frappante. Le romancier de la *Recherche* n'est pas éloigné de juger que nos vertus ne sont parfois que des vices déguisés. Ne croirait-on pas lire une description du tempérament de Proust adolescent dans ces lignes que Sainte-Beuve consacrait à La Rochefoucauld : « Sa nature, sans qu'alors il s'en doutât, avait son arrière-pensée dans toutes ses entreprises ; cette arrière-pensée était d'y réfléchir quand ce serait passé... Ce qui semblait un débris ramassé par l'expérience après le naufrage, composa le vrai centre, enfin trouvé, de sa vie ». Aux yeux de tous deux, l'amour ressemble à la haine.

*
* *

_____

(6) René Girard écrit dans *Mensonge romantique et vérité romanesque* : « Les quiproquos de Combray ne diffèrent pas fondamentalement des quiproquos de *Don Quichotte*. Cervantès schématise et grossit les contrastes pour obtenir des effets de grosse farce. Les effets de Proust sont en demi-teintes, mais les données de la révélation romanesque n'ont pas beaucoup changé. »

La plus constante des amitiés littéraires de Proust demeurera celle de Jean Racine, dont il chérit « les jeux mêlés de
délices et de crimes ». Comme la Phèdre de Racine, Proust
s'est plu à faire couler « dans ses brûlantes veines », non pas
un poison étranger, une drogue, mais son propre sang chargé
de rêves, où le temps même semble amonceler ses trésors et
d'où la mémoire tirera, comme un pêcheur des abîmes, toute
une faune insoupçonnée. Innombrables sont ses allusions à la
tragédie biblique d'*Esther*, que sa mère préférait à tout. Mais
c'est en *Phèdre* qu'il verra une véritable « prophétie de ses
propres amours » et « des épisodes amoureux de sa propre
existence ». Ne fait-il pas périr Albertine d'une mort à peu près
semblable à celle d'Hippolyte ? Comme celle de Racine, l'œuvre de Proust est « composée pour un effet moral : humani-
sée ». Je songe également à cette « curiosité dévorante » que
Claudel signale en Racine. Proust a vu dans l'auteur de *Phèdre*
« une hystérique de génie » se débattant « sous le contrôle
d'une intelligence supérieure » et simulant « le langage de la
passion ». Comme Racine, Proust recherche dans ses personnages « ces états ambigus » d'une sécurité toujours traversée
de pressentiments. » Proust attribue à Bergotte un essai sur
Racine dont il avait fait son bréviaire. Le cantique de Racine :
« je trouve deux hommes en moi » fut longtemps son poème
préféré. Racine était surtout pour Proust « un poète solaire ».
Il nous dit qu'Œnone est « une part de la pire partie de
Phèdre ».

*
**

Proust a senti, comme madame de Lafayette, que tout
amour est irrationnel, qu'il est destructeur du moi, qu'il ne
peut survivre à la possession, que l'être aimé ne peut être ni
saisi ni abandonné ». On pourrait dire de Proust ce que
madame de Lafayette disait de son héroïne dans *La Princesse
de Clèves* : « Ses passions » peuvent la conduire mais elles ne
sauraient l'aveugler. » Quant à madame de Sévigné — dont les
lettres étaient le livre de chevet de sa mère et de sa grand-
mère (7) — Proust admirait ce qu'il appelait son « côté Dostoïevsky ». Il citait une lettre où elle esquisse « un clair de

---

(7) Cf. à ce sujet l'excellente étude de Jean Rousset sur « les livres
de chevet des personnages proustiens ».

lune qui noie les formes du réel, transforme les arbres en
fantômes, permettant toutes les hypothèses divinatrices et
herméneutiques et toutes les métaphores ». Proust affirmait
que « si l'on cherche ce qui fait la beauté absolue de certaines
choses, des fables de La Fontaine, des comédies de Molière par
exemple, on voit que ce n'est pas la profondeur, ou telle autre
vertu qui semble éminente. Non, c'est une espèce de fondu,
d'unité transparente où toutes choses, perdant leur premier
aspect de choses, sont venues se ranger les unes à côté des
autres dans une espèce d'ordre, pénétrées de la même lumière,
vues les unes dans les autres, sans un seul mot qui reste en
dehors, qui soit resté réfractaire à cette assimilation... Ce qu'on
appelle le vernis des maîtres ».

**

Grand lecteur de La Bruyère, Proust s'intéresse à « ces
vices qui sont moins de l'humanité que de la personne » ; il
aime parfois à illustrer, à mettre en mouvement, dans l'espace
et le temps, tels traits observés par ses devanciers, les moralistes français ; il nous fait voir combien peuvent différer l'inquiétude d'esprit, l'inégalité d'humeur, l'inconstance de cœur,
l'incertitude de conduite, et que ces vices de l'âme « ne se
supposent pas toujours l'un l'autre dans un même sujet » ;
« homme inégal lui-même et se sachant tel », Proust se dépeint
non comme un seul homme mais comme plusieurs : « il se
multiplie autant de fois qu'il a de nouveaux goûts et de manières différentes ; il est à chaque moment ce qu'il n'était point
et il va être bientôt ce qu'il n'a jamais été : il se succède à lui-
même » (8). Lui qui souvent s'avoue un demi-fou, qui raille
ses distractions, ses maladresses, ses colères, ses grimaces,
pourquoi ne se reconnaîtrait-il pas en Ménalque ou en Théodas ? Et comment ne s'attacherait-il pas à nous dépeindre les
« combinaisons infinies » de la vertu, du vice, de la faiblesse,
de la stupidité, de l'impuissance..., de ces choses mêlées ensemble en mille manières différentes et compensées l'une par l'autre en divers sujets » ? Il sait qu'il est à la fois « plusieurs
êtres », tout comme ce M. Santeuil que la Bruyère nous décrit

---

(8) La Bruyère, *Les Caractères*, de l'Homme.

sous le nom de Théodas (9) et dont Saint-Simon ne pouvait
manquer d'évoquer la figure excentrique ! Comment Proust ne
se serait-il pas reconnu dans cet « homme facile, doux, complaisant, traitable, et tout d'un coup violent, colère, fougueux,
capricieux » ; dans cet « homme simple, ingénu, crédule,
badin, volage, un enfant en cheveux gris » auquel on reconnaît, lorsqu'il se livre à son génie, la verve, l'élévation, le don
des images ? Et ne savons-nous pas par ses lettres à sa mère
que, pour une réflexion hasardée par son ami Fénelon, Proust
fut, comme le Théodas de La Bruyère, capable de s'écrouler
à terre, de déchirer un chapeau, d'éclater, de dire des choses
insensées ? Ne savons-nous pas aussi qu'il pouvait, en ses
imitations de Montesquiou, comme en ses pastiches, être d'une
bouffonnerie incroyable ? Mais il était comme le modèle et
patronyme de son premier héros, Santeuil, capable de révéler
« le bon sens parmi les grimaces et les contorsions ». En un
mot, « ce sont en lui comme deux âmes qui ne se connaissent
point, qui ne dépendent point l'une de l'autre, qui ont chacune
leur tour ou leur fonction toutes séparées, puisqu'il est à la
fois avide, insatiable de louanges, et dans le fond assez
docile », ce qui néanmoins sépare Proust de tous ses modèles
et de tous ses prête-noms.

*
**

Mais venons-en à l'influence la plus marquante qu'ait subie
Proust. Si, au lieu d'envisager les ressemblances entre Proust
et Saint-Simon du point de vue interne ou du point de vue du
style, on cherche des analogies entre la matière même à laquelle les deux écrivains se sont attachés, on peut mettre en
lumière une sorte de parallélisme entre le fait que le mémorialiste du Grand Siècle a peint une époque de transition et de
changements tant en ce qui concerne l'histoire des faits que
celle des idées, et que le romancier s'est donné comme but la
description et la peinture de trois générations au cours desquelles la société a totalement changé d'aspect. Rousset a
signalé le même bourgeonnement vers le passé d'un événement chronologique chez les deux auteurs. Mais, alors que
chez Saint-Simon il y a une vérité de l'apparence, la descrip-

_____

(9) La Bruyère, *Les Caractères*, des Jugements.

tion des apparences, chez Proust, renvoie directement et continuellement à la subjectivité du narrateur lui-même. Proust part de sa subjectivité et n'en prétend pas sortir pour décrire les personnages ; il se donne pour tâche, au contraire, de les dessiner à travers le prisme nécessairement déformant de son propre moi. Tout en voulant refaire les *Mémoires* de Saint-Simon, Proust a su faire autre chose. Il mérite cependant le titre que Sainte-Beuve donne au mémorialiste : « L'espion de son siècle. » (10) Parlant de Saint-Simon, Proust écrivait à Rivière : « Avec les tragédies de Racine, qu'avons-nous de plus grand ? »

Proust est également de la lignée de Diderot. Il écrivait à sa mère de lui envoyer toutes les œuvres de l'encyclopédiste. On sent que la *Religieuse* et le *Neveu de Rameau* ont eu sur lui une grande influence. (Est-ce une pure coïncidence qui rapproche les noms de Suzanne Simonin et d'Albertine Simonet, une autre coïncidence qui nous fait rencontrer chez les deux le nom de Morel ?) En tous cas, Proust est, comme Diderot, pour la « réhabilitation esthétique et morale du sentiment ». Et chez Proust le discours, selon le vœu de Diderot, n'est plus seulement « un enchevêtrement de termes énergétiques, c'est un tissu d'hiéroglyphes »... Proust a voulu ignorer les limites qui séparaient le roman de la création poétique. Son art « éclaire l'inconscient de la nature et le rend conscient ».

.*.

Combien Proust ressemble, en outre, à Marivaux romancier, par les méandres de son style autant que par son analyse lucide de la passion et par sa subtilité psychologique . Comme son lointain devancier, il semble « débrouiller les sentiments secrets » de ses personnages, toujours complexes. Il est de « ces âmes perçantes » qui « sur le peu qu'elles voient, soupçonnent tout d'un coup tout ce qu'elles pourraient voir ». (11) Voltaire reprochait déjà à Marivaux de « peser » des œufs de mouche dans des balances de toiles d'araignée ».

.*.

---

(10) Proust a trouvé dans Saint-Simon les noms Charlus, Foix et Charmel. Les pastiches de Saint-Simon par Proust comptent parmi ses chefs-d'œuvre. Cf. Herbert de Ley, *Marcel Proust et le duc de Saint-Simon*, Université d'Illinois, 1966.
(11) Marivaux, *Marianne*.

Proust eût pu faire siennes quelques-unes des confessions de Jean-Jacques et tout particulièrement celle qui suit : « Ainsi commençait à se former ou à se montrer en moi ce cœur à la fois si fier et si tendre, ce caractère efféminé mais pourtant indomptable, qui flottant toujours entre la faiblesse et le courage, entre la mollesse et la vertu, m'a jusqu'au bout mis en contradiction avec moi-même ». L'amour est d'abord pour Proust comme pour Rousseau, « amour d'absence », non sans quelque penchant au masochisme ; mais ils connaissent à leur façon « une recherche de l'amour déçu ». Proust juge de Marcel, l'autre Rousseau juge de Jean-Jacques.

Peut-être Proust aurait-il pu écrire comme Rousseau : « L'impossiblité d'atteindre aux êtres réels me jeta dans le pays des chimères : et ne voyant rien d'existant qui fût digne de mon délire, je le nourris dans un monde idéal que mon imagination créatrice eût bientôt peuplé d'êtres selon mon cœur ». De la même façon s'explique la naissance, chez Proust, des amours impossibles. J'ai toujours cru pour ma part que le côté charnel de ces amours comptait bien moins que le rêve. Si Proust n'a pas eu, comme Coleridge, Nerval, Poe, Gautier ou Baudelaire, le goût des « paradis artificiels », les somnifères ont pu tenir chez lui le rôle d'hallucinogènes. On sait que Rousseau écrivit *La Nouvelle Héloïse* à la suite d'un rêve. Ce roman, non moins que les *Confessions*, a préparé la voie à l'œuvre de Proust où se mêlent le rêve, la confidence, l'autobiographie et l'esthétique. Les deux livres sont, en outre, inachevés bien que Proust ait inscrit le mot « FIN » à la dernière page du *Temps Retrouvé*.

Comme Rousseau, Proust croit aux mystérieuses « correspondances » qui unissent le paysage aux sentiments. Leur sensibilité est un déferlement d'instincts profonds. L'amour forcené dont ils furent parfois embrasés déguisait ses transports pour les abuser. Proust enfin pouvait écrire comme Rousseau : « Je voulais devenir la personne dont je lisais la vie ». Je me suis souvent étonné du silence de Proust sur Jean-Jacques, qu'il ne nomme qu'une seule fois parmi les écrivains novateurs. Peut-être ce silence a-t-il une raison profonde. Proust est ce scaphandrier de l'âme, qui dévisage froidement les monstres de l'abîme et qui, des grandes profondeurs sous-marines, fait patiemment remonter au jour les secrets enfouis. Or comme Dostoïevsky, mais à l'inverse de Rousseau et de Gide, Proust doutait que l'on pût être délibérément franc avec soi-même ou, comme dit le Russe, « être sans peur devant toute vérité (12). Il y a toujours dans ses personnages, comme dans ceux de Stevenson ou de Dostoïevsky, un « double mystérieux ». Charlus est à la fois Jekyll et Hyde, Muichkine et Stavroguine. On pourrait dire de Gide ce que Heine a dit de Rousseau : « qu'il a été un menteur en partie avec intention et en partie par vanité. » Or Proust n'est pas que cet investigateur inlassable de l'inconscient ; c'est un grand créateur de mythes, à la recherche d'une vérité universelle qu'il puisse exprimer par des allégories et des métaphores. C'est peut-être pourquoi Proust, en fin de compte, a senti tant d'éloignement pour cette forme de confession directe que Gide avait adoptée à la suite de Jean-Jacques. Proust savait que sa seule conscience personnelle ne pouvait, comme l'avait cru l'auteur de l'*Emile*, être un juge infaillible du bien et du mal qu'il y avait en lui-même. Il ne s'est pas cru Dieu.

Fasciné par son enfance, Rousseau revivait ses instants de bonheur au moment où il les décrivait dans ses *Confessions*. Peut-être aucun homme depuis Rousseau n'a-t-il montré un don d'introspection égal à celui de Proust ? Nous savons que, chez tous deux, « l'imagination affective peuple la nature de la présence de l'être aimé », leur amour étant le plus souvent « amour d'absence » qu'il s'agisse de Julie ou d'Albertine.

Comme Rousseau, Proust pourrait écrire : « Je ne vois bien que ce que je me rappelle » ; Proust aurait également pu dire qu'il est « des retours sur nos fautes qui valent mieux que de n'en avoir pas commis ». Mieux même que Jean-Jacques, mieux peut-être que Montaigne, mieux que Gide assurément, Proust a fait scrupuleusement son examen de conscience et s'est peint tout entier. On a parfois reproché à Proust de nous avoir dépeint son héros comme un homme dont les goûts seraient normaux ; André Gide l'a même injustement accusé d'hypocrisie.

Mais, grâce à l'artifice de la fiction romanesque qui permet à Proust de décrire tous les hommes, tout l'homme, dans son Narrateur, au lieu de nous livrer sa propre confession, il me semble que Proust est allé plus loin que Rousseau dans la découverte des « monstres que nous portons en nous »...

---

(12) Cf. Dostoïevsky, *Le Monde Souterrain*, cité par G. Steiner dans *Tolstoï ou Dostoïevsky*.

Bien qu'il s'avance masqué, Proust plus que tout autre s'est mis le cœur à nu. Ce ne sont pas seulement, comme l'eût dit Barrès, ses aïeux par le sang, mais ses ancêtres spirituels, ses modèles, qui ont bâti sa sensibilité. D'eux naît cette « conversation intérieure » qu'il ne cesse pas d'avoir avec lui-même. Bien avant Proust, Rousseau a pensé que pour se produire, le phénomène de la *mémoire affective* avait besoin du concours de la sensation. C'est ainsi qu'en voyant une pervenche, Rousseau se rappelle soudain la même fleur aperçue dans sa jeunesse quand il revenait aux Charmettes, et « l'impression d'un si petit objet » suffit pour le replacer dans l'état d'âme de jadis. Ainsi un objet présent, par association de ressemblance, rappelle l'image d'un objet passé, qui, à son tour, par association de contiguïté, détermine le réveil des sentiments. Une autre fois, le signe mémoratif sera l'air genevois chanté par la tante de Rousseau et qui le faisait pleurer, ou la chambre d'auberge de la *Nouvelle Héloïse,* qu'il reconnaît être la même que celle qu'il avait occupée autrefois en allant à Sion, si bien qu'il crut redevenir à l'instant tout ce qu'il était alors, dix années de sa vie s'effaçant. L'objet évocateur sera, plus loin, les rochers où Saint-Preux s'était trouvé jadis avec Julie. Il ne saurait se rappeler certains états d'âme tenant aux événements de sa vie sans sentir modifier son imagination de la même manière que l'étaient ses sens et son être quand il les éprouvait. Quand Jean-Jacques écrit : « je ne sais voir qu'autant que je suis ému », Marcel Proust pourrait contresigner ces lignes. Et, toujours comme Proust, Rousseau n'est guère affecté par la sensation au moment où il l'éprouve pour la première fois ; c'est plus tard, dans le souvenir, que la sensation réapparue l'émeut, pénètre jusqu'à son cœur. Il écrit : « Je ne vois bien que ce que je me rapelle ». C'est encore un mot proustien.

Pour Rousseau, le temps est le lieu de l'insuffisance, de l'insatisfaction, et par conséquent du mal. « Tout est un flux continuel sur la terre. Rien n'y garde une forme constante et arrêtée, et nos affections qui s'attachent aux choses extérieures passent et changent nécessairement comme elles ». La chute dans le temps a corrompu la pure sensation qui naissait dans l'actuel. A la redécouverte du moi correspond pour Jean-Jacques une redécouverte de la sensation pure. Il veut être tout entier au moment présent, échapper au pouvoir de la durée, connaître par le rassemblement de tout son être un moment d'éternité. En cet état simple et permanent

il éprouve la conjonction du sentiment du moi et de la pure
sensation. La reviviscence du passé n'est pas moins intense
pour lui que la jouissance de l'éternel moment. N'est-ce pas
là cette mémoire affective dont parlera Proust, et par quoi il
se livrera à la fois au souvenir de l'impression reçue et au
sentiment présent, prenant ainsi conscience d'un moi qui
n'appartient ni au passé, ni au présent ni même à la durée ?

*
**

Juste héritière de Rousseau et mère du Romantisme français Mme de Staël savait que le souvenir reconquis volontairement s'avère inefficace, que se souvenir effectivement, c'est
ressentir plutôt que se rappeler. « La poésie, dit-elle, est la
possession momentanée de tout ce que notre âme souhaite. »
Et ce n'est sans doute pas un hasard si c'est en se rendant
en pèlerinage à la demeure de Mme de Staël, à ce château de
Coppet, « saturé du passé », plein des souvenirs de Chateaubriand, que Marcel Proust devait un jour, nous le verrons,
avoir la révélation majeure qui allait décider de sa destinée
d'écrivain.

*
**

Il est temps d'en venir au plus grand des intercesseurs :
de l'enfant de Combourg à l'enfant de Combray la route est
toute tracée. Nous n'avons qu'à suivre le chemin du Loir,
auquel Proust a donné le nom de Vivonne, peut-être pour
évoquer une figure du xviii° siècle chère aux écrivains...
Proust ne nous a pas caché tout ce qu'il devait à Chateaubriand. Bien qu'un siècle environ se fût écoulé entre la naissance du chevalier breton et du bourgeois parisien, on pourrait déceler entre eux plus d'une affinité. Enfants solitaires
dans le parc de Combourg et le jardin d'Illiers, chacun d'eux
a prêté l'oreille à chaque arbre. Ils ont rêvé de béatitudes
insaisissables. Ils furent ingénieux à se forger des souffrances.
Une tristesse native faisait leur tourment et leur félicité ;
tous deux devaient demeurer « garottés à leurs fantômes ».
Mais Proust fut saisi de connaître certaines « réminiscences
anticipées » dans la prose de l'Enchanteur. Ainsi, leurs souvenirs se font écho. L'auteur de *Swann* ne pouvait oublier
qu'à Montboissier, sur les bords mêmes de ce Loir qui coule
à Illiers, René s'était écrié : « Je fus tiré de mes réflexions

par le gazouillement d'une grive perchée sur la plus haute branche d'un bouleau. A l'instant, ce son magique fit reparaître à mes yeux le domaine paternel... et transporté subitement dans le passé, je revis ces campagnes où j'entendis si souvent chanter la grive... » Tous deux, béant aux choses du passé, se sont sentis comme « les rejetons d'une vieille forêt ». Ils ont recomposé leur jeunesse. Leur vie ne fut, selon le mot de Pythagore, qu'une réminiscence. Ils nous ont menés « à la réalité par les songes ». Proust pouvait emprunter à Chateaubriand ces paroles : « J'ai tiré de ma propre existence des êtres que je ne trouvais pas ailleurs et que je portais en moi... j'ai laissé des songes partout où j'ai traîné ma vie ». Tous deux n'ont-ils pas connu ces « chimères qui fuient devant nos désirs » ? Tous deux ne se sont-ils pas complus dans « ces descriptions séduisantes des désordres de l'âme » ? Chacun d'eux pouvait écrire : « Je m'étais un mystère » et : « J'évoquai par la puissance de mes vagues désirs un fantôme qui ne me quitte plus ». Mais Proust se souvenait-il que Chateaubriand, ce Don Juan chrétien qui savourait « le triomphe du repentir », s'était un jour écrié : « Si j'avais pétri mon limon... peut-être me fussé-je créé femme » ? L'auteur d'*Atala* pensait-il, comme Baader, que « l'androgénéité retrouvée » serait « l'union par les sommets de la complémentarité des plus hautes valeurs » ? Cependant, le romancier de la *Recherche* n'aurait nul besoin de parcourir la terre, de Jérusalem au Niagara, pour apprendre qu'un pays peut être « suspendu à un visage » ou même « un visage suspendu à un pays ». Sans guère quitter Paris, la Beauce et la Normandie, il allait nous révéler « un univers irremplaçable ». Tous les « moi » du Romantisme allaient se fondre dans le « je » du narrateur de la *Recherche*. Non moins que Chateaubriand, Proust a su se créer « une société réelle en invoquant des ombres ». Les morts envahissaient sa mémoire. Il pouvait dire : « A mesure que le monde présent se retire, le monde passé me revient ». Quasi mort lui-même, il a su préparer sa « fable nombreuse », qu'il voulut d'abord appeler « La vie rêvée » ou les « Intermittences du Passé ». Il ne cherchait pas à conjurer « ses vieux songes », ses anciens fantômes ; à l'ombre de ses remémorations s'épanouissaient « les Jeunes Filles en Fleurs ». L'un des modèles de son Charlus allait être cet Astolphe de Custine (13) dont la mère avait aimé Chateau-

---

(13) Dans *Contre Sainte-Beuve*, le prototype porte le nom d'Astolphe de Guermantes.

pour certaines survivances, certaines formes surannées ; quel sens du passé vivant familièrement mêlé à l'existence de tous les jours ; quelle intimité naturelle avec les choses effacées, quel sentiment de leur présence, — nuances précieuses qu'on peut regarder comme l'héritage d'une tradition britannique et particulièrement oxonienne, toujous vivante en l'œuvre de ce Ruskin chez qui l'hébraïsme de Milton et l'hellénisme de Keats se marient plus naturellement qu'en aucun autre écrivain d'Angleterre. C'est par *Les Sept Lampes de l'Architecture* que furent révélés à Proust les « trésors d'Avranches ; de Bayeux, de Coutances, de Falaise, de Saint-Lô, de Lisieux, de Reims et de Rouen », dont il transmua, recréa les merveilles en ses descriptions d'églises médiévales. Cherchant à définir la position de Ruskin, Proust dit : « la Beauté ne peut pas être aimée d'une manière féconde si on l'aime seulement pour les plaisirs qu'elle donne ; et de même que la recherche du bonheur pour lui-même n'atteint que l'ennui, et qu'il faut pour le trouver chercher autre chose que lui, de même le plaisir esthétique nous est donné par surcroît si nous aimons la beauté pour elle-même, comme quelque chose de réel existant en dehors de nous et infiniment plus important que la joie qu'elle donne. » Paul Desjardins avait fait connaître à Proust l'œuvre de Ruskin dont il lut des extraits dans le *Bulletin de l'Union pour l'Action Morale*, en même temps qu'il connut les études de Robert de la Sizeranne sur le mage de Brantwood. (Parallèlement, Robert de Billy lui parla des églises romanes d'Auvergne et lui fit lire l'ouvrage d'Emile Mâle sur l'*Art Religieux* du XIIe siècle en France). Ce fut alors qu'il prit la décision de traduire Ruskin et fit un pèlerinage à la cathédrale d'Amiens. Il avait déjà visité Bourges et connaissait, bien entendu, Chartres, voisine d'Illiers. Proust donna des articles sur Ruskin au *Figaro* puis à *La Gazette des Beaux-Arts* et put enfin se rendre avec ses parents à Venise. Il vit cette « cité de marbre et d'or, rehaussée de jaspe et pavée d'émeraudes » ; il vit ces « rochers d'améthystes pareils à un récif de la mer des Indes. » Il lui semblait écouter « la prédication du maître au bord des eaux », « abordant à chacun des temples qui semblaient surgir de la mer pour (lui) offrir l'objet de ses descriptions et l'image même de sa pensée. » Il avait pour compagnons de route, en dehors de ses parents, Reynaldo Hahn et cette Marie Nordlinger qui allait bientôt l'aider à traduire *La Bible d'Amiens*. Les peintures de Giotto à Padoue, celles qu'il appelle *Les Vertus et les Vices,* allaient inspirer un de ses plus beaux passages de la *Recherche.* Il semble donc bien que Ruskin ait révélé à Proust sa propre vocation et qu'il ait trouvé dans le style de son maître les qualités mêmes qu'il cherchait à fixer dans le sien. « Le travail du traducteur ouvrit passage à l'invention ».

Proust apprenait que la critique d'art fait place chez Ruskin à quelque chose de plus grand peut-être : elle a presque la procédure de la science ; elle contribue à l'Histoire. « L'apparition d'un nouvel attribut ne nous avertit pas de changements moins profonds dans l'histoire non seulement de l'art mais de la civilisation que ceux qu'annonce aux géologues l'apparition d'une nouvelle espèce sur la terre. La pierre sculptée par la nature n'est pas plus instructive que la pierre sculptée par l'artiste et nous ne tirons pas un plus grand profit de celle qui nous conserve un ancien monstre que de celle qui nous montre un nouveau Dieu. » C'est sur cela sans doute que se fondait l'amitié de Proust pour Ruskin. Et, tout en n'ignorant pas les défaillances de son maître, ce qu'il y avait de suranné dans certaines de ses vues, son admiration restait vive pour celui qui avait purifié son inspiration et qui avait « enveloppé les vieilles cathédrales de plus de joie que n'en dispense le soleil. » Aussi voyait-il en lui un génie qui, mort, « continue à nous éclairer comme ces étoiles dont la lumière éteinte nous arrive encore », un maître dont nous avons besoin « pour être initiés à la connaissance et à l'amour d'une nouvelle partie de la beauté. » Proust disait que « la fantaisie qui le mène suit ses affinités profondes qui lui imposent malgré lui une logique supérieure. Si bien qu'à la fin il semble avoir obéi à une sorte de plan secret. »

*
* *

Bien que, tout jeune, il se fût élevé « contre l'obscurité », Proust admirait l'auteur d'*Hérodiade* ; à son ami Reynaldo Hahn qui méconnaissait à la fois Mallarmé et Debussy, il s'efforçait de faire comprendre le prix des œuvres du poète symboliste et du compositeur qui mit en musique le *Prélude à l'Après-midi d'un Faune.*

L'esthétique symboliste ouvrit à Proust des perspectives inconnues. Le romancier a, comme le poète, « recueilli les l'essai philosophique et la satire. L'auteur demeure un personnage de fiction qui s'adresse à des auditeurs imaginaires. La vision fugitive est l'un des thèmes de Proust : elle caractérise son symbolisme et oppose à la peinture du milieu des signes obscurs « qui, par éclairs, en révèlent le sens ». Proust louvoie ainsi entre le naturalisme et le mythe, nous posant des énigmes et nous offrant une vue emblématique des choses.

CHAPITRE VII

BALZAC ET STENDHAL
PRECURSEURS DE PROUST

> *Le romancier écrit, sous la dictée*
> *de la nature, une partie plus ou*
> *moins importante de son secret.*
>
> CARLYLE
>
> *Il cherche lui-même.*
>
> A. RIMBAUD

Rousseau et Chateaubriand, dont nous avons déjà parlé, sont-ils des romanciers ou des poètes ? La réponse n'est pas simple. Après Balzac et Tolstoï, Proust ne manquera pas de hâter la métamorphose du roman, accomplissant une véritable révolution, en y intégrant la poésie, comme une « essence du romanesque ». On peut appliquer à Proust mieux qu'à tout autre le mot de Balzac : « Ceux qui ont regardé le plus avant les vices et les vertus de la nature humaine sont des gens qui l'ont étudiée *en eux-mêmes* avec bonne foi. » La chose semble même plus évidente lorsqu'il s'agit de Proust que lorsqu'il s'agit de Balzac, car si l'auteur de *La Comédie Humaine* était bien, comme l'a vu Baudelaire, « un visionnaire passionné », autant et plus encore qu'un observateur de la société, s'efforçant de faire « concurrence à l'état-civil », l'auteur de la *Recherche* a marqué son mépris pour ce genre de romancier mondain dont l'unique organe d'investigation est son monocle et qui dit en roulant l'r : « J'observe ». (1)

---

(1) Depuis Balzac, Stendhal et Flaubert jusqu'à Mauriac, le roman français était surtout l'œuvre de provinciaux ; Proust est un pur Parisien, malgré ses évocations d'Illiers-Combray.

Proust n'est pas seulement plus ou moins le Narrateur, auquel il a donné deux fois son propre prénom de « Marcel »; il est également, par ses manies de malade, la tante Léonie ; par son côté mondain, Charles Swann par ce qui restait en lui de son hérédité juive, Albert Bloch ; par son goût de la musique, Mme Verdurin ; par l'idolâtrie esthétique dont il a dû se défaire non moins que par ses penchants, Charlus ; par ses côtés féminins, Albertine Simonet ; par sa vie d'écrivain et par sa mort, Bergotte ; par sa vision de la nature, Elstir ; enfin par ses plus hautes aspirations, Vinteuil, de même qu'il est par l'horrible contradiction de son vice et de son amour filial, Mlle Vinteuil.

Les affinités de Balzac et de Proust ne sont pas moins mystérieuses que les contrastes de leurs caractères. Avant Proust, Balzac avait résolu d'écrire « *Les Mille et Une Nuits* de l'Occident » ; il disait lui-même que sa sensibilité était féminine ; sa maîtresse Caroline Marbouty, avait vécu travestie en homme, comme Albertine à Passy ; tous deux ont écrit « une histoire à l'intérieur de l'Histoire » ; leur existence à tous deux nous prouve que « la vie copie l'œuvre » ; on pourrait d'ailleurs dire qu'ils ont échangé leur vie contre leur œuvre ; ils sont partis d'individus qu'ils ont rencontrés, de personnages historiques ou de héros de roman ; puis ils ont transformé leurs descriptions par des traits que leur offraient d'autres modèles ; enfin ils ont transfiguré les caractères pour nous offrir des types, des idées ayant pris corps ; c'est ainsi que, par un besoin de compensation, tous deux ont chargé l'un de leurs protagonistes de leurs propres paroles ; ils ont eu, l'un et l'autre, le fétichisme des prénoms réservés ; et, curieusement, tandis que le jeune Proust a donné le prénom d'Honoré à l'un de ses interprètes, Balzac, par un sorte de vue prophétique, a choisi celui de Marcel pour un de ses héros ; enfin, tous deux sont morts à l'heure même où ils croyaient toucher à la gloire, au bonheur, à 51 ans, victimes de leur œuvre : Proust est mort en corrigeant ses dernières épreuves, comme Balzac avait retouché les siennes lorsqu'il était atteint du choléra. Peignant un tournant de l'Histoire, ils nous ont montré qu'une nation peut vieillir en quelques années plus qu'en un siècle.

Il n'est pas douteux que Proust a d'abord trouvé chez Balzac le « germe fécondant » de sa création. Dès 1900, Proust avait reconnu dans son œuvre cette part de mystère que les critiques aveuglés prenaient *pour du « réalisme »*. Il savait qu'un jour, ayant entendu parler de Dante et de *La Divine Comédie* par M. de Belloy revenu d'Italie, Balzac s'était touché le front en s'écriant : « Et moi, j'écrirai *L'Humaine Comédie* ». Ainsi, par une sorte « d'illumination rétrospective », s'était développée en Balzac, comme à son insu, la grande idée de l'unité vivante, organique, reliant les *membra disjecta* d'une œuvre en partie élaborée, unité sans doute vitale plutôt que didactique « parce que, comme on l'a dit, le germe d'une haute synthèse était depuis longtemps en lui-même » et que « les lois mystérieuses de la chair et du sentiment » circulaient sous « l'action apparente et extérieure du drame ». (2) Sans doute est-ce l'exemple de Balzac qui fait que Proust a voulu saisir toute « la réalité à travers la réalité sociale ». On peut dire de tous deux qu'ils n'ont eu l'âge de raison qu'à trente ans, lorsque, leur génie s'éveillant, ils ont enfin conçu leur œuvre véritable, après avoir longtemps fait leurs gammes et leurs « exercices spirituels ». Il leur fallut à tous deux le choc des événements. Ils ont voulu décrire la structure, la « mécanique » d'une société, dont Balzac espérait encore qu'on pût assurer la stabilité, tandis que Proust en constatait la transformation nécessaire, inéluctable, en moins de trois générations (3). Cette société, tous deux en ont été les « poètes », car ils ont su « hausser jusqu'au mythe » la réalité qu'ils décrivent. Ils aspirent en effet au nom de « poète » et affirment que leur don essentiel n'est pas l'observation psychologique mais ce que le premier appelle « la divination » et le second « l'intuition ». C'est ainsi que l'un et l'autre nous font assister à la brusque éclosion de leur génie après une période préparatoire. S'il n'y a rien de commun entre les romans d'Horace de Saint-Aubin (4) et ceux d'Honoré de Balzac, on peut dire de même qu'il est difficile de reconnaître l'auteur d'*A la Recherche du Temps Perdu* dans *Les Plaisirs et les Jours* ou *Jean Santeuil*.

.•.
• •

---

(2) V. Hugo disait : « Tous ses livres ne forment qu'un livre, vivant, lumineux et profond ».

(3) « Une génération suffit pour que s'y ramène le changement qui en des siècles s'est fait pour le nom bourgeois d'un Colbert devenu nom noble ». (III, 1231).

(4) On sait que Balzac publia sous ce pseudonyme ses premiers romans, *Argow le Pirate*, l'*Héritière de Birague*, etc... C'est intentionnellement sans doute que Proust signa ses premiers essais du nom d'Horatio.

Faisant preuve dans leur art d'une incroyable force de volonté, ils ont été faibles devant les tentations. Balzac, ce Titan, n'écrivait-il pas : « Je suis cmme les pauvres filles, sans force contre ce qui me plaît » ? Mais tous deux, Balzac et Proust, savent qu'ils ont une tâche à finir avant d'être pris par la mort qui les talonne. Cependant, il y avait en tous deux — et c'est ce qui fait leur charme, leur génie — de « l'homme-enfant ». Mme Straus fut un peu la Laure de Berny de Marcel adolescent. Mme de Chevigné sa marquise de Castries, Mme Lemaire sa duchesse d'Abrantès. (Elles ont formé sa duchesse de Guermantes). Curieusement, ni Balzac ni Proust ne crurent jamais vraiment en l'amitié. (« Vous n'aurez pas, disait le premier, plus de deux ou trois amis dans le cours de votre existence »)... Proust estimait que l'amitié n'est qu'une chimère, qu'un leurre, une folie momentanée. Et tous deux ont eu pour protectrices de vieilles femmes influentes dont ils furent un peu « le dernier amour » ou la consolation. (5) Balzac avait été frappé par la conversation d'Astolphe de Custine, qui fut pour Proust l'un des premiers modèles d'Astolphe de Réveillon (dans le *Contre Sainte-Beuve*) et plus tard de Palamède de Germantes, baron de Charlus. Mais Proust et Balzac, empruntant tantôt à l'art, tantôt à la vie, se sont plu à brouiller toutes les pistes... Proust aurait pu donner à l'ensemble de son œuvre deux titres balzaciens : *Les Illusions Perdues,* et *La Recherche de l'Absolu.* La nature les a contraints d'écrire leurs désirs au lieu de les satisfaire. Balzac aimait à se comparer pour sa fidélité « au bengali d'Asie qui, sans sa rose ou sa Péri, devient muet. » Balzac semble annoncer Proust quand, décrivant la société parisienne, il parle de « cet enfer qui, quelque jour, aura son Dante ». Oui, Balzac semble avoir prévu *Sodome et Gomorrhe* et même *les Jeunes Filles en Fleurs* lorsqu'il nous dépeint Paquita Valdès, cette « fille aux yeux d'or » qui est, en même temps, la maîtresse du bel Henry de Marsay et celle de la marquise de San-Réal (dont on ne tardera pas à découvrir qu'ils sont frère et sœur, étant les enfants naturels de Lord Dudley). Il faut bien dire que Balzac, ici, s'est souvenu de la *Fragoletta* de son ancien ami Latouche. Là aussi, de même que dans le futur Paris de Proust. « l'Orient déclôt ses lourdes

---

(5) On sait tout ce que Proust doit, non seulement à Madeleine Lemaire, à Mme Straus, mais à Mme de Caillavet, à Louisa de Mornand, à Laure Heyman, à Mme Catusse, etc...

paupières » ; et, comme l'a noté Hoffmanstahl, « le début pourrait être de la main de Dante, la fin prise aux *Mille et Une Nuits* » (6). Tel est, pour Balzac, « ce mystérieux androgyne qui, la plupart du temps, se trouve être un ouvrage en deux volumes. » Dans son *Wilhelm Meister,* Gœthe évoque « la belle Amazone, Nathalie ». (Est-ce la raison pour laquelle Gourmont surnommera Natalie Barney, l'Amazone ?) D'ailleurs, au XVIIIᵉ siècle, la *Religieuse* de Diderot (qui a presque le même patronyme que l'Albertine de Proust) (7) nous avait révélé « les excès de cette passion ». Coleridge voulait qu'un grand esprit fût androgyne. Et, toujours dans sa *Fragoletta*, Latouche avait souligné l'amitié bien équivoque de la reine de Naples (8) et de Lady Hamilton. Parmi les projets de Balzac figurait même un « Amour au Harem ». Balzac n'avait pas caché qu'il s'était inspiré des relations de l'actrice Marie Dorval avec George Sand. Il avait, par ailleurs, décrit l'amitié de Vautrin pour Rastignac et Rubempré.

Balzac avait été frappé en lisant la *Venise Sauvée* d'Otway (dramaturge anglais dont les goûts étaient notoires) par l'amitié de Pierre et de Jaffier. Philarète Chasles a même prétendu (dans la partie inédite de ses *Mémoires*) que les amitiés masculines de Balzac avaient quelque chose de trouble. Maurois a protesté contre de telles insinuations. Il admet pourtant qu'il y avait quelque chose de féminin dans la nature de Balzac, dont le premier amour pour une femme plus âgée que sa mère, Mme de Berny, à Villeparisis, fait songer au vers de Vigny :

Il rêvera partout à la chaleur du sein.

Sans doute est-ce une des raisons qui ont fait reprendre par Proust (9), en son œuvre, le nom de Villeparisis. Maurois va même jusqu'à reconnaître que Balzac, qui admirait la beauté masculine de l'éphèbe, a peut-être éprouvé « pour tel jeune garçon un goût refoulé ». Toujours est-il qu'il fut

---

(6) *Ecrits en Prose,* Paris 1927.

(7) Proust écrit à sa mère de lui envoyer toute l'œuvre de Diderot.

(8) La nature de cette amitié a d'ailleurs fait l'objet de controverses.

(9) Balzac notait : « Il n'y a que le dernier amour d'une femme qui satisfasse le premier d'un homme ». Balzac avait fait matelasser ses murs, rue des Batailles, comme Proust capitonner de liège sa chambre, boulevard Haussmann — autre trait de ressemblance entre ces grands nerveux.

obsédé par le thème de l'Androgyne (10). *Séraphita*, disait-il, évoquera *Fragoletta* (11). Balzac insinue même que « tous les artistes sont un peu femmes » (12). Il veut déjà décrire « les deux sexes... et autres ». On a pu voir en son Vautrin la préfigure de Charlus : Montesquiou ne s'y est pas trompé. « « Le romancier authentique, dit Balzac, crée ses personnages avec les directions infinies de sa vie possible. » Proust a cité *La Fille aux Yeux d'Or*, *Sarrasine* et *Une Passion dans le Désert* qui mettent en scène « la sensualité égarée de Balzac ». On sait que *Sarrasine* est un récit de l'auteur de la *Comédie Humaine*. (13). J. Reboul avait déjà donné une interprétation psychanalytique de ce récit. A propos de la féminisation du nom de Sarrazin en Sarrasine, on n'a pas hésité à se référer à deux hypothèses, dont l'une soupçonne « des tendances ambisexuelles chez Balzac, l'autre voyant en Sarrasine un double du romancier » (14). On a même insinué que l'érotisme balzacien comporterait un aspect oriental asiatique, sarrasin. (15) Si Balzac, H. de Latouche et Théophile Gautier semblent avoir été obsédés par les Hermaphrodites, les androgynes ou les castrats, l'on ne trouve guère chez Proust de telles préoccupations apparentes.

Morel n'est pas Zambinella : son ambiguité est d'un autre ordre ; Charlus n'est ni Vautrin, ni Rastignac ; Albertine enfin n'est ni « La Fille aux Yeux d'Or », ni Mlle de Maupin, ni Camille Maupin ; c'est là ce qui fait son originalité spécifique. Louis Bolle n'en remarque pas moins que tous les couples de la *Recherche* semblent issus par déhiscence d'un Androgyne primitif.

Marcel Proust, plus conscient de sa vocation véritable que son grand prédécesseur, a souvent dit qu'il n'observait pas les gens, mais qu'il les radiographiait. Toutefois, on peut

---

(10) Philarète Chasles, que Balzac avait connu entre 1829 et 1832, disait de lui : « Il n'avait point de goût pour les femmes... Les penchants de Tibère au bain et les petits gitons lui étaient imputés, peut-être injustement ». (Texte retrouvé par Claude Pichois).
(11) Ce roman de Latouche évoque, selon Balzac, « les deux natures dans un seul être ».
(12) *Lettres à l'Etrangère*, t. I, p. 126.
(13) Publié en 1830 dans la *Revue de Paris*. En fait, il y eut au XVIIIe siècle un sculpteur nommé Sarrazin, élève de Bouchardon.
(14) P. Citron, *Le Monde*, mai 1970.
(15) Sainte-Beuve a parlé du style « asiatique » de Balzac. L'épithète s'appliquenrait mieux à Proust.

hasarder que les personnages de la *Recherche,* dès qu'ils se mettent à vivre, échappent au contrôle de Proust « pour suivre la loi autonome de leur destinée »... Les intentions délibérées de Proust ont été, aussi souvent que celles de Balzac, « renversées par la réalisation ». Le Proust créateur aimait aussi « cette insurrection contre lui-même de la vie qu'il portait en lui »... Il faut donc juger Proust, comme Balzac, « selon les innombrables analogies cachées dont le réseau, courant sous le drame et l'intrigue, forme la véritable trame » de son roman. Les deux romanciers ont réparti la « totale complexité de l'humaine nature » entre leurs personnages, de telle sorte que « chacun d'eux représente un ou deux aspects seulement d'une psychologie qui ne s'exprime entièrement que par la somme des créatures, « balsaciennes ou proustiennes ».

*
* *

On croit lire Proust lorsqu'on trouve chez Balzac ce mot : « L'espoir est une mémoire qui désire ». Tous deux auraient pu signer cette phrase : « Rien ne m'étonne plus que moi-même ».

*
* *

Les lettres de Jules Sandeau à Balzac font parfois songer à celles de Reynaldo Hahn à Marcel Proust : ils avaient aussi leurs surnoms, leur langage secret... Car l'auteur de *La Fille aux Yeux d'Or* aimait « tout ce que l'homme a de mystérieux en lui-même, toutes ses affinités inexpliquées... » Il y avait en lui, comme en Proust, plusieurs hommes... et même un femme. Annonçant *Les Jeunes Filles en Fleurs,* il avait comparé Marsay et ses semblables à « de belles fleurs humaines ». Ils ont compris qu'il y a des espèces sociales comme il y a des epèces zoologiques. Dans la *Béatrix* de Balzac, Camille Maupin ou Mlle des Touches (qui représente George Sand) s'habille en homme, monte à cheval. (Comme Proust, on voit que Balzac conserve une syllabe du nom originel du modèle : Maupin pour Dupin, sans compter que Maupin évoque un roman de Gautier également inspiré par l'auteur de *François le Champi*) (16). D'ailleurs, dans ce livre auquel Proust a certainement pensé, la société aristocratique et même féodale de Guérande (un nom qui ressemble à Guermantes) va se trouver peu à peu décomposée, anéantie par la vie moderne Et puis tous les personnages, au cours du récit, vont être guéris de leurs illusions. Quand ils aiment un pays sauvage, ils veulent en connaître toute la saveur à travers l'amour d'un enfant de ce pays : Hélène de Valette, Bretonne, fut pour Balzac ce que sera pour Proust Mlle de Stermaria. Sainte-Beuve a vu dans les personnages de Balzac des « fleurs maladives et rares », comme Anatole France a reconnu chez le jeune Proust, à son premier essai, « des fleurs de serre vénéneuses »... Louise Breugnol fut, à Passy, la Céleste de Balzac, avec cette seule différence qu'elle fut la « maîtresse-servante» du romancier. Mais le dévouement fut le même. Car Honoré demeura toute sa vie, comme Marcel, un enfant difficile et bon auquel il fallait une gouvernante. Les invraisemblances de Balzac et de Proust sont des vraisemblances que notre regard, moins pénétrant que le leur, n'a pu atteindre. Tous deux ont été presque aussi pessimistes au sujet de l'amour que de l'amitié : lorsqu'il n'est pas physique, l'amour n'est pour eux qu'un jeu sans importance.

Balzac a connu, comme Proust, la désillusion du réel, son imagination dépassant toujours ce que la réalité pouvait lui offrir : Ils ont tous deux besoin d'excitants pour le travail : ils abusent du café. Ils font du jour la nuit et de la nuit le jour. Leur intelligence et leur pensée devenaient alors plus claires. Tous deux ont pénétré *par intuition* les sentiments de leurs amis. Tous deux aimaient les « duchesses », et pourtant tous deux se sont encanaillés. Si certains traits les opposent, bien plus de traits les rapprochent. Les premiers jets de leurs livres prolifèrent en tous sens. Ils n'ont pas été compris d'emblée par leurs contemporains, par une critique conformiste. Tous deux pourraient signer cette phrase : « C'est au moment qu'on touche au dénouement qu'on commence à ne plus croire... » Par dessus tout, Balzac et Proust sont des visionnaires passionnés, des voyants, des poètes et non pas comme on l'a cru, de simples observateurs. Frenhofer fait prévoir Elstir. Gambara annonce Vinteuil. Et ces

---

(16) Dans *Emaux et Camées*, Gautier écrit :
       « *Que tu me plais, O timbre étrange,*
             Son double, homme et femme à la fois... »

grands peintres, ces grands musiciens inventés par les romanciers nous annoncent des peintres et des musiciens futurs.
Balzac explique bien la méthode qui sera celle de Proust
lorsqu'il écrit : « La littérature se sert du procédé qu'emploie
la peinture qui, pour faire une belle figure, prend les mains
de tel modèle, le pied de tel autre, la poitrine de celui-ci,
les épaules de celui-là. L'affaire du peintre est de donner la
vie à ces membres choisis et de la rendre probable. S'il vous
copiait une figure vraie, vous détourneriez la tête. » (17)

*
**

Proust eût pu dire avec Balzac : « Nous allons de nous
aux hommes. » Curieusement, les deux plus grands romanciers français, Balzac et Proust, estimaient qu'ils n'avaient
aucune facilité : ils ont chargé leurs manuscrits, et leurs
épreuves mêmes (ce qui coûtait fort cher), de remaniements,
de repentirs et d'ajouts — un peu comme François Mansart
démolissait ses constructions pour les refaire quand il n'était
pas satisfait. A la manière de Balzac encore, Proust était
ainsi fait que, « pour mettre en branle son imagination, il
fallait qu'un autre auteur, même secondaire, lui donnât un
rôle. » (18) L'observation n'était chez lui, qu'une « sorte de
mémoire propre à aider cette mobile imagination, » laquelle
l'aidait à ressentir ce qu'il peignait. Proust allait même plus
loin que Balzac, car il confessait n'avoir pas d'imagination.
C'est pourquoi le dialogue est, chez Proust, (selon le conseil
de Latouche à Balzac) « la conséquence attendue qui cou-
ronne (ses) préparatifs ». C'est ainsi que Proust est devenu
un novateur, un véritable « historien des mœurs ». Tous
deux, Balzac et Proust, ont voulu créer des « types sociaux »,
représentants d'une catégorie de l'histoire contemporaine et
de la vie quotidienne. Ils ont accompli chacun dans leur
domaine, un travail de classification. Ils possédaient en
outre, l'un et l'autre, la faculté de s'observer eux-mêmes de
façon désintéressée. Ils ne jugent pas, ils peignent. Ils savent
aussi que ce n'est pas eux, que ce n'est pas l'homme ordinaire de tous les jours qui tient la plume, mais un « double »

(17) Préf. à la première éd. du *Cabinet des Antiques*, p. 248.
(18) L. G. Avrignon, *Les débuts de Balzac*.

mystérieux doué de la seconde vue, et qui n'a, somme toute,
qu'assez peu de chose en commun avec le bourgeois quotidien qu'ils sont par ailleurs. L'homme superficiel peut ainsi
vivre en symbiose avec l'artiste le plus profond.

Proust n'est pas qu'un romancier, c'est un poète moral
qui, tout comme Molière, a su fustiger le vice et châtier les
mœurs en riant. Cet homme seul, « cerné par les vampires
de la solitude », savait rire de tout, et d'abord, humblement,
de soi-même, on le voit bien en ses *Pastiches et Mélanges*.
L'essentiel, Proust l'exprime toujours à voix basse. Son imagination est toujours prête à s'évader en dialogues. Tout en
connaissant la différence qu'il a « avec le commun des hommes », il veut rester à tout prix intégré à l'humain, à cet
humain auquel il ne participe pas véritablement. » Et, tout
comme l'auteur de *La Comédie Humaine*, Proust pourrait
écrire : « L'historien des mœurs est obligé d'aller prendre,
là où ils sont, les faits engendrés par la même passion, arri-
vés à plusieurs sujets, et de les coudre ensemble pour obtenir
un drame complet. » J'ajouterai que ce qui compte le plus
dans Proust, ce n'est pas ce qu'il a pris dans la réalité, c'est
ce qu'il y ajoute et qui vient de lui seul. Il disait que seules
l'intéressaient « ces choses qui sont de l'autre côté de l'horizon »... L'importance est « ailleurs. » Proust se situe hors du
monde. Il avait, comme Baudelaire, cette lucidité de la souffrance véritable » de ceux qui contiennent « la mort prochaine
en soi ».

*
**

S'il est vain d'expliquer l'œuvre d'un écrivain par sa vie,
il n'en est pas moins certain — et Proust lui-même en a
témoigné — que les événements d'une vie sont les matériaux
de l'œuvre du romancier. Selon le mot de Mauriac, « ses
créatures racontent sa véritable histoire, celle qu'il n'a pas
vécue mais a souhaité de vivre. » Proust a disposé des éléments que lui offrait la vie. Comme Balzac, il coud ensemble
divers événements et divers types pour obtenir des personnages complets : d'où ses transmutations et ses transfigurations,
qui demeurent mystérieuses. A vrai dire, « il s'est désigné
lui-même » « à travers une infinité de troisièmes personnes ».
A la façon de Balzac, il eût pu dire : « L'observation intuitive
me donnait la faculté de vivre la vie de l'individu sur laquelle

elle s'exerçait, » en me « permettant de me substituer à lui, comme le Derviche des *Mille et Une Nuits* prenait le corps et l'âme des personnes sur lesquelles il prononçait certaines paroles... En entendant ces gens, je pouvais épouser leurs vie... leurs besoins, leurs désirs, tout pasait dans mon âme » (19). Telle était chez Proust « cette fusion secrète de l'expérience, de la pensée et de la vie. » Il cherchait à comprendre le monde, la société, les destinées humaines... Il opèrera bientôt l'amalgame si nécessaire du récit romanesque et des digressions idéologiques. Comme ses grands devanciers, Stendhal et Balzac, Proust sera lent à former sa maîtrise ou son génie, en raison même de l'étendue des matières qu'il avait à brasser.

Certes, Balzac et Proust s'opposent par certains côtés de leur nature. Le Tourangeau est plus près de Rabelais par sa gauloiserie ; le demi-juif plus proche de Michel Eyquem, fils d'Antoinette Lopez. Montaigne a noté que « la recherche est un jeu » et il a fort bien parlé de « cette passion studieuse qui amuse à la poursuite des choses et de l'acquêt desquelles nous sommes désespérés. » N'y a-t-il pas un peu de cela dans la *Recherche* de Proust qui le contraignait — tout en en souffrant — à connaître avec exactitude les coteries et les perfidies des salons parisiens, évoquant, comme « en contrepoint », leurs intrigues, car ce qui l'intéressait le plus, en fin de compte, c'étaient les variétés diverses de l'espèce humaine. Fils et frère de médecins, il se comparait à l'amateur d'ichtyologie. Son intérêt pour les passions des autres — où il reconnaissait le reflet des siennes — tenait à la fois de la science et du jeu, ce qui ne l'empêchait pas, connaissant son propre cœur, d'être indulgent pour les vices des autres, si proches de ceux qu'il reconnaissait en lui-même... Dans l'analyse des sentiments, il demeure lucide sans amertume, car il aime les êtres pour leurs défauts autant que pour leurs qualités, sachant y voir l'essence même de leur nature indivisible et sachant également avec Baudelaire, que les êtres aimés

> *Sont des vases de fiel qu'on boit les yeux fermés.*

Dans l'alternance des vices et des vertus, Proust voyait la profonde réalité des êtres ; mais, tout comme Aristote, Cervantès ou Calderon, il pensait que, par la *catharsis* et

---

(19) *Facino Cane*, Pléiade, t. X, p. 66-69.

l'expiation, nous pouvons, avant l'heure de la mort, parvenir quelquefois à la sagesse, à la sérénité, en nous délivrant de nos fantômes, de nos chimères ou de nos vains désirs.

Proust, afin de créer chacun de ses personnages, a dû fondre des visions, des réminiscences, des lectures, des observations... Chacun de ses personnages doit un peu de sa chair, de son sang, de ses gestes, de son esprit à plus de dix modèles : et le plus ressemblant de ces modèles, c'est presque toujours Proust lui-même, Proust plein de contrastes et de contradictions: c'était un homme « habitué à revêtir instantanément et d'un seul coup l'habit et le corps d'autrui ». Il est vrai que, dans les sources d'une œuvre, des combinaisons étranges peuvent associer l'irréel au réel et amalgamer en un seul héros des silhouettes diverses, des « profils perdus », entrevus au cours de l'existence. Il s'agit, disait il y a un siècle Fromentin, de cet effort de sympathie, on devrait dire de symbiose, par lequel le critique véritable tente de s'identifier à un processus créateur, en faisant, abstraction de ses préférences propres et des perspectives d'une idéologie ou d'une époque différentes ». Le romancier n'a-t-il pas « des cœurs de rechange » ? On a parfois pu reprocher à Proust d'avoir consacré trop de pages de son roman à ce que Gide appelait l'uranisme. On semble avoir oublié que les plus grands psychologues, sans oser aborder de front le sujet de l'inversion, avaient écrit d'étranges récits comme *Armance*, *La Fille aux Yeux d'Or* ou *Massimila Doni*. (20).

Leur âme avait besoin du « bain mystérieux des songes ». La matière qu'ils avaient à brasser était si vaste qu'ils ont été longtemps méconnus par leurs contemporains. Pour se former, ils ont lu tous leurs devanciers et fait des pastiches de leurs maîtres, Balzac ceux de Rabelais, Proust de Balzac lui-même, de Renan ou de Saint-Simon... Il y avait en chacun de ces deux génies un « homme-enfant » et les pensées ou les chimères qui ont obsédé ou enchanté leur âge mûr ont presque toutes eu leur germe en leur prime jeunesse. Proust disait d'ailleurs que la meilleure part du génie se compose de souvenirs. A la fois solitaires et mondains, hantés par la mort et rieurs, portant en soi leur monde imaginaire, ces deux démiurges ambigus, dont l'œuvre est pleine d'imbrica-

---

(20) George Moore dit : « Avec Balzac je suis descendu dans les régions infernales de l'âme ».

tions, de repentirs, tourmentés par l'absence ou par l'empêchement, nous ont laissé des créations qui sont presque des cosmogonies et qui dépassent leur temps. On ne peut les expliquer que par ce mot du jeune Proust : dans *Jean Santeuil* : « Ce n'est pas dans les palais dont elle fera l'ornement que s'oriente la perle, c'est dans un polypier embryonnaire à des centaines de lieues au fond des mers. »

*
* *

Si Proust a donné à la plus cultivée de ses héroïnes le nom de Villeparisis, la petite ville de province où Balzac avait aimé madame de Berny, peut-être a-t-il choisi Guermantes pour patronyme de sa famille aristocratique, non seulement parce qu'il existe un château de Guermantes (21) dans la même région que Villeparisis, Saint-Loup et Crécy (dont les noms sont portés par d'autres personnages de son roman) mais aussi parce que la sonorité « amarante » de ces syllabes lui rappelait inconsciemment celle de la balzacienne Guérande, « fidèle aux vieilles mœurs dont l'empreinte est restée,... où se retrouve le plus correctement la physionomie des siècles féodaux » et dont est issue la maison de Guaisnic,... « race égale aux Rohan sans avoir daigné se faire princes, qui existait puissante avant qu'il ne fût question des ancêtres de Hugues Capet, » — tout comme les Guermantes de Proust se prétendront issus de Louis VI le Gros et constituant la branche aînée et dépossédée de la dynastie capétienne.

*
* *

Je me suis souvent demandé pourquoi Proust avait choisi de dépeindre la courtisane sous les traits de Juives comme Rachel et Léa. Peut-être a-t-il subi, sur ce plan comme sur

---

(21) Ce château était la propriété d'un ami de Proust, François, marquis de Pâris, mais ce n'était qu'une demeure du xviie siècle alors que le Guermantes du roman est un château-fort féodal qui, dans une rédaction définitive, a pris la place du Villebon originel, proche d'Illiers. N'oublions pas que, dans la première conception de Proust, les Guermantes étaient normands, et leur hôtel était à Caen. En outre, après son séjour à Beg-Meil, Proust avait écrit « tout un roman sur la Bretagne ».

d'autres, l'influence de Balzac dont, Béguin l'a noté, « les
grandes figures tragiques qui dominent tout le monde des
filles, sont trois Juives, Coralie et les deux Gobseck ?.. Coralie,
c'est la courtisane absoute par l'amour et transformée jusqu'à la totale acceptation du sacrifice ». De même, chez
Esther, l'amour de Lucien éveille un grand désir de pureté.
La chose est d'autant plus frappante que les courtisanes
auxquelles Proust fut lié ne semblent pas avoir été d'origine
juive. (22) Son goût du contre-point l'a-t-il poussé à opposer
sa Rachel à l'Esther de Balzac ? Lorsqu'il créa 'sa « Rachel-
quand-du-Seigneur » ou son Odette de Crécy, Proust sut
oublier non seulement toutes les courtisanes, grisettes, demi-
mondaines, lorettes, demi-castors et femmes galantes de son
temps, toutes les « Dames aux Camélias », dont il avait
entendu vanter les charmes, mais les héroïnes de Balzac, de
Flaubert, de Zola, des Goncourt... Proust, dans son *Contre
Sainte-Beuve*, nous a fait voir que « tout créateur porte en
lui un critique mort jeune, ou plutôt un critique secret qui
guette et veille aux frontières de la création... » Ce fut longtemps son cas. L'une des plus belles intuitions de Proust,
comme de Balzac, ce sont « les rapports nouveaux aperçus
brusquement par le génie entre les parties séparées de son
œuvre qui se rejoignent »... « C'est un rayon qui a paru, qui
est venu se poser à la fois sur les diverses parties de sa création, les a unies, fait vivre, illuminées. L'auteur de la *Recherche* a donc voulu (sans prétendre dépasser son maître) refaire
à sa façon ce qu'avait fait Balzac. Proust sait qu'en art il n'y
a pas (au moins dans le sens scientifique) d'initiateur, de précurseur... Mais l'exemple d'un devancier n'est jamais tout à
fait inutile ; (23) Baudelaire lui enseignera l'art d'une certaine cruauté. Pour Proust, la subordination de la sensibilité
à la vérité, à l'expression, est au fond une marque de génie,
car le poète s'efforce de ne pas ressentir un sentiment au
moment où il le nomme... » Proust auteur a tôt fait d'oublier
le jeune mondain, car « l'homme qui vit dans un même corps

---

(22) Marie Duplessis, modèle de la Marguerite de Dumas Fils, avait
été la maîtresse du bel Agénor de Gramont que Proust connut et qui
lui inspira peut-être quelques traits de Basin, duc de Guermantes,
devenu à la fin de sa vie, l'amant d'Odette.

(23) Proust voit les divers poètes d'un siècle comme des « épreuves
un peu différentes d'un même visage, du visage de ce grand poète qui
au fond est un depuis le commencement du monde »...

avec tout génie a peu de rapport avec lui », Proust nous le
fait saisir. « Notre personne morale se compose de plusieurs
personnes superposées », souligne-t-il. Il n'hésite donc pas à
donner vie en son œuvre à chacune de ces personnes différentes. Balzac note que la tâche d'un historien des mœurs
« consiste à fondre les faits analogues dans un même tableau.
N'est-il pas tenu de donner plutôt l'esprit que la lettre des
événements ? Il les synthétise. Souvent il est nécessaire de
prendre plusieurs caractères semblables pour en composer un
seul, de même qu'il se rencontre des originaux où le ridicule
abonde si bien qu'en les dédoublant, ils fournissent deux personnages ». Proust n'agit pas autrement. Ses Guermantes
comme les d'Esgrignon, sont d'abord, dans son *Contre Sainte-
Beuve,* des gentilhommes de province ; ils ne sont alors que
comtes et vivent à Caen, comme les d'Esgrignon à Alençon
(24). Plus tard, il les transférera à Paris, en fera des membres de la plus grande aristocratie et non des hobereaux. Les
Gramont, les Clermont-Tonnerre, les La Rochefoucauld, les
Castellane, les Luynes, les Polignac, les La Trémoïlle, les
Noailles, les Chimay, les Rohan, les Montesquiou-Fezensac
leur prêteront certains de leurs traits. Mais pusieurs de ces
modèles se dédoubleront par scissiparité. Du comte de Guermantes orginel sortiront à la fois le duc Basin et son frère le
baron de Charlus. De même, pour le monde des bourgeois et
des artistes, Anatole France, Ruskin, Renan, J. Lemaître,
Mallarmé, Rodin, Barrès, Bourget et bien d'autres ont pu
servir de modèles à Bergotte ; Whistler, Helleu, J.-E. Blanche,
Renoir, Vuillard, à Elstir ; G. Fauré, Saint-Saëns, César
Franck, Vincent d'Indy, Wagner et plus tard Debussy à Vinteuil. Mais, chez Proust je crois qu'il y a des sources littéraires au moins aussi nombreuses que les sources vivantes. Ce
que Barbey d'Aurevilly dans le *Rideau Cramoisi,* Latouche
dans *Fragoletta,* Balzac dans *La Fille aux Yeux d'Or,*
n'avaient fait qu'esquisser, servira de point de départ à la
composition du personnage d'Albertine.

Balzac note curieusement qu'à toutes les époques les nar-
rateurs ont été les secrétaires de leurs contemporains : « Il
n'y a pas un conte de Louis XI ou de Charles le Téméraire,

---

(24) Plus tard selon le conseil de Gœthe, Proust donnera pour décor
à son récit — sauf pour Paris et Venise — des lieux fictifs :, Combray,
Balbec, Doncières, etc...

(*Les Cent Nouvelles nouvelles*), pas un de Bandello, de la
Reine de Navarre, de Boccace, de Giraldi, de Lasca, pas un
fabliau des vieux romanciers qui n'ait pour base un fait
contemporain... Il s'agit, comme Molière, de savoir prendre
son bien partout où il se trouve. Ce talent n'est pas commun.
Si tous les auteurs ont des oreilles, il paraît que tous ne
savent pas entendre, ou, pour être plus exact, que tous n'ont
pas les mêmes facultés... Qui, dans son imagination, ne possède pas les plus beaux sujets ? Mais entre ces faciles conceptions et la production il est un abîme de travail, un monde
de difficultés que peu d'esprits savent franchir... Il est aussi
facile de rêver un livre que difficile de le faire. La plupart
des livres dont le sujet est entièrement fictif, qui ne se rattachent de loin ou de près à aucune réalité, sont morts-nés ;
tandis que ceux qui reposent sur des faits observés, étendus,
pris à la vie réelle, obtiennent les honneurs de la longévité.
C'est le secret des succès obtenus par *Manon Lescaut,* par
Corinne, par *Adolphe,* par *René,* par *Paul et Virginie.* Ces
touchantes histoires sont des études autobiographiques, ou
des récits d'événements enfouis dans l'océan du monde et
ramenés au grand jour par le harpon du génie... Tout personnage épique est un sentiment habillé qui marche sur deux
jambes et se meut : il peut sortir de l'âme. De tels personnages son ten quelque sorte les fantômes de nos vœux, la
réalisation de nos espérances, ils font admirablement ressor-
tir la vérité des caractères réels copiés par un auteur, ils en
relèvent la vulgarité. Sans toutes ces précautions, il n'y aurait plus ni art, ni littérature »...

*
* *

Proust a souligné l'importance qu'avaient, chez Barbey
d'Aurevilly, Dostoïevsky, Thomas Hardy, les évocations de
certains lieux, de certaines maisons, de certaines étoffes ; de
même Balzac écrivait : « ...les rues, les pierres, les tentures
recèlent une fatalité qu'il faut mettre en lumière ». Et, tout
comme l'auteur du *Chef d'œuvre Inconnu,* le traducteur de
Ruskin utilisera le procédé d'analogie avec des portraits
d'artistes célèbres afin de mieux évoquer ses personnages.
On trouve chez Proust les mêmes parallèles entre Venise et
Combray ou Balbec que chez Balzac, entre Venise et Guérande, la même opposition entre le milieu aristocratique des

Du Guénic et le milieu artistique de Mlle des Touches qu'entre le monde des Guermantes et celui des Verdurin.

Ajouterai-je que la création est, chez Balzac comme chez Proust, d'ordre sensoriel ? Oui, de même que le jeune Balzac aima comme une mère Mme de Berny, que Calyste du Guénic eut pour mademoiselle des Touches (à laquelle on attribue d'autres goûts) une tendresse filiale, le Narrateur de la *Recherche* est d'abord amoureux de Mme de Guermantes. Et nous voyons ce jeune et beau Calyste faire une véritable déclaration d'amour à sa propre mère. Balzac n'avait pas attendu Freud pour connaître le « complexe d'Œdipe ». D'ailleurs Balzac, bien que ses penchants aient été plus normaux que ceux de Proust, pensait que les hommes sont surtout à la recherche de l'amour impossible, et que « tous vivent avec leurs fantômes et leurs désillusions ». Il note que « Dante n'a jamais revu sa Béatrice, Pétrarque jamais possédé sa Laure ». (Cela est aussi claudélien). Un dernier trait rapproche la *Recherche du Temps Perdu* de la *Comédie Humaine*. De même que, tout en revoyant la petite Henriette habillée comme sa mère, « le héros épouse son propre souvenir », on se rappelle le trouble qu'éprouve le Narrateur de la *Recherche* lorsqu'à la fin du roman, il fait la connaissance de Mlle de Saint-Loup, fille de cette Gilberte qu'il aima et dans laquelle il croit retrouver les tentations de toutes ses inclinations passées. A la « matinée Guermantes », tous les personnages sont rangés là « comme dans ces à propos », ces cérémonies que la Comédie Française donne à l'occasion d'un anniversaire, d'un centenaire, comme aussi dans les dialogues des morts où on veut faire figurer toute une époque ».

Déjà Balzac reprochait à l'aristocratie du Faubourg Saint-Germain, de « vivre séparée de la nation, faute d'avoir su s'adapter aux exigences et aux formes de pensée d'une époque nouvelle ». A la façon des Guermantes, le marquis Carol (25) d'Esgrignon pense tenir son marquisat « aux mêmes condi-

---

(25) P.-G. Castex note que Charlus est « Carolus » comme Carol d'Esgrignon ; sa devise est « Plus ultra Carolus ». Proust prête le même orgueil au baron de Charlus que Balzac au marquis d'Esgrignon lorsqu'il fait dire à Palamède que les Guermantes « comptent quatorze alliances avec la Maison de France, ce qui est surtout flatteur pour cette Maison. » Sous la Restauration, les hommes efféminés étaient surnommés « carolines ».

tions que le roi tient l'Etat de France ». Et cependant, tout comme Victorien d'Esgrignon, Robert de Saint-Loup fera une mésalliance. Ce qui a changé chez Proust, c'est que Saint-Loup, loin d'être la contre-partie de Rastignac, de Rubempré, de Callyste du Guénic, est un jeune officier qui, malgré les goûts contre nature qu'il cache soigneusement, est un remarquable officier qui meurt d'une mort héroïque. Le rôle interlope que Balzac confiait à Lucien, Proust l'attribue au violoniste Morel, fils d'un valet de chambre ; et la rencontre de Charlus et de Morel rappelle à plus d'un titre celle de Vautrin — déguisé en Carlos Herrera, prêtre espagnol — avec le jeune Rubempré qu'il subjugue. Balzac part d'une histoire vécue où « le commencement d'un fait et la fin d'un autre ont composé ce tout ». Proust transpose sans doute avec plus d'art la réalité. Mais tous deux lancent parfois leurs lecteurs « sur de fausses pistes, pour préserver » le secret de leur création.

Par de longues et minutieuses préparations, disait Balzac, le romancier « parvient à donner à ses personnages imaginaires autant de consistance, autant de réalité qu'à ceux que lui fournit l'histoire ». C'est là ce que fait systématiquement Marcel Proust. Il appartient à cette lignée d'écrivains français que Claudel appelle « explicative, théorique et psychologique », qui essaient de « ne pas laisser échapper de leurs doigts le fil que le cours du temps les oblige à dévider ». Claudel pensait que, « incarcéré dans une pièce obscure et étouffante », « le malheureux Marcel Proust avait transformé la réalité en cauchemar ». Mais il reconnaissait que, comme Rimbaud, l'auteur de *Swann*, sachant « ne pas effaroucher les lentes confidences de l'ombre, avait su surprendre la nature à l'instant voulu » et « s'évader de la réalité ». Dans *Z. Marcas*, Balzac pour plonger son regard de voyeur dans la chambre de son voisin n'hésite pas à faire une fente dans la cloison. C'est un procédé dont on sait que Proust s'est servi pour assister à la rencontre de Charlus et de Jupien, ainsi qu'en d'autres circonstances, où il parle d'une lucarne, d'une vue plongeante, d'un œil de bœuf... Il écrit curieusement : « Nous ne connaissons jamais que les passions des autres, et ce nous arrivons à savoir des nôtres, ce n'est que d'eux que nous avons pu l'apprendre ». Chez Balzac, a-t-on dit, « le texte lui-même est le secret. »

Parlant de *La Comédie Humaine* Proust soulignait que « chaque mot, chaque geste, a aussi des dessous dont Balzac n'avertit pas le lecteur et qui sont d'une profondeur admirable. Ils relèvent d'une psychologie si spéciale et qui, sauf pour Balzac, n'a jamais été faite par personne, qu'il est assez délicat de les indiquer. » Evoquant le chagrin de Vautrin après la mort de Lucien (26), « dont il trouvait partout le souvenir, » Proust appelle cela « La Tristesse d'Olympio » de l'homosexualité ».

Dans *La Fille aux Yeux d'Or,* dans *Sarrasine,* dans *La Duchesse de Langeais* comme dans *Les Illusions Perdues,* Proust admire « les lentes préparations qu'on ligote peu à peu, puis l'étranglement foudroyant de la fin ; et aussi l'interpolation des temps comme dans un terrain où les laves d'époques différentes sont mêlées. »

C'est ainsi que Balzac, « en projetant sur ses romans une illumination rétrospective, s'avisa « qu'ils seraient plus beaux réunis en un cycle où les mêmes personnages reviendraient et ajouta à son œuvre, en ce raccord, un coup de pinceau, le dernier et le plus sublime. »

*
* *

A l'inverse de Balzac, de Wagner, de Victor Hugo, de Michelet, qui, au siècle précédent, n'avaient pu conférer qu'après-coup une sorte d'unité rétrospective à leur œuvre, Proust, dès l'origine, dès son premier point de départ, avait conçu de façon concertée la composition cohérente de la *Recherche,* avec la multiplicité de ses plans, de ses niveaux, de ses portées, de ses registres, en un mot de ses points de vue. Il aimait lui-même dire à Robert de Billy qu'il voulait faire quelque chose de semblable au grand poème de Browning : *L'Anneau et le Livre.* On pourrait lui appliquer ce que Bergson a dit du travail de composition de Beethoven : « Tout le long de son travail d'arrangement, de réarrangement et de choix, qui se poursuivait sur le plan intellectuel », il « remontait vers un point situé hors du plan pour y chercher l'acceptation ou le refus, la direction, l'inspiration : en ce point siégeait une indivisible émotion » (27)... Et Proust n'a-

---

(26) Proust à ce propos fait allusion au mot d'Oscar Wilde sur la mort de Lucien, qui aurait été « le plus grand chagrin de sa vie ». Il ne savait pas alors qu'il devait en connaître de plus réels.

(27) H. Bergson, *La Pensée et le Mouvant.*

t-il pas déclaré dans le même sens : « Il n'est pas possible qu'une sculpture, une musique qui donne une émotion qu'on sent plus élevée, plus pure, plus vraie, ne corresponde pas à une certaine réalité spirituelle. Elle en symbolise certainement une pour nous donner cette impression de pronfondeur et de vérité. »

En lisant Balzac, remarque Proust, le lecteur continue à ressentir et presque à satisfaire « les passions dont la haute littérature doit le guérir ». Proust nous fait voir que « tous les détails destinés à faire ressembler davantage les personnages des romans à des personnes réelles tournent à l'encontre... Si l'impression de la vitalité du charlatan, de l'artiste est accrue, c'est aux dépens de l'impression de vie de l'œuvre d'art. Œuvre d'art tout de même et qui, si elle s'adultère un peu de tous ces détails trop réels, de tout ce côté Musée Grévin, les tire à elle aussi, en fait un peu de l'art. Et comme tout cela se rapporte à une époque, en montre la défroque extérieure, en juge le fond avec grande intelligence, quand l'intérêt du roman est épuisé, il recommence une vie nouvelle comme document d'histoire ». En outre, tandis que « dans le style de Flaubert, par exemple, toutes les parties de la réalité sont converties en une même substance aux vastes surfaces d'un miroitement monotone », où toutes les choses se peignent par reflet, « dans Balzac, au contraire, coexistent, non digérés, non encore transformés, tous les élémets d'un style à venir qui n'existe pas ». Et Proust montre que le style de Balzac *explique* au lieu de suggérer, de refléter, que ses images les plus saisissantes ne sont pas fondues avec le reste, ne se subordonnent pas à un but d'harmonie et de beauté. Proust n'en conclut pas moins que ces imperfections plaisent à ceux qui aiment Balzac. « Les autres romanciers, on les aime en se soumettant à eux, on reçoit d'un Tolstoï la vérité comme de quelqu'un de plus grand et de plus fort que soi. Balzac, on sait toutes ses vulgarités ; elles nous ont souvent rebuté au début, puis on a commencé à l'aimer, alors on sourit à toutes ses naïvetés qui sont si bien lui-même ; on l'aime avec un tout petit peu d'ironie qui se mêle à la tendresse ; on connaît ses travers, ses petitesses, et on les aime parce qu'elles le caractérisent fortement. »

Nous voyons comment le romancier part de la réalité même, puis la transforme, la transfigure, en y mêlant son rêve et son génie. Ainsi, dans *Béatrix*, Mme de Rochefide et Gennaro Conti, de même que Mlle des Touches — Camille

Maupin — sont exactement dépeints au début d'après Marie d'Agoult, Franz Listz et George Sand. Mais, à la fin de l'œuvre on ne les reconnaît plus. D'autres modèles ont prêté leurs traits aux personnages du livre et les événements de leur vie démentent ce que nous avait fait entrevoir une première analogie. Béatrix se sépare de Conti, Félicité des Touches entre à la Visitation... (28).

Ne voit-on pas le romancier du XIXe siècle, tout comme le Narrateur de la *Recherche,* envoûté par le charme d'une apparition nobiliaire, celle de Mlle d'Esgrignon en laquelle il avait reconnu, bien avant le créateur des Guermantes, « le génie de la féodalité » ? Bernard Guyon a fort bien parlé des « allusions secrètes » de Proust à Balzac ; il a remarqué que les d'Esgrignon ont déjà, comme les Guermantes, les cheveux d'un blond fauve, des yeux d'émeraude et les joues couvertes d'un très fin duvet argenté ; il a même souligné ce qu'on peut appeler chez Balzac des « thèmes proustiens » par anticipation ; Georges Poulet a, tout au contraire, souligné une sorte d'oposition entre les deux romanciers et montré que Proust échappe à la détermination balzacienne ; contrairement à tous les fragments de *La Comédie Humaine,* l'œuvre de Proust finit bien : il s'agit d'une victoire spirituelle sur le Temps. Il est vrai que tous deux voulaient, chacun à sa façon, retrouver le temps, reconstituer le passé ; mais chez Balzac, il s'agit d'une forme extérieure, tandis que chez Proust, le temps est tout intériorité. On ne peut nier toutefois que l'ifluence de Balzac ait été déterminante dans la composition de la *Recherche.* Proust adolescent se trouvait à Cabourg avec sa mère : ils avaient fait la connaissance d'un hobereau de Caen et de quelques magistrats de cette ville ; or ces procinciaux, qui était tous fervents de Balzac, ont inspiré les personnages balzaciens du *Contre Sainte-Beuve :* le comte de Guermantes et M. de Gurcy, dont sortiront, par scissiparité, tous les autres Guermantes de *Swann.* (29).

Entre Balzac et Proust l'antithèse est aussi frappante qu'entre l'âge romantique et le début du xxe siècle. Proust s'affligera d'être dépourvu de volonté. Tout Balzac est dans la

---

(28) George Sand elle-même avait souscrit au projet de ce « roman à clefs ».
(29) Cf. *Entretiens sur Marcel Proust,* en juillet 1962, à Cerisy-la Salle.

volonté. Quel contraste ! Rien de moins proustien, on l'a dit,
que cette possession balzacienne de tous les temps par un
être dont l'action s'exerce sans difficulté, par la mémoire
volontaire et non pas affective, sur le passé et sur l'avenir,
Balzac n'éprouve pas comme Proust la tristesse du temps
enfui et enfoui. En fermant les yeux, il est volontairement
dans le passé. Le temps est pour lui réversible, franchissable.
L'espace-temps est anéanti par l'acte de l'esprit. Certes Balzac
a, comme Proust, connu l'extase de l'instant intemporel, mais,
loin de rechercher ce moment de félicité, il n'y voit qu'une
combustion instantanée et c'est pour lui un supplice véritable que de dissiper ainsi son énergie, de n'étreindre que la
fumée d'un monde. Le roman balzacien sera donc une projection vers l'avenir, une « prophétie de la destinée », une
« poésie de la prophétie ». Il y a deux durées balzaciennes :
d'une part, dans l'esprit du lecteur, le sentiment d'une continuité inflexible, et, d'autre part, dans l'esprit du personnage,
une sorte d'actualité trouble où le futur se confond avec le
passé.

.•.
•

Bien que Stendhal fût plus âgé que Balzac (31), leurs
œuvres sont presque contemporaines, et Proust semble avoir
connu *La Comédie Humaine* avant *La Chartreuse de Parme*
ou *Le Rouge et le Noir*. Toutefois, le roman stendhalien est
particulièrement proche de la *Recherche*, car « le héros oublie
à chaque instant ce qu'il était pour être ce qu'est son acte ».
(31) Ce n'est pas la seule ressemblance entre les deux œuvres.
Dans *Armance* déjà, la situation d'Octave a quelque chose
d'énigmatique et de trouble qui fait songer à Proust. Dans
Lamiel, Henri Beyle a même choisi pour protagoniste, pour
héroïne, une jeune femme à laquelle il prête ses propres sentiments. Le tempérament de Proust rappelle celui que Léon
Blum prête à Stendhal : « il est commandé par des visions
imaginées plutôt que par des contacts réels ». Pas plus que
Stendhal, Proust n'était capable d'un amour heureux. Cela

---

(30) En 1835, Stendhal avait cinquante-deux ans, Balzac trente-six.
Beyle avait prévu qu'on ne le comprendrait qu'en 1880. Hugo, Flaubert,
Sainte-Beuve, P. Loüys le trouvaient illisible...
(31) L. Blum, *Stendhal et le beylisme*.

tenait sans doute à sa singularité : la vie avait dû « heurter plus d'un fois sa chimère ». Jean Santeuil est peut-être plus proche du héros stendhalien que ne le sera le Narrateur de la *Recherche*. Proust n'avait que vingt-cinq ans lorsqu'il ébaucha son premier essai romanesque (32), tandis qu'il en avait quarante-et-un lorsqu'il écrivit *Swann*.

Henri Beyle est donc l'un des intercesseurs reconnus de l'auteur de *Swann*. Proust nous avoue que, depuis qu'il avait lu *La Chartreuse*, le nom de Parme lui « apparaissait lisse, compact et doux » ; il l'imaginait « seulement à l'aide de cette syllabe lourde du nom de Parme, où ne circule aucun air », et de tout ce qu'il lui avait fait « absorber de douceur stendhalienne et du reflet des violettes ». (33).

.* *.

Proust aurait pu, comme Stendhal, démontrer que « l'antidote de son *égotisme*, c'est « une parfaite sincérité » capable de faire « avancer la connaissance du cœur humain ». (34) Mais Proust connaît également « l'aparté cryptographique » de Stendhal, « amené par un égotisme à la fois indiscret et masqué » (35). Chez l'un et chez l'autre, c'est d'ailleurs, selon le mot de Jean Prévost, « la présence de l'auteur » qui assure l'unité de leurs romans. On sait que chacun des deux romanciers est venu au roman par la critique. Proust nous offre donc mieux qu'une « biographie imaginaire », fondée plus ou moins sur sa propre expérience. Il transfigure délibérément la réalité. Il écrit pour se libérer, pour faire entendre toutes les voix qui sont en lui. Comme il sait jouer de tous ces personnages masculins et féminins qui sont lui ! Quelques-uns d'entre eux peuvent apparaître comme des charges. Chez lui, le dérisoire est à la fois grinçant et grimaçant. Certaines scènes sont tissus d'obsessions et de cauchemars. Mais

---

(32) On a dit que Proust écrivit *Jean Santeuil* en marge de l'essai de Stendhal : *De L'Amour*.

(33) *Swann*, II, 246, Lucien Daudet dit que Proust, lorsqu'il le connut était plus stendhalien que Balzacien. Il existe à la Bibliothèque Nationale une *Chartreuse* annotée par Proust.

(34) G. Blin, *Stendhal et le problème du roman*.

(35) *Ibid.* Arbelet a pu dire de Stendhal : « Cet homme qui, pour ses contemporains, avance masqué »... Morel sera sournois comme Julien Sorel, c'est le plébéien en transfert de classe.

après tout, si burlesques qu'ils soient, le Brichot, le Saniette, le Cottard de Proust ne sont pas plus répugnants que le Pirard de Stendhal, dont la seule vue a fait s'évanouir Julien Sorel !

Chez Proust, non moins que chez Stendhal, il y a parfois, quoi qu'on dise, « parfaite identification de l'auteur, du personnage et du lecteur ». Les deux romanciers, qui ont su si bien jouir d'une « féconde paresse », semblent avoir tiré leur œuvre de leur désœuvrement même. (36) Ils ont mené parallèlement leur vie mondaine et leur entreprise profondément créatrice. Comme Stendhal, Proust nous propose souvent des hypothèses alternatives lorsqu'un comportement psychologique lui paraît difficilement explicable. De là viennent, dans le récit, les intrusions et les ingérences fréquentes de l'auteur qui nous permet de lire en marge d'un récit dont il ne serait pas le seul auteur. Stendhal avait un jour suggéré : « Le système d'Alfieri ne pourrait-il pas être perfectionné en attirant toute l'attention et tout l'intérêt sur un seul personnage qui serait presque toujours en scène ? » C'est ce que fera Proust dans sa *Recherche* où le Narrateur, qui n'est pas toujours lui-même, occupe une position centrale, celle d'un voyeur et d'un espion.

On sait que Proust s'est servi de la littérature romanesque comme d'un « exorcisme ». N'a-t-il pas ébranlé ce que nous croyions savoir de l'acte d'écrire ? A mi-chemin entre le style de Stendhal et celui de Flaubert — ou plutôt à distance égale de la sécheressse de l'un, du lyrisme de l'autre — le style de Proust a voulu rendre la pensée transparente par le langage même. Tous deux, Beyle et Proust, furent longtemps à la recherche de leur propre voix. Ils rêvèrent de théâtre, ils écrivirent des essais (souvent sous des pseudonymes) avant d'en venir au roman. Proust a connu, comme Stendhal, ce « réveil émotionnel », ce « tableau des révolutions d'un cœur ». Il n'a jamais voulu confondre avec un souvenir l'impression d'un récit, se mettant en garde contre les adultérations ou contaminations que la mémoire reçoit de témoignages extérieurs. Ses « instantanées » lui arrivaient « sans date comme sans physionomie », dans une pure discontinuité. Le romancier a donc réussi des « restitutions » rarement dépassées. Toujours semblable à Henri Beyle, « tandis

---

(36) **Tous deux ont redîmé par leur œuvre les échecs de leur vie.**

qu'une partie de lui-même agissait, l'autre regardait et criti-
quait » (37). Il aurait voulu connaître les ressorts de l'âme
« comme une montre ouverte ». Allait-il dans le monde pour
le simple plaisir d'observer « les faits dépouillés » ? Sa passion était de suivre « le jeu des sentiments humains jusqu'au
fond des âmes ». Comme Stendhal, Proust a voulu faire du
style « un miroir limpide », « un miroir de concentration »,
qu'il s'agisse d'un « miroir fixe » ou d'un « miroir promené
par les grands chemins ». Proust use comme Beyle du mot
« réfléchir ». Tel Molière et La Bruyère, il veut « faire reconnaître les gens de notre siècle ». Tous deux, Stendhal et
Proust, partent d'un être qu'ils ont connu, « mais en l'observant au conditionnel », sans « tomber pour cela dans l'odieux
du comique à clefs » (38). C'est du « vrai fictif » ou « imagi-
natif » ; or « ce mensonge ne peut être vrai que comme plus
vrai que le vrai » (39). Contrairement à ce qu'a dit Valéry,
le roman est, avec le théâtre, « l'espace littéraire qui en
appelle le plus à la nécessité ».

A la manière de Stendhal, Proust tient, par le recours à
des noms connus, à « cautionner en réalité sa fiction ». Et
cette référence à l'histoire et au vécu l'aide à « adhérer lui-
même à son récit », à raccorder plus intimement son imaginé
à ses souvenirs ». Proust également ne fait le portrait physique de ses créatures que lorsqu'il s'agit « de personnages
ennuyeux et secondaires » (40). Stendhal et Proust n'ont pas
hésité à imiter la familiarité d'un Diderot, d'un Fielding, d'un
Sterne, etc... Leurs romans ont une finalité organique à
défaut d'un finalité rationnelle. Proust laisse à son protagoniste le même degré « d'indétermination » qu'eussent fait
Stendhal et Dostoïevsky. On pourrait se demander si, dans
son évocation de Doncières, ville de garnison, Proust n'a pas
voulu rivaliser avec Stendhal décrivant, dans *Lucien Leuwen,*
le « Nancy-Grenoble » où son héros promène son ennui. Il
semble bien que ce soit d'abord de Stendhal que Proust ait
hérité sa « technique relativiste ». Dans son *Henri Brulard,*
Beyle parle déjà de la « taille microscopique » des événements qu'il est obligé de relater. Et Charles Du Bos pourra

---

(37) P. Hazard.
(38) Cf. Molière, *l'Impromptu de Versailles,* scène IV.
(39) Cité par G. Blin, *Stendhal et les problèmes du roman.*
(40) Cf. G. Blin, *Stendhal et les problèmes du roman.*

remarquer que chacun d'eux « rompt sur mille points toutes les digues qu'il aurait voulu s'imposer ».

Plus encore que Stendhal, Proust excelle à « filmer » les attitudes et les mouvements de ses personnages, mais c'est au ralenti qu'il tourne son film., Ajoutons (comme on l'a déjà dit à propos de Stendhal et du cinéma) (41) qu'il « utilise une mobilité illimitée de l'appareil enregistreur qui permet de modifier complétement l'angle de prise, mais oblige en contrepartie, à compter sur de corrélatives limitations de champ ». L'un et l'autre, Proust et Stendhal se sont interdit de « définir » et de « prévoir » le sort de leurs héros ; ils restent même sévères pour leur protagoniste. Dès ses débuts, Stendhal entendait par vérité et par beauté la même chose. N'est-ce pas également le cas de Marcel Proust ? Les deux romanciers se ressemblent encore par le fait qu'ils ne citent « le détail matériel » qu'au fur et à mesure des besoins du personnage et de la narration.

Proust a lui-même souligné chez Stendhal « un certain sentiment de l'altitude se liant à la vie spirituelle : le lieu élevé où Julien Sorel est prisonnier, la tour au haut de laquelle est enfermé Fabrice, le clocher où l'abbé Blanès s'occupe d'astrologie et d'où Fabrice jette un si beau coup d'œil... » Proust aura ses hauts-lieux comme Beyle : clocher de Saint-Hilaire à Combray, jardin de la Raspelière, et, dans *Jean Santeuil*, royaume du soleil au-dessus du Pré Catelan d'Illiers.

Stendhal estimait que, « réveillant l'esprit, le jugement, la méfiance froide et philosophique du lecteur », l'incidente du moraliste « empêche *net* l'émotion » ; or il tient que « l'émotion est le moyen de force du roman ». Proust n'a pas toujours suivi ce conseil, et nous nous en félicitons ; pourtant il demeure fidèle au principe : « Raconter cela en action, ne pas le décrire ». Seulement, il a su ne pas dépouiller son personnage de tout mystère : il ne le perce pas « de part en part » et ne le rend pas « translucide ». Molière disait déjà qu' « un auteur doit distinguer soigneusement l'idée qu'il s'est faite d'un personnage de celle qu'il en a inculquée dans la tête du spectateur » (42). A vrai dire, Stendhal n'a pas manqué, à l'occasion, de se mettre en scène lui-même : il n'est

---

(41) G. Blin, *Stendhal et les problèmes du roman*. On a remarqué déjà que tout roman de Stendhal ressemble à un film.
(42) Molière, *Mélanges Littéraires*, I, p. 248 et 266.

jamais absent. Pierre Sabatier note qu'il intervient entre
acteurs et public « un peu à la manière du chœur antique ».
Or Proust, héritier de *La Nouvelle Héloïse* et des *Liaisons
Dangereuses,* n'a pas reculé devant ces interventions ; bien
plus, il demeure dans la tradition de Thackeray, de George
Eliot, de Dickens qui continuent « les clins d'œil ironiques »
à l'adresse du lecteur. Proust n'a pas cessé d'être le régisseur
et l'impresario de ce qu'il appelle « son guignol philosophique ».

.·.

Que de fois Proust s'est assuré la « complicité » du « lecteur bénévole » considéré comme « auteur associé » ! S'il y
a dans *La Chartreuse* ou dans *Lamiel,* des parties entières
d'opéra-bouffe, que dire des scènes évoquées par Proust où,
chez les Verdurin, comme il le reconnaît lui-même, nous
retrouvons dans les propos de Brichot, de Saniette, de Cottard, voir même de « M. Tiche », quelque chose du « comique
abject » des pièces de Labiche ! On peut assurément dire de
Proust ce que Léautaud a dit de Stendhal : « Le ton est si
naturel qu'il semble parfois que ce soit une voix qu'on entend
plutôt que des mots qu'on lit » (43). P. Gilbert a noté que la
voix de Stendhal, dont la plume accompagne toutes les variations, provoque le lecteur à devenir « interlocuteur ». Il n'en
est pas autrement de Proust, et cela fait sans doute partie de
son humour ou de son ironie. Il nous fait entendre ses créatures, plus encore qu'il ne les regarde. Proust n'a pas craint,
comme Stendhal, le « demi-jour » d'un faux parler de diplomate, ni « les grâces pesantes » du style militaire. Son Norpois et son Saint-Loup n'en acquièrent que plus de vérité.
Il ne recule pas devant « la démagogie » que réclame la conversation. (45) Notre Proust « irrévérencieux » n'ignore ni
la malice, ni le piquant, ni le primesaut de la point.

---

(43) *Anthologie stendhalienne,* Mercure de France.
(44) *La revue des Idées et des Livres,* mars 1913 ; cité par Blin.,
(45) Cf. G. Blin, *Stendhal et les problèmes du roman,* p. 240.

CHAPITRE VIII

L'EVOLUTION DU ROMAN
DE FLAUBERT ET DOSTOIEVSKY
A PROUST

Je suis une fin ou un début.

F. KAFKA

*La vie et la mort, le réel et l'ima-
ginaire, le passé et le futur... cessent d'être perçus contradictoire-
ment.*

A. BRETON

Proust pouvait bien imiter les autres, se sachant inimitable, car il suivait le battement de son « métronome intérieur » et prolongeait durant l'éveil les rêves de ses sommeils.
Son œuvre est d'ailleurs semblable à ces plantes qui retien-
nent avec leur racine, « un peu de la terre natale, nourris-
sante et sanctifiée ». Son livre, de temps en temps, pousse
un rameau inattendu et nécessaire ; il est « gonflé de distance
en distance, comme un bel arbre, de ces nœuds où est l'image
végétale du seul ordre qui soit la croissance et la vie » (1).
Créant de la sorte « une réalité à la fois naturelle et humaine,
continue et discontinue, libre et architecturale », Proust sans
cesse vérifie si la phrase est « au même diapason que son
souvenir ». En même temps qu'il perçoit, il se rappelle. Le
sens et la composition de l'œuvre tout entière sont déclarés
et déduits l'un de l'autre ». Tel un organiste » il tire à volon-

---

(1) *Correspondance*, Proust et Rivière, p. 24.

té les registres par lesquels nous sommes transférés à des hauteurs différentes ». Si Balzac, Wagner, Michelet ont donné à leur œuvre une « unité rétrospective », Proust souligne que cette unité est d'autant plus belle qu'elle s'ignorait, qu'elle était « vitale, et non logique », qu'elle n'a pas « proscrit la variété, refroidi l'exécution ». Flaubert a cette unité de ton qui manque à Balzac. Chez lui, « l'intelligence cherche à se faire trépidation d'un bateau à vapeur, couleur des mousses, îlot dans une baie. On a devant soi le bateau qui file, rencontrant des trains de bois qui se mettraient à onduler sous le remous des vagues. Cette ondulation-là, c'est de l'intelligence qui s'est transformée, incorporée à la matière. Elle arrive aussi à pénétrer les bruyères, le hêtre, le silence et la lumière des sous-bois. Cette transformation de l'énergie, où le penseur a disparu et qui traîne devant nous les choses, ne serait-ce pas le premier effort de l'écrivain vers le style ? » (3) En outre, chez Flaubert, « l'éclairage du présent opère un redressement dans le plan incliné et tout en demi-teintes des imparfaits ». Dans le style de Flaubert, « toutes les parties de la réalité sont converties en une même substance, aux vastes surfaces, d'un miroitement monotone ». Thibaudet ayant dit que Flaubert n'était pas « un écrivain de race », Proust s'indigne de voir traiter de « peu doué pour écrire un homme qui par l'usage qu'il a fait du passé défini, du passé indéfini, du participe présent, de certains pronoms et de certaines prépositions a renouvelé presque autant notre vision des choses que Kant, avec ses catégories, les théories de la connaissance et de la réalité du monde extérieur. » Proust, sans aimer particulièrement Flaubert ou son style, parle du « grand *Trottoir Roulant* au défilement continu, monotone, morne, indéfini », « sans précédent dans la littérature ». Proust souligne également des anticipations de Flaubert, par exemple chez Montesquieu ; il montre que ce qui importe le plus à Faubert c'est « le rendu de la vision ». Ce qui était action devient vision. Il nous montre que l'emploi particulier de l'imparfait par Flaubert est tout nouveau dans la littérature et change entièrement l'aspect des choses et des êtres. Quand le parfait interrompt l'imparfait, c'est « comme lui

---

(2) Comme Flaubert, Proust incorpore dans le style du roman français un mouvement et « un certain élément épique ».
(3) Dans un article de *La Nouvelle Revue Française*, « A propos du style de Flaubert » ; en date du 1er Janvier 1920, (LXXVI).

quelque chose d'indéfini qui se prolonge ». Le présent de l'indicatif indique un redressement... La conjonction « Et » marque une pause dans une mesure rythmique. Il cite avec admiration les phrases ternaires. Les singularités gramaticales traduisent une vision nouvelle, dont Proust saura, l'heure venue, tirer parti. Baudelaire (qui se traitait lui-même d'hystérique) affirmait que l'acte créateur de Flaubert a consisté à « se dépouiller de son sexe, à se faire femme ». Baudelaire ajoutait, il est vrai, que Mme Bovary par ce qu'il y a en elle de plus énergique... et aussi de plus rêveur... est restée un homme et même l'homme idéal ».

Bien plus encore que les romanciers de 1900, Proust avait apprécié un Maupassant, chez lequel on trouve déjà des exemples de « sensations-souvenirs », ainsi qu'un Barbey d'Aurevilly, si proche de Chateaubriand, de Baudelaire et des auteurs anglais. Dans une lettre, Proust a parlé de « cette étrange et physiologique pudeur, de ces particularités si profondes mais si marquées, presque médicalement dans la chair de tous les personnages de Barbey d'Aurevilly ». Les « phrases-types » que Proust aimait à reconnaître dans la sonate, dans le septuor et dans les autres œuvres de Vinteuil, il les retrouve également chez Barbey d'Aurevilly : « ce serait, dit-il, une réalité cachée, révélée par une trace matérielle, la rougeur physiologique de l'Ensorcelée, d'Aimée de Spens, de la Clotte, la main du *Rideau Cramoisi*, les vieux usages, les vieilles coutumes, les vieux mots, les métiers anciens et singuliers derrière lesquels il y a le Passé, l'histoire orale faite par les pâtres du terroir, les nobles cités normandes parfumées d'Angleterre et jolies comme un village d'Ecosse, la cause de malédictions contre lesquelles on ne peut rien, la Vellini, le Berger, une même sensation d'anxiété dans un passage, que ce soit la femme cherchant son mari dans une *Vieille Maîtresse* ou le mari dans l'*Ensorcelée* parcourant la lande et l'Ensorcelée elle-même au sortir de la messe. « N'est-ce pas précisément à une héroïne de Barbey que nous fait penser « la Prisonnière » de Proust, si proche de la mystérieuse Alberte ou Albertine du *Rideau Cramoisi*, de cette jeune fille qui, chaque nuit, comme une somnambule, profanant le toit paternel, se livre à un jeune étranger, se donne à lui avec une passion « d'autant plus grande qu'elle passe devant le lit de sa mère endormie, avant d'aller, muette, rejoindre l'amant nocturne dans les bras duquel elle meurt. »

La méthode de Flaubert sera strictement opposée à celle de Balzac, puisqu'il part d'un *a priori* créateur et qu'il remonte les causes comme les marches d'un escalier. Quant à Hugo, si les résurrections effectives sont aussi profondes pour lui que pour Proust, elles ne l'entraînent nullement vers une recherche solitaire du temps perdu. Le temps n'est jamais perdu : il est au dehors, parmi les choses. Hugo ne discerne plus la part du souvenir et celle de l'imagination : jamais il n'a de souvenir, ni de souvenir pur.

*
* *

Cependant pour saisir ce qui sépare Proust de Balzac et de Stendhal, il faudrait chercher du côté des romanciers anglo-saxons. Il disait lui-même : « C'est curieux que dans les genres les plus différents, de George Eliot à Hardy, de Stevenson à Emerson, il n'y a pas de littérature qui ait sur moi un pouvoir égal à la l ittérature anglaise ou américaine.

« L'Allemagne, l'Italie, bien souvent la France me laissent indifférent. Mais deux pages du *Moulin sur la Floss* me font pleurer. Je sais que Ruskin exécrait ce roman-là, mais je réconcilie ces deux écrivains dans le Panthéon de mon admiration. » (4)

A la façon des romanciers anglais du XVIIIe siècle, Proust s'est pris pour sujet : il a cherché le reflet du monde au miroir de soi-même, mais il a voulu vivre d'autres existences que la sienne. Proust a suivi l'exemple lointain de Lawrence Sterne : déjà, dans *Tristram Shandy,* le temps de l'horloge et le temps éprouvé suivent, selon le mot de Mayoux, « des routes parallèles ». Comme Sterne, Proust s'insère en son histoire ; comme Sterne, il fuit la mort tant qu'il en a la force. Tous deux sont des « romanciers métaphysiques », autant que le seront Virgina Woolf, Joyce ou Beckett. L'auteur se place au centre d'une pluralité de microcosmes. Proust enferme dans sa structure la décomposition de l'ordre universel. A la limite du poème en prose et de la prose poétique, la *Recherche* est un roman d'instants intemporels lyriques, « dont l'essence est de n'être pas ponctuels ». On a pu dire que, malgré l'influence de *La Comédie Humaine* sur la *Recherche,* Proust a voulu annoncer que le roman qu'il écri-

_____

(4) Cité par Robert de Billy, *Marcel Proust, lettres et souvenirs.*

vait se détacherait de la « détermination » si typique des
œuvres de Balzac et de Flaubert. Il se cherche toujours un
peu, ne se trouve que pour s'égarer encore.

*
* *

De même qu'il avait rêvé de refaire *Les Mille et Une Nuits*
et les *Mémoires* de Saint-Simon, Proust depuis son enfance,
songeait à composer à sa façon, un autre *David Copperfield*.
C'est le lyrisme de la mémoire, qui donne aux choses abolies
« plus d'être qu'aux choses présentes ». (Alain). En fait,
les affinités entre les deux romanciers, le Français et l'Anglais, ont été maintes fois soulignées. Ils ont le même don de
la charge et de la caricature ; mais leur sens du ridicule n'ex-
clut nullement la pitié. Osbert Sitwell a justement insisté
sur ces affinités. Proust a mis en lumière les ridicules d'un
milieu comique et macabre. Il passe de l'ironie d'un Thackeray à l'humour absurde d'un Lewis Caroll. Chez Proust
comme chez Dickens, « une expérience continue remplace
la description» : il y a des personnages fantômes pleins de
consistance et la peinture de certains monstres a quelque
chose d'énorme et d'inhumain, avec leurs grimaces « terribles
et impénétrables ». (5)
Proust a pu retrouver, compléter, affiner le modèle que
lui offrait l'immense fresque de Balzac en empruntant à
L'Egoïste de Meredith, au *Livre des Snobs* de Thackeray,
à *La Bien-Aimée* de Hardy, aux *Ambassadeurs* de James,
tels traits subtils, telles nuances d'ironie, de même qu'il
s'était mis à l'école de Tolstoï pour la finesse de ses « dis-
quisitions psychologiques », de Dostoïevsky pour l'expression
de l'imprévu et des brusques mutations des caractères. Mais,
en passant par le filtre de Proust, tous les écrivains ont été
transfigurés. Certes, comme on l'a dit, « leurs personnages
fictifs se changent en personnages réels, lesquels ont hoirs
et lignée » ; (6) mais si « leurs œuvres sont les mines et les
entrailles de l'esprit humain », le génie de Proust a su rendre
leurs archétypes ambivalents ; et malgré la forme extensive,

_____

(5) Le roman de Proust est à Paris ce que ceux de Dickens sont
à Londres : l'éternité d'une ville apparaît.
(6) Chateaubriand.

la longue structure de son récit, nous ressentons combien son amalgame est toujours cohérent, jusque dans le tournoiement des idées. Sans cesse sa philosophie devient « peinture ou poésie ».

.•.

Bien plus frappante encore est la parenté de Proust avec l'Ecossais Robert-Louis Stevenson, dont les récits de voyage sur *Les Rivières de France* faisaient l'enchantement du rêveur de Combray ; mais c'était surtout la double personnalité du Dr Jekyl et de M. Hyde qui avait frappé le créateur de Charlus et des Verdurin, dont la dualité de caractère est l'un des traits marquant de la *Recherche*. Se sachant lui-même « un composé de deux natures », Proust plaçait un Stevenson, un George Eliot, un Thomas Hardy auprès de Dostoïevsky, dont les personnages sont des êtres imprévisibles, incarnant « quatre ou cinq races d'hommes, sorties d'une seule souche. »

Proust notait, en parlant des paysages d'Ecosse : « Turner — et après lui Stenvenson — n'ont fait que nous faire apparaître particulier et désirable en soi tel lieu choisi tout aussi bien que n'importe quel autre où leur cerveau a su mettre sa beauté désirable et sa particularité. » N'avait-il pas, en outre, une disposition particulière « à chercher des analogies entre les êtres vivants et les portraits des musées » ?

Proust fut toujours très conscient des affinités qui l'unissaient à Henry James. Il peut donc être instructif de marquer en quoi ces deux créations demeurent apparentées et en quoi elles s'opposent ou diffèrent, car, à travers bien des *doutes* et des passions, elles sont toutes deux issues d'une même « folie de l'art ». Si l'on compare les *carnets* de Proust à ceux de James, on voit que tous deux se sont efforcés de concevoir un ensemble uni, rigoureusement ordonné selon une loi, d'autant plus importante qu'elle reste cachée, comme le centre secret de tout ». Et tous deux se sont attachés à montrer la répercussion du « sujet », du « thème » ou du « motif » sur une sensibilité. C'est aussi pourquoi tous deux étaient soucieux d'assurer la structure de l'œuvre par des articulations, des transitions ou des boucles d'une grande hardiesse...

.•.

C'est en 1903 — dix ans avant *Swann* — que Henry James avait, dans ses *Ambassadeurs,* retrouvé le « sens du passé ». Venu de ces Etats-Unis d'Amérique où Proust devait être si bien compris, James avait eu son « illumination » dans un jardin du vieux Paris. Il était le frère de ce William James dont la philosophie était proche parente de celle de Bergson — le maître auquel, bon gré, mal gré, le jeune Proust avait dû ses premières initiations. Mais chez un génie authentique, jamais les réminisences livresques n'ont exclu l'originalité de l'inspiration. Les « tuteurs » anglo-saxons de Proust n'ont été somme toute que les « ambassadeurs » de cette île « proche et mystérieuse », qu'il aimait sans la connaître, parce que l'esprit d'enfance y survit. C'est qu'il a trouvé chez la plupart de ces écrivains « des réminiscences anticipées »... Si bien que la lecture de la *Recherche* semble venir éclairer rétroactivement leurs œuvres, leur prêter des lueurs nouvelles que nous n'apercevrions peut-être pas si certaines pages de Proust n'avaient été écrites, illuminant « les jardins paisibles de la mémoire. »

Le parallèle entre Proust et James a souvent été tenté. Auraient-ils eu les mêmes inclinations particulières ? « Henry James, note Jacques-Emile Blanche, n'eut aucune liaison — qu'on sache — avec des femmes. Il y a même là un point obscur qu'il serait capital d'éclairer pour l'étude de son talent », disons plutôt de son tempérament. Serait-il un mystérieux androgyne ? Mayoux voit en James et en Proust des « mystiques mondains », des « voyeurs », créant des personnages en qui certaines complexités surprennent, pour qui l'écrivain est un mage retranché de la vie vécue, mais évoluant l'un et l'autre, avec un sérieux croissant, vers une sorte de vie contemplative. On a dit que ce qui intéresse surtout James, c'est « une situation vue dans une conscience ». Et l'on n'a pas manqué d'ajouter : « La difficulté est que le Narrateur doit être pleinement, richement, ironiquement conscient. » Mayoux compare certains aspects des romans de James à la *Recherche du Temps Perdu,* « où Marcel agit en tant que voyeur, par exemple quand il découvre les ébats de la fille de Vinteuil ; le fait qu'il n'y a pas perception réciproque crée peut-être cette espèce d'arrêt, de suspens... » « Le choc, l'angoisse cessent si la perception devient réciproque ; mais il faut qu'elle soit possible pour que l'angoisse soit possible ». Comme James en anglais, Proust a mis fin à la phrase linéaire pour la remplacer par une période hiérarchisée où

« les qualifications et les perspectives forment une structure
d'ensemble, et, tandis que les indications s'enchaînent l'une
à l'autre, se dégage non pas un processus de pensée linéaire
mais la forme d'une compréhension simultanée et globale. »
(Frye).

Ayant reçu la leçon de Flaubert, de Maupassant, de Tourgueniev, Henry James, plus âgé que Proust de trente ans,
pensait que « la vie d'un artiste, c'est son œuvre : voilà où
il faut la chercher. » James concevait le roman comme le
récit d'un narrateur. décrit au début comme un simple observateur, mais qui s'engage de plus en plus dans l'action. Pourtant, James s'oppose sur un point à Proust, car il refuse à
celui qui raconte cette liberté d'action que Proust lui octroie.
Il est vrai que, dans les contes ou nouvelles de James, on
trouve la même forme que chez Proust. Dans sa préface des
Ambassadeurs, James disait : « Si j'avais fait de lui à la fois
le héros et l'historien, le dotant du privilège romantique de
la première personne, la variété et beaucoup d'autres choses
étranges auraient pu y être introduites par l'arrière-porte.
Il suffit de dire, pour être bref, que la première personne,
dans un long récit, est condamnée à l'éparpillement. » Proust
devait cependant prouver le contraire. Selon Franz Gunther,
le personnage principal de James est conçu comme un
« réflecteur ». Le « germe » du roman est comme un os
enterré que « soupçonnerait un chien. » Le récit s'appuie
sur la quête d'un secret essentiel, autour duquel on tourne.
Un tel art est, pour Blanchot, le chiffre de l'indéchiffrable.
Comme « Alice au Pays des Merveilles », Proust et James
ont traversé le miroir.

James disait lui-même : « L'art crée la vie, crée l'intérêt,
crée l'importance... Il n'existe aucun substitut à la puissance
et à la beauté des processus de la création. » Les préfaces de
James sont à ses romans ce que *Le Temps Retrouvé* est à
la *Recherche du Temps Perdu*. Parmi tant de malentendus
humains, tous deux, Proust et James, ont lutté pour la « communication. » Frère d'un philosophe pragmatiste, fils de puri-
tains, Henry James se sentit attiré par l'Europe, et particulièrement par la France. Il devait souvent visiter Paris et mourir
à Londres. Il s'est découvert en explorant l'Ancien Monde,
qu'il oppose au Nouveau. Les diversités entre peuples et races
demeureraient pour lui un sujet d'intérêt passionné. Atta-
chant à son art une constante méditation, il y introduit la
notion de relativité. Il a étudié la plupart des romanciers

français du XIX° siècle : Balzac, Mérimée, Sand et Flaubert
ainsi que le russe Tourgueniev qu'il connut à Paris et qu'il
oppose à l'Américain Hawthorne. James semble avoir voulu
se délivrer de son pays et de son temps.

.*.

Peut-être chez Proust, comme chez James, « tant d'ordre
n'est là que pour masquer les manques, les soifs, les gouffres
d'un désordre intime. » (7) Dans « le couple parental » du
Français comme dans celui de l'Américain, « le rapport des
forces était inversé, la femme dominant le visionnaire obsédé par ses idées. » Les deux romanciers ont voulu « organiser
la coexistence des vies multiples de l'artiste protéïforme ».
On a pu les comparer l'un et l'autre à « l'araignée postée au
centre de sa toile. » De la *Recherche* on a pu dire que c'est
un « jeu dans lequel nous entrons ». L'œuvre est écrite sur
plusieurs portées. Le vrai sujet n'est pas le sujet conscient
et voulu, mais les thèmes inconscients, les archétypes involontaires où les mots prennent leur sens et leur vie. « Analys-
te visionnaire », Proust est attentif aux ressources, aux sono-
rités encore insolites de sa propre voix : il répond à l'appel
de ses plus intimes démons. Dans sa voix, comme dans celle
de la Berma, ne subsiste « pas un seul déchet de matière
inerte et réfractaire à l'esprit. » Chez Proust, on ne trouve
point, comme chez Balzac, des éléments non transformés à
l'état brut : tout est fondu. Comme Rousseau, Proust pensait
avoir « deux âmes : l'une sagement folle, l'autre follement
sage. » « Le contraste en lui de passions opposées le ferait
tomber en syncope. »

.*.

Parallélisme, jeu des symétries, des contrapostes et des
alternances, répétitions et cadences syncopées, sont les
rythmes habituels chez Proust et chez Thomas Hardy. Le procédé ou plutôt le « mode de vision » qu'ils avaient l'un et

---

(7) Diane Fernandez, « Henry James et la Symétrie », *Les Lettres
Nouvelles*, juin-juillet 1969.
Chez tous deux, Proust et James, le thème du voyeur est constant.

phète, mais il reconnaissait que le poète gaspille en jouissance le don qui lui a été octroyé. On trouve chez Proust, de même que chez Gœthe, une simultanéité allégorique ou symbolique. C'est surtout en lui-même que Proust, comme Gœthe, a cherché ses modèles. Tous deux ont voulu nous dépeindre leurs années d'apprentissage. Vis-à-vis du monde animal et végétal, de la flore naturaliste observée, l'attitude de Proust ressemble étrangement à celle de Gœthe : ils ont capté des forces vagabondes qui venaient du royaume des « Mères »... Ces « agnostiques » ont en commun je ne sais quelle gnose qui les rattache aux néo-pythagoriciens. On trouve en eux le même côté pédagogue et le même côté botanniste.

« Il semble, selon Proust, qu'il y ait une mémoire involontaire des membres, pôle et stérile imitation de l'autre, qui vive plus longtemps comme certains animaux ou végétaux inintelligents vivent plus longtemps que l'homme. » Proust voulait comme Gœthe que le souvenir fût lui-même créateur, et qu'on n'évoquât le passé « que pour réclamer et augmenter la vie. »

***

Les affinités entre Proust et Novalis sont encore plus frappantes. Novalis avait voulu nous dépeindre « la vie intérieure d'une âme contemplative » dans ce fond obscur et peu exploré : « les rêves, les pressentiments, les réminiscences » ; il croyait que « les révélations qui surgissent de cette partie nocturne du « moi » ont plus d'importance que les schémas de la pensée logique. » (10) Il comptait consacrer sa vie entière à un unique roman, qui devait être la somme de sa pensée. Son héros sera un poète d'une nature passive, qui rève du paradis perdu et de sa patrie lointaine, ayant en lui la nostalgie de l'Orient. Il sait que « la fonction fabulatrice qui se manifeste dans le rêve » est « un retour aux sources cachées ». Il pense que le poète est le vrai savant. Il annonce par là Rimbaud non moins que Proust. Il s'est servi comme Proust de l'image du jet d'eau pour symboliser l'œuvre d'art, le monde symbolique et musical.

***

_____

(10) Préface à _Henri d'Ofterdingen_, de Novalis, par M. Camus.

Proust trouve chez Dostoïevsky « des puits extrêmement profonds, mais sur quelques points isolés de l'âme humaine. » Chez Proust, tout autant que °chez l'auteur de *L'Idiot*, l'amour et la haine, la bonté et la traîtrise, la timidité et l'insolence ne sont que « deux états d'une même nature. » C'est pourquoi les actions de ses personnages nous apparaissent « aussi trompeuses que les effets d'Elstir où la mer a l'air d'être le ciel ». Proust note que les artistes malades ou nerveux, comme Dostoïevsky, « parviennent à créer en moins de trente ans », ce que les autres, « les artistes réfléchis, harmonieux, éclairés », ne pourraient jamais produire au cours de leurs calmes et patientes existences. »

Le Narrateur, dans la *Recherche*, explique à Albertine : « ...Cette beauté nouvelle, elle reste identique dans toutes les œuvres de Dostoïevsky ; la femme de Dostoïevsky, (aussi particulière qu'une femme de Rembrandt) avec son visage mystérieux, dont la beauté avenante se change brusquement, comme si elle avait joué une comédie de la bonté, en une insolence terrible (bien qu'il semble qu'elle soit plutôt bonne) n'est-ce pas toujours la même ...? »

Ce que chaque artiste de génie nous apporte dans son œuvre, ce sont les fragments d'un même monde qui n'est qu'à lui. « Hé bien, cette beauté nouvelle, elle reste identique dans toutes les œuvres de Dostoïesvky... que ce soit Nastasia Philipovna écrivant des lettres d'amour à Aglaé et lui avouant qu'elle la hait, ou dans une visite entièrement identique à celle-là, — à celle aussi où Nastasia Philipovna insulte les parents de Vania-Grouchenka, aussi gentille chez Katherina Ivanovna que celle-ci l'avait crue terrible, puis brusquement dévoilant sa méchanceté en insultant Katherina Ivanovna (et bien que Grouchenka fût au fond bonne), Grouchenka, Nastasia, figures aussi originales, aussi mystérieuses non pas seulement que les courtisanes de Carpaccio mais que la Bethsabée de Rembrandt... Il y a certaine création d'une certaine âme, d'une certaine couleur des étoffes et des lieux, il n'y a pas seulement création d'êtres, mais de demeures chez Dostoïevsky... Cette beauté nouvelle et terrible d'une maison cette beauté nouvelle et mixte d'un visage de femme voilà ce que Dostoïevsky a apporté d'unique au monde. » (11)

*
* *

---

(11) *Pléiade*, III, 378-381.

Proust souligne chez Dostoïevsky et Tolstoï l'usage inconscient (et donc d'autant plus révélateur) de la double scène ou de la double face d'un personnage. Des thèmes ou des situations reparaissent d'un roman à l'autre. Sans doute y a-t-il chez Dostoïevsky, encore concentré et grognon, beaucoup de ce qui s'épanouira chez Tolstoï. » Proust aurait pu dire avec Dostoïevsky : « Plus claire était ma conscience du bien et du mal et de toutes choses belles et sublimes, plus profondément je m'enfonçais dans ma boue... Tant qu'enfin je ressentais une sorte de faiblesse honteuse, maudite où je goûtais une volupté très réelle. Oui, une volupté, j'insiste là-dessus. » C'est que pour le romancier français, tout comme pour le russe, l'homme est un mystère », et même, selon le mot de Pascal, « un monstre incompréhensible ». L'auteur des *Possédés* voulut consacrer sa vie à « dévoiler » l'homme, car il avait découvert en lui-même des désirs aberrants, des impulsions qui échappent au contrôle de sa conscience et de sa volonté. Il lui fallut donc descendre jusque dans les profondeurs de cet « homme souterrain », et par les « puissances divinatrices de l'attention », éclairer ce « lieu obscur de l'esprit divisé ». Semblable à Mlle Vinteuil, Proust se sentait à la fois vertueux et sadique, « le plaisir » (dont il ne se privait pas) lui paraissait « quelque chose de mauvais, le privilège des méchants ». Proust nous dit de Dostoïevsky que « comme tout le monde, il a connu le péché, sous une forme ou sous une autre, et probablement sous une forme que les lois interdisent. » Il ajoute : « Il est possible que les romanciers soient tentés par certaines formes de vie qu'ils n'ont pas personnellement éprouvées. » Pour l'auteur des *Possédés,* « l'amour et la haine la plus éperdue... ne sont que deux états d'une même nature. » Proust savait que tout artiste, tout poète, tout romancier est « semblable à cet Oreste que les Furies avaient poursuivi. »

*
**

Proust trouve que chez Tolstoï « tout est naturellement plus grand que chez Balzac ». Il souligne que cette œuvre « n'est pas d'observation, mais de construction intellectuelle. Chaque trait, dit d'observation, est simplement le revêtement, la preuve, l'exemple d'une loi dégagée par le romancier, loi

rationnelle ou irrationnelle. Et l'impression de vie vient précisément de ce que ce n'est pas observé, mais que chaque
geste, chaque parole, chaque action n'étant que la signification d'une loi, on se sent mouvoir au milieu d'une multitude
de lois. » (Tout cela pourrait s'appliquer à la *Recherche* de
Proust). Plus que les froides allégories, ce que Proust réclame
dans l'art, ce sont des « vivants symboles » pour lesquels
l'éternel et l'universel se réalisent dans les individus, comme
le sont les héros de Tolstoï dans *Guerre et Paix*, sans doute
le plus grand des romans. Et « c'est quand les types humains
sont le plus eux-mêmes qu'ils réalisent le plus largement
l'âme universelle. »

S'il n'y a pas d'actions extérieures dans la *Recherche*,
c'est parce que Proust a négligé de nous narrer événements
et circonstances, auxquels il fait allusion de loin, puisque
c'est au dedans de nous que se passe le drame véritable :
jalousie, arrivisme, perversion, hypocrisie ou déchéance de
la vieillesse... Proust pensait que l'art, à l'opposé du jeu de
dilettante qu'il demeure pour beaucoup, se propose de retrouver, de ressaisir, de nous faire connaître cette réalité loin de
laquelle nous vivons, de laquelle nous nous écartons de plus
en plus, au fur et à mesure que prend plus d'épaisseur et
d'imperméabilité la connaissance conventionnelle que nous
lui substituons, — cette réalité... qui est tout simplement
notre vie, la vraie vie enfin découverte et éclaircie, la seule
vie par conséquent réellement vécue, cette vie qui, en un
sens, habite à chaque instant chez tous les hommes aussi bien
que chez l'artiste. »

*
* *

Charlus n'a pas tué Morel ; Swann n'a pas tué Forcheville;
Oriane trompée n'a pas divorcé ; le mélodrame possible n'a
pas eu lieu. Proust n'a pas écrit le roman d'aventure de l'uranisme. La vérité esthétique que poursuit Proust ne commence
qu'au moment où l'écrivain prend deux objets différents, pose
leur rapport, analogue dans le monde de l'art à celui qui est
le rapport unique de la loi causale dans le monde de la science, et les enferme dans les anneaux nécessaires d'un beau
style ». Il oppose donc à la dialectique du rhéteur, à la sèche
énumération du naturaliste, à la stérile érudition de ces
« célibataires de l'art » que sont les dilettantes, les amateurs
de musique ou d'archéologie, l'effort fécond du créateur qui

cherche à dégager l'impression profonde à demi engainée dans l'objet, à déceler ce petit sillon que creuse en nous une phrase musicale ou la vue d'une église. Proust a découvert qu'il n'est point d'aventure véritable hormis celle qui se déroule au dedans de nous : c'est à cette poursuite de l'âme fuyante et retrouvée qu'ils s'est voué.

**

La manière romanesque de Proust « se compose elle-même de manières successives, dont la dernière est une innovation par rapport à celle qui l'a précédée »... La *Recherche* est au roman mondain de Bourget, d'Abel Hermant, ce que *Don Quichotte* est aux grands romans de chevalerie que Cervantès dénonce à sa façon, après les avoir trop aimés sans doute... Proust, d'ailleurs, ne cessera de renoncer, de renier ses maîtres d'autrefois. Sa sagesse commence où la leur finit.

Quels qu'aient été ses liens personnels avec Anatole France — qui avait préfacé *Les Plaisirs et les Jours* — Proust ne tarda pas à découvrir tout ce qui le séparait du trop subtil auteur de *M. Bergeret à Paris*. Il se détacha de même d'un Pierre Loti, dont l'exotisme lyrique l'avait touché, d'un Barrès dont il avait aimé *Le Jardin de Bérénice*, enfin et surtout d'un Bourget avec lequel il ne se sentait plus rien de commun et qui, d'ailleurs, lui témoignait une animosité réciproque. En revanche, il découvrait avec ravissement le groupe de la *Nouvelle Revue Française*, tout particulièrement Francis Jammes et Claudel, ainsi que Jacques Rivière.

**

On a suggéré que la mémoire implique attente, imagination, anticipation. Parmi les variétés hybrides du roman, la *Recherche* est un poème de « reconnaissances » qui nous dépeint les chutes et les réveils de l'âme humaine ou ce que Chateaubriand appelait les *ascensions du cœur*. Dans cet « univers de la répétition », on trouve maintes fois une projection du passé dans l'avenir. Ce que Proust enfant a compris quand, à Combray, ses « journées de lecture » suscitaient en lui tant d'émotions profondes, c'était son désir de s'approprier les sentiments des personnages du livre qu'il lisait — bien que Françoise lui déclarât que ces personnages n'étaient

pas « réels ». Il a noté : « Il n'est pas certain que pour créer
une œuvre littéraire, l'imagination et la sensibilité ne soient
pas des qualités interchangeables et que la seconde ne puisse
sans grand inconvénient être substituée à la première »...

« Un homme né sensible et qui n'aurait pas d'imagination
pourrait malgré cela écrire des romans admirables ». Proust
savait que les personnages « réels » nous demeurent « opa-
ques ». Les événements qui surviennent dans un livre sont
souvent plus dramatiques que ne l'est toute une vie. Tous les
sentiments que nous font éprouver la joie ou l'infortune d'un
personnage réel ne se produisent en nous que par l'intermédiaire d'une image de cette joie ou de cette infortune ; l'ingé-
niosité du premier romancier consista à comprendre que
sans l'appareil de nos émotions, l'image étant le seul élément
essentiel, la simplification qui consisterait à supprimer purement et simplement les personnages réels serait un perfec-
tionnement décisif. « La trouvaille du romancier a été d'avoir
l'idée de remplacer ces parties impénétrables à l'âme par une
quantité égale de parties immatérielles, c'est-à-dire que notre
âme peut s'assimiler. Qu'importe dès lors que les actions, les
émotions de ces êtres d'un nouveau genre nous apparaissent
comme vraies, puisque nous les avons faites nôtres, puisque
c'est en nous qu'elles se produisent ?... Et une fois que le
romancier nous a mis dans cet état, où comme dans tous les
états purement intérieurs toute émotion est décuplée, où
son livre va nous troubler à la façon d'un rêve mais d'un
rêve plus clair que ceux que nous avons en dormant et dont
le souvenir durera davantage, alors, voici qu'il déchaîne en
nous pendant une heure tous les bonheurs et tous les malheurs possibles dont nous mettrions dans la vie des années
à connaître quelques-uns, et dont les plus intenses ne nous
seraient jamais révélés parce que la lenteur avec laquelle ils
se produisent nous en ôte la perception ; ainsi notre cœur
change, dans la vie, et c'est la pire douleur, mais nous ne la
connaissons que dans la lecture, en imagination : dans la
réalité il change, comme certains phénomènes de la nature
se produisent, assez lentement pour que, si nous pouvons
constater successivement chacun de ses états différents, en
revanche, la sensation même du changement nous soit épar-
gnée. » (12)

---

(12) I.,: 84, 86.

Cette métamorphose est bien la plus étonnante : voici la transfiguration du réel en imaginaire, de l'objectif en subjectif. C'est sur la sensiblité seule que Proust va construire son édifice immense. Il interprète les sensations comme les signes d'autant de lois et d'idées et convertit ses sensations en leurs équivalents spirituels. *Le Temps Retrouvé* marquera la fin de la « recherche » de Proust, le commencement de sa *Vraie Vie*.

*
**

A la façon de Claudel, Proust a su réunir, faire rimer « ces choses qui gémissent d'être séparées ». Proust est toujours cet enfant qui, par le jeu, transforme ses angoisses en plaisirs. Comme tant d'autres génies — Michel Ange, Beethoven — on sent que Proust a frôlé le déséquilibre, mais qu'il est parvenu, brusquement, à y échapper en vertu de la force de son élan, de sa vitalité qui l'emporte sur sa mélancolie. Plus heureux que Sainte-Beuve, « douloureux et ténébreux, à la recherche d'une impossible unité », Proust a trouvé son véritable moi personnel, son identité. Il sait qu'il est, comme toute créature, « à jamais irremplaçable par nature ».

En outre, la « loi de contemporanéité », affirmée par Gallois, demeure manifeste en son œuvre. Notons d'abord une conjonction significative dans l'histoire des lettres : tout comme ses contemporains Joyce et Musil — dont il ignorait les écrits — Proust éprouva le désir de composer « une Somme romanesque qui ne fût pas un roman, qui ne fût pas un récit. » (13) Mais Proust diffère de Musil, par exemple — on n'a pas manqué de le souligner — car, chez lui, « les diverses approches d'un personnage n'ont pour but que de le rendre de plus en plus insaisissable à travers les images successives que peut s'en faire le narrateur » : il reste un mystère des êtres... Chez Proust, comme chez Musil, on trouve une sorte de mystique platonicienne qui est, non pas une religion, mais « un effort d'unité intérieure de l'homme sans rapports avec Dieu : besoin de se réconcilier avec soi à travers un langage personnel... émotionnel chez Proust ». (14)

---

(13) Cf. Albérès.
(14) Cf. R. Kanters.

Dans le monde actuel, qui est indéchiffrable, il ne s'agit plus de commenter ni surtout d'*expliquer* un univers romanesque créé à cet effet, mais de le livrer à l'état brut...

Proust, comme Musil, commentera ses personnages plus encore qu'il ne les fera vivre et son ouvrage romanesque deviendra une sorte d'épopée ou de mythe. Nous y voyons vivre un artiste aux prises avec son art et avec les exigences de son angoisse. Son livre sera le produit d'un moi plus profond que celui qu'il a manifesté dans sa vie et dans ses vices. Et pourtant, entre l'homme et l'œuvre, il y a osmose.

Une autre « rencontre » est bien plus significative encore : Genette a souligné combien, dans la course elliptique que décrit la pensée de Walter Benjamin (ne pouvant jamais se réduire à un parcours linéaire) on peut mesurer « la parenté profonde, la ressemblance immatérielle avec Proust » ; « à une époque où tout est écrasé sous le poids du présent, note également S. Weber, où le temps est rayé du monde des phénomènes, une nostalgie réunit Proust et Benjamin. Tous deux ont soif du passé, mais surtout du temps, du temps perdu. »

« L'écriture proustienne se fait ainsi, entre ses intentions conscientes et son accomplissement réel, la proie d'un singulier renversement : partie pour dégager des essences, elle en vient à constituer ou restituer des mirages ; destinée à rejoindre, par la profondeur substantielle du texte, la substance profonde des choses, elle aboutit à un effet de surimpression fantasmagorique où les profondeurs s'annulent l'une par l'autre, où les substances s'entredévorent. Elle dépasse bien le niveau « superficiel » de la description des apparences, mais non pas pour atteindre celui d'un réalisme supérieur (le réalisme des essences) puisqu'elle découvre au contraire un plan de réel où celui-ci, à force de plénitude, s'anéantit de lui-même » (15). Proust nous a fait comprendre que « la vraie vie », enfin découverte et éclaircie, c'est la littérature,... cette vie qui, en un sens, habite à chaque instant chez tous les hommes aussi bien que chez l'artiste ». (16)

*
**

----

(15) G. Genette, *Figures*, Paris 1966, p. 52, cité par Samuel Weber, « Lecture de Benjamin », Cf. *Critique*, août-septembre 1968.

(16) III, 895.

Proust écrivait : « J'ai travaillé, vous le savez peut-être, depuis que je suis malade, à un long ouvrage que j'appelle roman, parce qu'il n'a pas la contingence des mémoires, (il n'y a dedans de contingent que ce qui doit représenter la part du contingent dans la vie) et qu'il est d'une composition très sévère quoique peu saisissable parce que complexe ; je suis incapable d'en dire le genre. » Pourtant la *Recherche* est pour nous un roman tout autant que le *Robinson Crusoë* de Daniel Defoë ou le *Tristram Shandy* de Lawrence Sterne. Proust aurait pu se comparer à « ces poètes primitifs qui, dans une épopée ou un drame, font tenir tous les genres : épopée, poésie lyrique, théodicée, histoire »... (17)

Répondant aux critiques d'un éditeur, il précisait : « J'ai en effet essayé d'envelopper mon premier chapitre (...) dans des impressions de demi-réveil dont la signification ne sera complète que plus tard, mais que j'ai en effet poussées aussi loin que ma pénétration, hélas ! médiocre, l'a pu. Il est bien entendu que le but dans ce cas est de dire, non pas qu'on se retourne dans son lit, ce qui, en effet, demande moins de pages, mais que ce n'est que le moyen de cette analyse. » Ayant réussi à intégrer au roman toutes les conquêtes de l'impressionisme, du symbolisme poétique et du bergsonisme, Proust a créé l'œuvre où son siècle s'est reconnu. « Comme un aviateur qui a jusque-là péniblement roulé à terre, décollant brusquement », il s'est élevé « lentement vers les hauteurs silencieuses du souvenir ». Fantasque, inattendu, parfois burlesque, Proust a soumis son œuvre aux lois de la composition. Il a réuni dans un complet accord des éléments opposés. Il a lancé le roman français sur une voie nouvelle sans pouvoir s'arrêter en sa course avant d'avoir exploré toutes les possibilités de sa trouvaille et d'avoir complètement métamorphosé ce genre littéraire.

---

(17) Fragment inédit des *Cahiers* publié par M. Bardèche, *M. Proust* romancier, p. 387. Avec Proust nous assistons à la dissolution des genres.

CHAPITRE IX

PROUST ET LES SONGES

LES SOMMEILS D'EURYDICE ET LES REVES D'ORPHEE

> *Il faut vouloir rêver et savoir rêver.*
>
> BAUDELAIRE

> *...Ces mystères que nous croyons ne pas connaître et auxquels nous sommes initiés presque toutes les nuits...*
>
> M. PROUST

> *C'est l'angoisse qui cause le soupçon et la perte d'Eurydice, puis sa poursuite éperdue à travers les enfers de la jalousie.*
>
> M. PROUST

Pendant longtemps, la vie des songes fut si riche pour Proust qu'il craignait d'affronter l'existence. Plus tard, Novalis lui fit peut-être pressentir que « le propre du génie est de rêver et de ne pas rêver ». « Il semble, disait Proust, que le rêve soit fait pourtant avec la matière la plus grossière de la vie, mais cette matière y est « traitée », malaxée de telle sorte — avec un étirement dû à ce qu'aucune des limites horaires de l'état de veille ne l'empêche de s'effiler à des hauteurs inouïes, — qu'on ne l'y reconnaît pas » ... Proust parle

---

(1) Quand nous parlons des songes de Proust il s'agit des rêves de l'endormi, non des rêveries de l'homme éveillé.

de « la limpide folie qui précède ces sommeils plus lourds » ;
il écrit : « Si les fragments de sagesse flottent lumineuse-
ment, si les noms de Taine, de George Eliot n'y sont pas igno-
rés, il n'en reste pas moins au monde de la veille cette supé-
riorité d'être, chaque matin, possible à continuer, et non
chaque soir le rêve. Mais il est peut-être d'autres mondes
plus réels que le rêve ».

Proust nous révèle que, lorsqu'il s'endormait, il tombait
dans « ce sommeil lourd où se dévoilent pour nous le retour
à la jeunesse, la reprise des années passées, les sentiments
perdus, l'évocation des morts, la transmigration des âmes,
les illusions de la folie, la régression vers les règnes les plus
élémentaires de la nature. » Si Rilke et Supervielle ont tant
aimé Proust, c'est qu'ils voyaient en lui leur frère par le
rêve. N'avait-il pas « mis le pied sur le cœur de la nuit » ?

Dans ses rêves, nous dit Proust, il lui semblait qu'il était
lui-même ce dont parlait l'ouvrage qu'il avait lu : « une église, un quatuor, la rivalité entre Charles-Quint et François 1er ». Dépossédé de lui-même dans sa « galerie des miroirs », Proust jette l'ancre dans l'eau la plus profonde, il
dépasse le phantasme, il abolit le réel, il parle la langue de
l'autre : son écriture est déjà plurielle ; il n'observe pas :
il invente. C'est, selon le mot de Dante, « la pensée en songe
transmuée. » Il retrouve l'inconséquence et l'ambivalence, qui
sont « l'une des rares constantes de l'esprit humain,.: » Nul
n'a su comme Proust passer les portes de corne et celles
d'ivoire : nul, si ce n'est son maître Baudelaire qui disait :
« Quel est donc ce je ne sais quoi de mystérieux que Delacroix a mieux traduit que tout autre ? C'est l'invisible, l'impalpable, c'est le rêve. » En entendant la musique de Wagner,
le poète des *Fleurs du Mal* subissait aussi « une de ces impressions heureuses que presque tous les hommes imaginatifs
ont connues par le rêve, dans le sommeil ». Il se sentait alors
« délivré des liens de la pesanteur ». Il retrouvait par le souvenir « l'extraordinaire volupté qui circule dans les lieux
hauts », « une extase de volupté et de connaissance » :

Les formes s'effaçaient et n'étaient plus qu'un rêve. « Mort
en sursis », « détaché des vivants » par son mal, Proust
savait que sa gloire était liée à sa mort. Par sa descente aux
lieux inférieurs, il a voulu résoudre les contradictions apparentes de l'homme. Telle était, selon le mot de son maître
Barbey d'Aurevilly, « cette nature cachée et dépaysante —
éternellement dépaysante — du génie ». Les réveils n'étaient

pour Proust « qu'une entrée dans un autre songe ». Tout le roman de Proust peut se résumer en un seul mot : c'est l'*éveil* d'un dormeur qui ne sait pas où il est, mais c'est aussi l'*éveil d'une intelligence.* Proust nous incite à chercher en son cœur, avec délices, une âme d'enfant où s'éveillait déjà un esprit d'homme, « qui baignait encore — par parties — dans une âme d'enfant. » Par un profond instinct, Proust a retrouvé toute la primitivité de sa race maternelle, de ce peuple antique de prophètes et de sacrificateurs, nourri dans les ténèbres initiatiques du sanctuaire salomonien, sur le Mont Moriah. Il s'est même souvenu du mot de Hugo : « Qui donc mieux que le mineur connaît les galeries de la mine ? » Mais il ne permet pas que son cerveau soit rongé par une chimère. Il se souvient des rêves de sa nuit. De quels mystères intérieurs n'a-t-il pas été témoin ? On trouve chez lui, comme chez Jean-Paul, l'association de la musique et de la nuit. Sa prose est semblable à l'un de ces *adagios* mystérieux « qui éveillent dans l'âme les plus profondes émotions » ; c'est bien là cette « marche somnambulique des sons » dont a parlé l'auteur d'*Hespérus.*

Comme s'il prévoyait l'œuvre de Proust, Jean-Paul a précisément parlé d'un Temple du Songe, dans le parc de Lilar, où l'on était « persécuté par les glaces », c'est-à-dire par les innombrables miroirs d'un pavillon rococo ; et, comme par l'effet de la baguette d'un magicien, « tous les points opposés de Lilar se trouvaient réunis : .... le loin et le près se donnaient fraternellement la main » (2). C'est que Jean-Paul est, tout comme Proust, à la recherche de cette *vraie patrie,* de ce paradis perdu, où pourra se résoudre enfin sa perpétuelle dualité, ces deux moitiés de l'*androgyne* originel dont a parlé Platon. Et l'on sait que *Titan* s'achève, comme la *Recherche,* par un bal masqué, nous offrant la vision macabre de ces yeux hallucinants que le grand âge et le temps se sont chargés de rendre méconnaissables. Oui, Proust est, à travers Nerval, l'un des héritiers de ce Romantisme et de ce Symbolisme qui eurent leur source en Allemagne et jusque dans les lointaines allégories orientales de ce Novalis qui voyait toute parole « surgir d'un profond passé de l'esprit ». Dans son roman, le rêve s'ouvre comme une nouvelle dimension de la vie, et le « Double » de Proust, le Narrateur, qui n'a pas

_____

(2) cf. *Titan,* de Jean-Paul.

entièrement « pris congé de son enfance », nous entraîne vers
ce « paradis farouche ainsi qu'un rire enseveli ». L'île morose,
où Proust-Prospéro se souvient des *Nuits Arabes*, n'est plus
celle de Caliban ; un autre Ariel y fait entendre ses enchantements ; mais le conteur a beau faire surgir du désert ses
palais de cristal, les artifices de ses jets d'eau, ce qui donne
aux songes d'Aladin leur consistance, ce n'est pas la beauté
des filles du Séraïl, c'est que, retournant à l'enfance originelle,

> *Il rêvera partout à la chaleur du sein.*

Espérant encore un monde vierge, il a toujours la nostalgie du paradis perdu. « La souffrance ancienne le refaisait
tel qu'il était ». Quand il pensait aux résurrections de la
mémoire comme à « des airs de musique qui nous reviendraient sans que nous les eussions jamais entendus », Proust
sentait qu'il y avait sous ces *signes* quelque chose de tout
autre : il s'agissait d'une « éternité extra-temporelle », d'une
sorte de paramnésie assez semblable à celle que connut Mallarmé et que décrit Joubert : « une de ces situations qu'on
croit avoir vues en songe lorsqu'on s'y trouve ». (3) Bergson
lui-même — tantôt si proche de Proust et tantôt si éloigné
— nous dit que c'est du passé quant à la forme et du présent
quant à la matière ». Proust paraît, selon le mot de Richter,
« porter en soi un somnambule dont il est le magnétiseur ».
Pour Proust « cette exacte description des rêves vaudrait
bien l'autre réalisme, puisqu'elle a pour objet une réalité
qui est bien plus vivace que l'autre, une réalité qui tend à
se reformer chez nous, qui, désertant les pays que nous avons
visités, s'étend encore sur les autres et recouvre de nouveau
ceux que nous avons connus dès qu'ils sont un peu oubliés
et qu'ils sont redevenus pour nous des noms. » Pratiquant
« l'école du regard », Proust a tâché de surprendre l'âme
des objets animés, d'une façon toute différente de cette
« littérature qui se contente de décrire les choses » et qui
« tout en s'appelant réaliste, est la plus éloignée de la réalité ». Les objets lui semblaient cacher « quelque chose qu'ils
invitaient à venir prendre » et que, malgré ses efforts il n'arrivait pas « à découvrir ». Proust voulait posséder la cons-

---

(3) Ces effets de paramnésie ou « fausse reconnaissance » sont
fréquents chez Proust.

cience d'une chose dont il possédait déjà le rêve. L'étude de
ses rêves allait aider Proust à connaître la partie la plus obscure de son être. Il a fait pénitence non seulement pour ses
péchés, mais, comme ce Pascal auquel il n'était pas loin de
ressembler, pour la « malice occulte » de ses songes. Il a
reculé jusqu'aux extrêmes limites ce que peut fournir au
roman l'inconscient. Il sent monter en lui la vie intérieure
ainsi qu'une marée. Comme un lucide somnambule, il *souffre
ce qu'il voit* : c'est pourquoi Proust *nous fait lui,* nous transforme momentanément en sa propre substance. Claudel a
souligné que, « dans le rêve, notre esprit, réduit à un état
passif ou semi- passif, celui de plateau, est envahi par des
fantômes — d'où venus ? Pas seulement de la mémoire —
qui séduisent notre collaboration à la perpétration d'un événement, » Et, dans « ce rêve dirigé », « l'impressario masqué » recrute les personnages. « Comme de l'embryon à la
mère, il y a une sollicitation organique », Proust est donc descendu, tel un nouvel Orphée, « dans ces profondeurs au-
dessous, dans ces profondeurs au plus obscur de l'âme humaine, où ne pouvait pénétrer qu'un prophète aveugle ». De
même que chez Joyce ou chez Thomas Mann, la psychologie
est devenue chez lui « un mythe vécu » : il est passé de la
peinture des faits individuels et bourgeois à une vision typique des événements,. Son roman est « un effort pour diminuer l'espace et le temps » : d'où les phénomènes de réfrac-
tion dont son récit nous rend témoins. A ceux qui lui repro-
chaient certains anachronismes, il répondait : cela tient « à
la forme aplatie que prennent mes êtres en révolution dans
le temps ». (Ce vocabulaire einsteinien lui était cher). Il
entrait dans le sommeil, refuge intemporel, « comme dans
un second appartement que nous aurions ».

Claudel, qui quelquefois a feint de ne pas apprécier Marcel
Proust, savait pourtant que l'auteur de la *Recherche,* hanté
par la présence perpétuelle de la mort, a voulu saisir la nature
comme « en flagrant délit », sans « effaroucher par un sur-
saut personnel les lentes et profondes confidences de l'ombre
qu'elle récupère ». Oui, Proust, comme certains mystiques
japonais, a voulu « s'évader de la réalité ». Il ne rêve que de
l'expulsion du temps ; sachant que sa faim ne peut être
assouvie, la satiété tourne au dégoût. Veillant sur le sommeil
des songes, sa sensibilité à fleur de peau rêve de fêtes pareilles à des explosions, à des saturnales antiques. Il voudrait
voir l'envers du décor. N'a-t-il pas un jour tenté, grâce à des

savait, tout comme Baudelaire, que la seule drogue, la « drogue absolue », c'est la poésie qui « peut donner à l'individu quelque pouvoir sur cette matière onirique que l'opium déchaîne ». (6) Mais Barbey d'Aurevilly lui avait également fait saisir que « l'enfer c'est le ciel en creux » ; c'est pourquoi, comme Butor le souligne, s'il a découvert « dans le portail de Balbec ce paradis que le nom lui avait fait entrevoir par l'intermédiaire du prisme d'Elstir », il avait de même besoin du prisme de Vinteuil, et de la conjonction Vinteuil, l'amie de Mlle Vinteuil, Albertine » — pour « découvrir dans l'aquarium de Balbec-plage tout son enfer, enfer par la considération duquel, seulement, sera possible la remontée au ciel ».

Opposant à l'opium la poésie, Baudelaire avait déjà révélé à Proust — avant qu'il en eût fait l'expérience lui-même — que les «rêves paradisiaques» de Thomas De Quincey se transforment en cauchemars et qu'il devient la proie de l'imagination » à laquelle il a si imprudemment ouvert les vannes ». Parfois dans ses cauchemars, il retrouvait ses « terreurs enfantines ». D'autres fois, la pensée qu'il était temps de chercher le someil le réveillait. Il voulait noter « les étapes de conscience qui conduisent de la veille au sommeil ». Il attachait plus d'importance « à un rêve, à un souvenir, à la qualité personnelle de la « sensation » qu'à la réalité. » Le rêve était pour lui, comme pour Nietzche, l'invention d'un dieu, car « c'est une joie enivrante pour celui qui souffre de détourner les yeux de sa souffrance et de s'oublier ». Hélas ! un Coleridge, un Hölderlin, un Nerval, un Edgar Poe ne se sont livrés que trop docilement aux sortilèges oniriques. Ils ont perdu tout contact avec le réel, avec la terre. Le rêve enlace le spectateur dans la séduction du merveilleux. Rares sont ceux qui, tels Don Quichotte, renoncent à leur folie avant de mourir. Mais Proust a été préservé du péril des songes par son sens de l'humour et de la dérision. Et s'il n'a pas ignoré les fantasmagories de « la fête inconnue et colorée », il en a promptement dénoncé toute la tromperie. Pour déchiffrer « le livre intérieur de signes inconnus », Proust a découvert quelque chose qui est beaucoup plus essentiel que le passé et le présent parce qu'il est commun à tous les deux.

---

(6) Cf. Baudelaire, *Les Paradis artificiels*, cité par M. Butor in *Essai sur les Essais*.

C'est « un acte de création où nul ne peut nous suppléer ou même collaborer avec nous ». Or « l'intelligence n'est pas l'instrument le plus subtil, le plus puissant, le plus approprié pour savoir le vrai ».

« Un homme qui dort, écrit Proust, tient en cercle autour de lui le fil des heures, l'ordre des années et des mondes. Il les consulte d'instinct en s'éveillant et y lit en une seconde le point de la terre qu'il occupe, le temps qui s'est écoulé jusqu'à son réveil ; mais leurs rangs peuvent se rompre ».

Proust part du sommeil, de ce vide où l'on n'a plus guère que le sentiment de *l'existence nue* ; de ce vide où l'on est sans conscience, ne sachant qui on est, n'étant plus personne ; où « du noir orage qu'il nous semble avoir traversé (mais nous ne disons même pas *nous*) nous sortons gisants, sans pensée, un « nous » qui serait sans contenu »... *Enfermé dans le présent,* soumis à la mort fragmentaire et successive, cet homme sans espérance et sans mémoire n'a plus qu'un espoir et un désir : retrouver l'espace intérieur que le passé, que *son* passé peut seul lui fournir. Il cherche *sa pensée,* sa *personnalité,* comme on cherche un objet perdu. Le souvenir vient à lui « comme un secours » « d'en haut pour le tirer du néant d'où (il) n'aurait pu sortir tout seul ». Ainsi, pour lui, « la résurrection au réveil — après ce bienfaisant accès d'aliénation mentale qu'est le sommeil — doit ressembler au fond à ce qui se passe quand on retrouve un nom, un vers, un refrain oublié. Et peut-être la résurrection après la mort est-elle concevable comme un phénomène de mémoire » (7). Proust nous confie que l'un de ses rêves est la synthèse de ce que son imagination cherchait à se représenter « d'un certain paysage marin et de son passé médiéval : paysage mélancolique où la vie imite l'art ». Mais analyser les rêves de Proust, ce serait les séparer artificiellement et, selon sa propre image, pratiquer des « sections à des hauteurs différentes d'un jet d'eau irrisé et en apparence immobile, car ses rêves n'étaient que les moments dans un même et infléchissable jaillissement » de toutes les formes de sa vie.

Comme celle de Nerval dont il a si bien parlé, l'œuvre de Proust est « un de ces tableaux d'une couleur irréelle, que nous ne voyons pas dans la réalité, que les mots mêmes n'évoquent pas, mais que nous voyons dans le rêve et que la

_____

(7) G. (I) p. 78.

petit caillou aérolithique étranger à nous... pour atteindre le sommeil régulier ». (9)

Mais Proust savait aussi qu'il y a bien des épaisseurs différentes de sommeil. Et « peut-être que la mort n'est elle-même qu'un sommeil plus profond et qu'un jour, nous ne rougirons pas plus d'avoir passé par la mort que nous ne sommes honteux, en nous réveillant, d'avoir dormi. »

Proust avait cependant saisi que le poète ne peut, comme Orphée, descendre impunément aux Enfers délivrer la beauté, le bonheur et l'amour disparus. (10) Il semble vouloir pénétrer dans « ces choses étrangères que la sympathie ne lui ouvre pas, briser le faisceau de ces formes qui semblent lui être opposées, se faire un chemin dans un monde compact, dur et glacé ». Il ne peut se contenter de l'amitié mondaine, dans laquelle il voit « une douce folie, une simulation, un mode d'expression confus et inadéquat, une abdication de soi ». Il notait en revanche : « Même dans les désirs les plus charnels,... concentrés autour du même rêve, j'aurais pu reconnaître comme premier moteur une idée, une idée à laquelle j'aurais sacrifié ma vie et au point le plus central de laquelle, comme dans mes après-midi de lecture au jardin de Combray, était l'idée de perfection ».

Proust avait, comme dit le peuple « la mort sur le visage ». Il écrivait la nuit et dormait le jour. Il lui arrivait de dormir trois jours de suite. Il ne pouvait supporter le soleil, en raison de son asthme. Il avait des yeux de nocturne. « Il clignait des yeux comme un oiseau de nuit », (11) dit son amie Elisabeth de Gramont. Ses camarades l'avait surnommé « le visiteur du soir ». Il s'est comparé lui-même à Shéhérazade suspendant l'arrêt de mort qui pesait sur elle en prolongeant chaque nuit l'enchantement de ses contes arabes. Quand il entendait prononcer le nom des Cités de la Plaine, il voyait se lever le ciel d'une cité orientale. Le nom de Bassorah avait le pouvoir d'éveiller en lui tout un monde de Djinns et de Péris, auquel l'histoire de Sindbad le Marin l'avait, dès son enfance, rendu familier. Il nous montre tantôt le Levantin Nissim Bernard hantant des couloirs non moins

---

(9) *S. & G.* II, p. 215.

(10) Dans les mythes d'Orphée et de Loth, comme le remarque Mauron, « le regard trop conscient sur le passé interrompt le processus de la création ».

(11) Il se compare lui-même à un hibou.

tortueux que les souks de Bagdad, tantôt Charlus rôdant
pendant la guerre dans un Paris nocturne bombardé où la
Seine faisait penser au Bosphore, avec la lune comme un
sequin dans le ciel.

Il aimait cet Orient de Decamps, d'Ingres, de Delacroix,
de Fromentin, pittoresque, criard et secret. Tel était son
génie asiatique. Dangereux illusioniste, comme son Elstir,
il « dissout maisons, charette, personnages dans un grand
effet de lumière ». Et cela se mue, ajoute-t-il, en l'albâtre
translucide de nos souvenirs ». Quand Charlus est flagellé par
Jupien, cette scène lui paraît due au pouvoir d'un Djinn des
Mille et Une Nuits. Et, dans son œuvre, comme dans l'*Athalie*
de Racine ou dans l'acte de Xercès faisant battre la mer, il
voit « un grand effet d'art baroque ». Pour lui, combien
d'actes forts et généreux n'ont d'autre source que la poésie !
On sent qu'il a lu les *Hymnes Orphiques* quand il dit : « Si
l'on cherche ce que la vraie grandeur imprime en vous, c'est
trop vague de dire que c'est le respect, et c'est plutôt même
une sorte de familiarité ». Ces *Hymnes,* Charlus les parodie
quand il s'écrie : « J'ai réservé ma myrrhe pour Jupien ».
(12) Ces lectures initiatiques ont appris à Proust à dédaigner
la mort. Il a retrouvé tout naturellement le langage des
mythes païens : « il les ressaisit, les purifie et les transfigure ». Proust nous a décrit, non sans quelque cruauté, ce
soir de guerre où les habitués de Jupien, revenus des tranchées, célébraient aux grondements volcaniques des bombes,
au pied d'un mauvais lieu pompéïen, « des rites secrets dans
les ténèbres des catacombes. » Autant que Hoffmannstahl,
Proust savait que « la connaissance n'est rien : il faut qu'elle
soit mêlée de passion et d'effroi ». L'horreur qui règne chez
Dostoïevsky, elle est constamment sous-jacente, latente chez
Proust : Charlus rêve de tuer Morel ; Mlle Vinteuil crache
sur la photo de son père mort, qu'elle aime ; Oriane feint de
ne pas croire que son ami Charles Swann est atteint d'une
maladie mortelle ; Gilberte renonce à porter le nom de son
père juif...

Pourquoi ne dirai-je pas de la *Recherche* ce que Butor dit
du *Finnegan's Wake* de Joyce ? « C'est une machine à pro-
voquer et à faciliter mes propres rêves ». Tous deux, le Français et l'Irlandais ont su mêler « l'imaginaire et le réel dans

_____

(12) Cf. Seznec, *Marcel Proust et les Dieux,* The Zaharoff Lecture
for 1962 ,Oxford, Clarendon Press, 1962.

une terrible fantasmagorie »... « Au milieu de l'étrangeté
contemporaine, ils réincarnent les anciens mythes »... « Toute
l'œuvre est située sur le plan du sommeil et d'un rêve auquel
toutes choses participent »... « Le songe de l'homme peut
comprendre cette grande unité qu'est le monde, et ce grand
déchirement ». « Dans un rêve ou dans le rêve éveillé qu'est
la lecture d'un ouvrage de fiction, il y a toujours un personnage central, c'est le rêveur. Dans le récit que je lis, il y a
toujours un personnage auquel je m'identifie, dont je vis par
procuration les aventures, dont je joue le rôle dans le théâtre de mon rêve ». (13) Les deux romanciers organisent les
épisodes « dans un développement métaphorique et musical
qui en exalte en quelque sorte tous les pouvoirs et tous les
sens ». C'est un « complexe de paraboles qui s'éclairent réciproquement ». Dans chaque répétition, comme l'avait noté
Kierkegaard, « la seconde instance inclut une conscience
absolue de la précédente » ; mais « l'événement retrouvé
change de niveau et de sens ».

L'œuvre de Proust, de même que celle de Gustave Moreau,
surgit devant nous : « apparition d'un coin mystérieux du
monde comme le souvenir d'une vie antérieure ». C'est la
révélation d'un univers inconnu. Ce n'est pas seulement un
livre, c'est la partition à déchiffrer. La *Recherche* nous laisse
à mi-chemin entre le Grand Œuvre et le Grand Jeu. Proust
a réussi ce qui est la plus grande terreur de l'homme : descendre en soi-même ; mais il a voulu, d'autre part, sortir de
soi. Or Rousseau, Nerval, Baudelaire lui ont indiqué le chemin des songes. Vers la cinquantaine, à la suite d'un rêve,
Rousseau écrit son roman : *La Nouvelle Héloïse*. *Les Filles
du Feu*, comme *Aurélia*, sont sorties des songes de Gérard
Labrunie. Et Baudelaire, après un rêve prémonitoire, écrit de
son côté : « J'habite une tour ; labyrinthe ; je n'ai jamais pu
sortir. J'habite pour toujours un bâtiment qui va crouler, un
bâtiment travaillé par une maladie secrète ».

Comme eux, Proust a possédé « la science extraordinaire,
étendue et cohérente du monde des rêves », qu'il a su trouver
dans les mythes, les symboles et la mentalité primitive... Le
pouvoir des soporifiques lui offre le moyen de « franchir la
barrière du sensible » et d'approcher « la barrière indécise
entre la vie et la mort. » Peut-être faudrait-il interpréter l'œuvre de Proust à la lumière d'un rêve tenace, « caché dans les

_____

(13) Cf. Michel Butor, *Essai sur les Modernes*.

replis de l'enfance ». Ses personnages sont « terribles et singuliers comme des somnambules ». ils ressemblent « aux
créatures que fait apparaître la puissance du spiritisme ».
Ils sont toujours à la recherche d'un ailleurs, d'un au-delà
du temps. On songe à ces nostalgies qui, « comme certaines
phrases musicales, prolongent leur dissonance... avant de
se résoudre enfin dans un dernier accord libérateur ». « De
là, dit-il, l'effort perpétuel qui finit par faire pénétrer notre
occupation esthétique jusque dans le domaine inconscient de
la pensée, de sorte que nous cherchons encore la beauté des
paysages que nous voyons en dormant, que nous tâchons
d'embellir les phrases que nous prononçons en rêve et qu'au
moment de mourir Gœthe, dans le délire, parle du coloris
de son hallucination ». (14)

Proust a noté la nature de ses différents sommeils :
« Non loin de lui est le jardin réservé où croissent comme
des fleurs inconnues les sommeils si différents les uns des
autres, sommeil du datura, du chanvre indien, des multiples
extraits de l'éther, sommeil de la belladone, de l'opium, de la
valériane, fleurs qui restent closes jusqu'au jour où l'inconnu
prédestiné viendra les toucher, les épanouir et pour de longues heures dégager l'arôme de leurs rêves particuliers, en
un être émerveillé et surpris. »

*
* *

Proust a-t-il été l'esclave de sa création ? « Je crois qu'il
a plutôt « agi ses rêves » au lieu de « rêver son action ». Il
sut aller jusqu'au bout de lui-même sans repentir ». Il voulait
posséder la conscience d'une chose dont il possédait déjà le
rêve. Il y avait en Proust un discernement critique extrêmement aiguisé des œuvres vivantes. (15) Il a considéré toutes
ses lectures comme le moyen de se former. Il voulut inventer un nouveau langage afin d'aller à la découverte de soi ;
cette langue créait un espace où se résorbait le temps, sa
forme distinctive n'étant que la répartition des parties dans
le tout et comblant l'intervalle entre narrateur et lecteur.
Proust ne recherche le temps perdu que parce qu'il l'a déjà
retrouvé. Mais il faut se garder de confondre, comme le fait

---

(14) *C.S.B.*, p. 344.
(15) Cf. J.M. Auzias, *Clefs pour le structuralisme*, Seghers 1967.

parfois Painter, l'homme Marcel Proust avec le héros ou le Narrateur de la *Recherche*. Cependant, Proust lui-même fut le premier à signaler ces « structures constantes formelles, ces liaisons qui trahissent un univers mental » (10). C'est par là que son œuvre littéraire échappe aux genres. Il épuise les formes d'interprétation psychologiques d'un même acte. Il y a, selon le mot de Léo Spitzer, correspondance profonde « entre la volonté créatrice et la forme verbale ».

La phrase de Proust est « une constellation de rapports », où « chaque mot est un acte » ; c'est un univers de correspondances qui se répondent, de répétitions, de parallélismes, de symétries.

Si les femmes que nous aimons se ressemblent, cela tient à la fixité de notre tempérament. Aux yeux de Proust, les événements qui se rapportent à l'amour semblent d'ailleurs régis par des lois plutôt magiques que rationnelles. « L'amour, c'est l'espace et le temps rendus sensibles au cœur ». Nos amours successives sont comme les ébauches délaissées (et quelquefois reprises) d'un grand amour. Enfin, puisque l'amour est l'expérience d'un tout, Proust constate l'impossibilité où se heurte l'amour de nous faire pénétrer un être dans toutes ses extensions. Dans l'histoire d'un amour nous voyons ainsi le rêve tenir une plus grande, place que l'éveil. Il semble en effet que le personnage d'Albertine ait eu, dans l'esprit de Proust, le rôle d'un révélateur et d'un fixatif servant à extérioriser sa sensibilité ou à polariser ses propres défaillances. Albertine, nous dit-il, était pour lui « comme une mère, comme une sœur, comme une fille », autant et plus qu'une maîtresse. Peut-être faut-il voir en cette « prisonnière », en cette « fugitive » quelque chose d'assez semblable aux ombres que la conscience enfante dans le sommeil et le songe. Albertine est un des noms que revêt la souffrance de Proust. Elle est « ce qui s'oppose à la vocation », ce qui retarde la solitude salutaire, une fausse Venise qui le prive de la vraie. Morte et vivante tout ensemble, elle est le mystère d'un inconnu torturant. Elle est une nouvelle figure de Mélusine et d'Eurydice, ne formant qu'un avec le poète, tantôt intérieure à lui, tantôt projetée au dehors et se dérobant...

« J'entrais, dit Proust, dans le sommeil, lequel est comme

---

(16) J. Rousset, *Paon et Circé*.

un second appartement que nous aurions, et où, délaissant
le nôtre nous serions allés dormir... La race qui l'habite, comme celle des premiers humains, est androgyne. Un homme
y apparaît au bout d'un instant sous l'aspect d'une femme »...
(17)

*

Parmi les mythes de l'antiquité grecque, combien furent
des allégories du sommeil, des songes, de l'âme, de sa mort
et de sa résurrection ? Telles furent, par exemple, les légendes qui se rattachent aux noms d'Orphée et d'Eurydice, de
Psyché, des Parques, d'Adonis, de Perséphone, de Narcisse,
d'Alceste, de Dionysos ? Les psychanalistes, de nos jours,
n'ont pas manqué de rattacher ces vieux thèmes, comme ceux
d'Œdipe ou d'Argus, aux comportements de notre inconscient. Non moins qu'eux, Proust fut attiré par ces fables, ces
symboles, ainsi que par les vieilles légendes celtiques ou par
les récits de l'Ancien Testament, les paraboles du Nouveau.
Grand créateur de mythes lui-même, il n'hésitait pas à faire
allusion à ces théogonies auxquelles son génie poétique savait
infuser un sang nouveau, prêter une nouvelle signification
spirituelle. Poète, toujours menacé de mort, Proust n'était-il
pas lui-même tout ensemble Orphée et Eurydice ? Les êtres
qu'il avait aimés, les femmes que le Narrateur de son roman
nommait Gilberte, Oriane, Albertine, n'étaient à vrai dire
que son propre double. Ces précisions émanaient de son
inconscient, de ses sommeils et de ses songes. Il disait lui-
même que lorsqu'on possède la femme aimée, on ne possède
rien. L'amour n'était pour lui qu'une douce folie, une illusion ; et c'était pourtant de la fièvre de l'amour que naissait
son inspiration. En cela, il opposait l'amour fécond à la stérile
amitié, de même que l'art à la philosophie.

Bachelard affirme que, dans les songes, nous rêvons à la
fois au masculin et au féminin. Nous sommes doubles (18).
Proust est tout à la fois Eurydice et Orphée. Car, devenu
conscient, le poète se confond avec son « double » féminin
qui l'inspire. Ses sommeils sont des sommeils d'Eurydice, et
ses rêves sont ceux d'Orphée. Eurydice sent qu'elle est pri-

---

(17) *S. & G.*, III, 32.
(18) Empédocle, dit Nietzche, se souvenait d'avoir été garçon et fille.

sonnière de sa destinée. Orphée ne peut s'accomplir que lorsqu'Eurydice s'efface : quelque chose de plus mystérieux que l'amour d'Albertine-Eurydice semble promis à « Marcel », lorsqu'il aura retrouvé le temps. Par delà le roman moderne de Proust, nous voyons apparaître, comme en filigrane, l'évocation des plus vieux mythes de l'Hellade, donnant à sa *Recherche* des significations symboliques infiniment troublantes. Jacques Rivière avait déjà fait d'ingénieux rapprochements entre les intuitions de Proust et la psychanalyse d'un Freud. D'autres ont été plus loin encore.

Il y a longtemps déjà, bien avant les travaux des savants d'aujourd'hui sur le « sommeil paradoxal », Novalis, qui était tout ensemble un grand géologue et un poète, avait affirmé que le rêve rajeunit la substance de l'homme. On connaît l'importance que la Renaissance italienne et l'âge baroque accordaient aux rêves. Qu'on se souvienne du *Songe de Poliphile*. Comme ces grandes œuvres, le roman de Proust crée « un monde sans laisser de côté ces mystères qui n'ont probablement leur explication que dans d'autres mondes et dont le pressentiment est ce qui nous émeut le plus dans la vie et dans l'art ».

Que de choses Albertine n'est-elle pas pour le Narrateur ? Elle est « une déesse marine derrière laquelle se nacrent les ondulations bleuâtres de la mer, tandis qu'éclate le concert des musiciens ». Elle est une magicienne lui présentant le « miroir du Temps ; sa beauté prend quelque chose de déchirant parce qu'elle consiste en ce qu'Albertine se développe sur tant de plans et contient tant de jours écoulés ; quand il la caressait, comme il eût manié une pierre enfermant la saline des océans immémoriaux ou le rayon d'une étoile, il sentait qu'elle touchait seulement à l'enveloppe close d'un être qui par l'intérieur touche à l'infini. Il se rendait alors compte qu'Albertine n'était même pas pour lui la merveilleuse captive dont il avait cru enrichir sa demeure, mais — l'invitant sous une forme pressante, cruelle et sans issue, à la recherche du passé — elle était plutôt « comme une grande déesse du temps ».   Car si la solitude eût été pour lui plus féconde et moins douloureuse, du moins, par la petite blessure que sa maladresse ne tardait pas à rouvrir, Albertine donnait-elle à Marcel accès hors de lui-même sur cette grande route où passe ce que nous ne connaissons que du jour où nous en avons souffert » : *la vie des autres*. C'est ainsi que, étant l'Amour, Albertine est pour Marcel « l'espace et le temps rendus sensibles au cœur ».

Albertine endormie et comme morte lui donnera le pressentiment de sa propre destinée et, la contemplant, il s'écrie : « Figure allégorique de ma mort et de mon amour » ! Et la dernière fois qu'il la serre dans ses bras, qu'il l'embrasse, l'ayant revêtue de cette robe vénitienne où, sur l'azur miroitant du Grand Canal, les oiseaux accouplés symbolisent la mort et la résurrection, ne la peindra-t-il pas s'écartant de lui avec « l'instinct des animaux qui sentent la mort », qui savent qu'ils vont bientôt mourir ? Albertine, — ombre tentatrice d'une Venise invisible et inconnue, où les palais « se dissimulent à la façon des sultanes derrière un voile ajouré de pierre », Albertine, c'est l'amitié, c'est l'obéissance, mais c'est aussi le secret derrière le regard triste ! Albertine, c'est la chair, c'est le nom du désir, et c'est aussi Mélusine et c'est Eurydice disparue. Et Marcel, une nuit, en face d'elle, prophétiquement, prononcera lui-même le mot de MORT, Marcel, comme à son insu la condamnera à ne plus être. Et c'est une nuit qui se prépare pour lui, une nuit et une naissance — une troisième vie. Il faut reconnaître ici, en marge de la comédie bourgeoise, une résurrection du vieux mythe d'Orphée et d'Eurydice disparue — d'Orphée abandonné qui, dans sa douleur, trouve la source même de son chant. Albertine n'habite pas seulement avec lui, mais en lui, toujours associée à ses songes, de même qu'elle est mêlée au continuel récitatif des chants populaires et forains, des « cris de la rue », à demi-liturgiques, encore presque grégoriens, et qui deviennent pour nous tout ensemble le leitmotiv et l'incarnation de sa présence. Albertine est aimée tout à la fois comme une maîtresse et comme un « double » ainsi que pourrait l'être par Narcisse son ombre et son reflet — au point que c'est surtout dans son dormir, dans son chaste sommeil enfantin, disons dans son « absence » et sa virtualité, que Marcel trouve en elle, enfin, la secrète intimité, la jouissance et l'apaisement désirés. Dans *La Fin de la Jalousie*, Proust avait écrit déjà : « Pour créer un objet à sa jalousie, il lui semblait par moments que c'était son propre songe et sa propre sensualité qu'il projetait en Françoise ». (Françoise était alors le nom de la maîtresse du héros et non la servante). Laissons encore la parole à Proust : « N'avais-je pas vu souvent en une nuit, en une minute d'une nuit, des temps bien lointains relégués à ces distances énormes où nous

ne pouvons presque plus rien distinguer des sentiments que
nous éprouvions, fondre à toute distance sur nous, nous aveu-
glant de leur clarté ? » (19)

⁘

Dans *La Fugitive* aussi bien que dans *Swann,* il semble
que Proust ait été constamment obsédé par le mythe d'Orphée
et d'Eurydice. J. Lemaître a pertinemment souligné la chose
en ce qui concerne *Un Amour de Swann* (20). Proust écrit :
« Parfois, l'ombre d'une femme qui s'approchait de lui, lui
murmurant un mot à l'oreille, lui demandant de la ramener,
fit tressaillir Swann. Il frôlait anxieusement tous ces corps
obscurs comme si parmi les fantômes des morts, dans le
royaume sombre, il eût cherché Eurydice ». (21) « Et alors,
dit Lemaître, commence cette recherche angoissée dans la
nuit, qui, par son thème même, n'est pas sans analogie avec
les plus anciens mythes orphiques ou éleusiniens. Récit ?
Mythe ? Symbole ?... Il nous introduit, avec Swann, dans un
climat du mythe propre à éveiller l'angoisse, à situer la
recherche de Swann dans une atmosphère faite d'ombre et
d'énigmatiques ténèbres. Et ici peu à peu se *devine* le symbole que Proust, selon un procédé magistral qui lui est cou-
tumier, ne dégage qu'au terme de longues préparations, pour
le faire éclater dans la formule magique qui invoque, dans
le climat alors convenablement préparé et suscité, l'habitante
des ombres, l'objet fuyant de la quête, la femme aimée et
anxieusement poursuivie : Odette-Eurydice... « Ainsi, dès
le premier moment, le récit plonge au cœur d'un univers
mythique (tout en maintenant le contact avec l'univers réel)
et l'anonymat même qui préside à ces métamorphoses du
réel leur confère un caractère éminemment poétique, ambigu
et inquiétant. Swann va jouer tour à tour, incarner douloureusement l'éternel rôle d'Orphée aux Enfers... Proust renouvelle ainsi l'ancien mythe... Le mythe symbolise la lumière
infranchissable qui sépare, *dès cette vie,* l'amant de l'être
aimé ».

---

(19) *T.R.* II, 71.
(20) Cf. P. Martin, *L'Information Littéraire,* mars-avril 1969.
(21) *Swann,* I, pp. 230-31.
(22) J. Lemaître, *L'Information littéraire,* mars-avril 1969.

Plus encore qu'Odette, Albertine est Eurydice. Eurydice est la part féminine d'Orphée. Albertine n'est pas seulement disparue : lorsque le Narrateur (à la suite d'un télégramme mal déchiffré) la croyait vivante, elle ne ressuscite pas. L'orphisme de Proust ne ressemble pas à celui de Claudel : ce n'est pas une réconciliation du dionysiaque et de l'apollinien ; il ne s'agit pas « d'arracher Eurydice à l'enlacement sonore », mais de renoncer à elle, à son faux amour, pour se livrer au travail tant qu'on jouit encore de la lumière. Cependant, Albertine l'avait « fécondé par le chagrin et même par le simple effort pour imaginer ce qui distingue de soi ». « Albertine n'était pour moi que des moments ». « Comment m'a-t-elle paru morte ? Ce qu'il eût fallu anéantir en moi ce n'est pas une seule mais d'innombrables Albertine. »

Pouvons-nous savoir quels enrichissements Proust recevait de ses plus profondes narcoses ? Ce scaphandrier imprudent, quels trésors, quelles hydres nous ramène-t-il de ses plongées dans les grottes sous-marines du songe ? Il rêve d'une capture de l'imprévisible. Au réveil, il remontait aussi loin que possible, de plan en plan, s'efforçant de résoudre les énigmes que lui posaient ces fuyantes visions de l'endormi. En ces temps-là, l'on ne connaissait guère la mescaline et les drogues hallucinogènes décrites par Michaux ; mais à Proust les somnifères usuels suffisaient. Il en parlait souvent avec Bergson (23). Proust, lecteur assidu de Stevenson, savait qu'il y avait en lui un Dr Jekyll et un Mr. Hyde, inconnus l'un de l'autre, niant de façon contraire, l'un la nuit, l'autre le jour. Cette cohabitation dans le même corps d'un criminel et d'un savant n'étonnait pas Proust outre-mesure. Ne s'était-il pas accoutumé à quitter le monde quotidien pour le monde fabuleux du passé, mieux encore pour le royaume de l'étrange, du surréel, de tout ce qui lui semble insaisissable ? Peut-être Proust voulait-il apprivoiser à la fois la mort et la vie ?

On a pu remarquer que la plupart des songes de Proust ont pour décor deux chambres, celle de l'enfant à Combray, celle de l'homme à Tansonville, mais ces songes sont rêvés à Paris. « Dans ma chambre à coucher à Combray, chez mes grands-parents, en des jours lointains qu'en ce moment je

---

(23) Mais, curieusement, la même drogue, le philosophe me l'a dit, produisait sur eux des effets différents de pertes de mémoire.

tions dont ils se soucient fort peu ». (2). Et, plus loin, dans le même ouvrage, il écrit encore : « C'est ce qui nous émeut tous dans le *Phédon,* quand en suivant le raisonnement de Socrate nous avons tout à coup le sentiment extraordinaire d'entendre un raisonnement dont aucun désir personnel n'est venu altérer la pureté, comme si la vérité était supérieure à tout : car en effet, nous nous apercevons que la conclusion que Socrate va tirer de ce raisonnement, c'est qu'il faut qu'il meure ». (3)

Pour Proust, esprit de poésie, esprit de science sont un. Il sait que l'artiste ne crée pas la Beauté, mais la révèle, la manifeste. Henri Poincaré ne déclarait-il pas : « Quels savants que les poètes à qui le hasard d'une rime fait découvrir un univers » ! Proust proclame : « L'impression est pour l'écrivain ce qu'est l'expérimentation pour le savant, avec cette différence que chez le savant le travail de l'intelligence précède et chez l'écrivain vient après » (4). Proust avait le sentiment que nous ne sommes nullement libres devant l'œuvre d'art, que nous ne la faisons pas à notre gré, « mais que, préexistant à nous, nous devons, à la fois parce qu'elle est nécessaire et cachée, et comme nous ferions pour une loi de la nature, la découvrir ». Proust n'avait cessé toute sa vie de prendre inconsciemment des notes pour son œuvre future: il n'avait écouté les autres que lorsque — si bêtes ou si fous qu'ils fussent — « ils s'étaient faits par là-même les oiseaux prophètes, les porte-paroles d'une loi psychologique ». Il disait : « L'ouvrage de l'écrivain n'est qu'une espèce d'instrument d'optique qu'il offre au lecteur afin de lui permettre de discerner ce que sans ce livre il n'eût peut-être pas vu en soi-même ».

Cependant, Proust condamne les philosophes « qui n'ont pas vu ce qu'il y a de réel et d'indépendant de toute science dans l'art », et qui considèrent le « prédécesseur comme moins avancé que celui qui suit ». Or, en art, « il n'y a pas d'initiateur, de précurseur. Chaque individu recommence pour son propre compte la tentative artistique ou littéraire ; et les œuvres de ses prédécesseurs ne constituent pas, comme

---

(2) M. Proust, *Jean Santeuil,* t. I, p. 156.
(3) M. Proust, *Jean Santeuil,* t. II, p. 145. Ces deux textes ont été cités judicieusement par notre ami regretté Georges Bataille, dans *La Littérature et le mal.*
(4) T.R. p. 24.

dans la science une vérité acquise dont profite celui qui suit ».

Proust pensait, nous l'avons dit, que le poète, que le romancier n'inventent pas, mais qu'ils découvrent. Cette vérité avait été entrevue avant lui par Baudelaire. « L'esprit scientifique, quand il se définit par rapport à sa forme de surgissement, est analogue aux autres formes d'esprit créateur ». (8) Proust le savait : il a tenté d'exprimer les mystérieuses lois de la pensée. Comme celle de Tolstoï, son œuvre n'est pas d'observation mais de construction intellectuelle. A la même époque, Bergson disait aussi : « L'art n'est sûrement qu'une vision plus directe de la réalité ». Cette conception était un peu celle des artistes de la Renaissance. L'histoire de l'art italien fut, Malraux l'a justement souligné, celle de découvreurs successifs, représentant la matière ou la profondeur grâce à l'invention de techniques nouvelles. Souvent, comme Balzac, Proust concevait un art sous la forme d'un autre : d'où ses allusions à la musique, à la peinture. Par exemple, il avait toujours eu une disposition particulière à « chercher des analogies entre les êtres vivants et les portraits des musées ». A chaque idée, en écrivant, Proust ajoute des prolongements symétriques. Il cherche ce qui, « particulier à ce moi tout de même un peu subjectif qu'est notre moi œuvrant, l'est aussi d'une valeur plus universelle pour les « moi » analogues.

Proust n'a jamais ignoré le rôle de découverte et d'invention de l'écriture, le nom même de « recherche » qu'il donne à son œuvre implique un caractère scientifique, car les « lettres » ou le fait d'écrire représentaient pour lui bien davantage que la littérature ».

Le procédé analogique était l'outil de prospection de Proust : « Comme un géomètre qui, dépouillant les choses de leurs qualités sensibles, ne voit que leur substratum linéaire, ce que racontaient les gens m'échappait, car ce qui m'intéressait, c'était non ce qu'ils voulaient dire, mais la manière dont ils le disaient en tant qu'elle était révélatrice de leur caractère ou de leur ridicule ». Homme de science, Matila Ghyka cite maints passages montrant comment « une optique analogique aussi rigoureuse que celle des mathématiciens mène tout naturellement Proust à chercher en toute spéculation mentale le rapport essentiel et permanent ». (6) D'autre part,

---

(5) Le mot est de P. Emmanuel.
(6) Cf. Matila Ghyka, *Sortilèges du Verbe*, 1949.

Blanchot montre à quel point Proust et Henry James se sont forcés de concevoir « un ensemble uni, rigoureusement ordonné selon une loi d'autant plus importante qu'elle reste cachée comme le centre secret de tout ». Proust portait en lui « les lois mystérieuses » qui lui faisaient éprouver la beauté des choses et lui permettaient de nous montrer les êtres comme des formes intellectuelles ». Chaque trait dit d'observation était chez lui, de même que chez Tolstoï, la preuve, l'exemple d'une loi dégagée par le romancier : « On se sent mouvoir au milieu d'une multitude de lois ». Proust disait de son œuvre qu'elle était une construction, une « architecture verbale » ayant ses symétries, ses jointures, ses transitions brusques et cette « consonnance » qui engendre « géométriquement et dynamiquement un cercle parfait ».

*
**

Au cours des dernières années, l'œuvre de Proust a suscité les parallèles les plus insolites. On l'a rapproché non seulement de littérateur, de musiciens, de peintres, mais de savants ou de philosophes, comme Bergson, Freud, Planck ou Einstein... (7) Certains critiques ont même voulu reconnaître en son œuvre « un travail de biologie » ; d'autres lui ont prêté le génie d'un entomologiste. Celui-ci vante sa sérénité scientifique ; celui-là le compare à un *Spinoza qui marivaude* ; cet autre, frappé de le voir unir la fantaisie d'un Keats à la lucidité d'un Maine de Biran, atteste qu'il a suivi le labeur de l'inconscient plus profondément que les psychologues de profession. Jacques Rivière décèle chez lui l'idée, parente de celle de Freud, que nos sentiments ont pour fonction principale de nous mentir, et que le premier devoir du psychologue est de résister au témoignage qu'ils portent sur eux-mêmes — ce changement d'orientation nous ouvrant un monde nouveau. Rivière ajoute que les découvertes de Proust seront un jour considérées comme étant du même ordre que celles de Képler en astronomie, de Cl. Bernard en physiologie ou d'A. Comte dans l'interprétation des sciences. Charles Blondel souligne que, par une sorte de révolution copernicien-

----

(7) Charles Blondel note que Bergson s'est également servi du télescope (*Matière et Mémoire*, p. 181).

ne, Proust a cessé de faire de la conscience le soleil et le centre de l'activité mentale ; elle n'est plus à ses yeux, dans un système où les soleils abondent, qu'une planète réfractant les rayons d'astres obscurs dont la lumière est éteinte, mais qui ont gardé leur chaleur — nébuleuse sans bornes « comme tout le passé : passé de l'espèce ; passé peut-être du monde, dont elle est faite... » Charles Du Bos compare certaines pages de la *Recherche* à ces profils de terrains où les géologues montrent une couche passant dans l'autre avec une rare agilité dans la profondeur. Ortega y Gasset, admirant en Proust l'inventeur d'une nouvelle *distance* entre nous et les choses, n'hésite pas à définir son style comme une *histoire* poétique, en raison de la perspicacité avec laquelle Proust décrit la circulation sanguine de son héros, ses sensations musculaires ou sa perception des changements hygrométriques. Peut-être pourrait-on poursuivre cette suggestion : la recherche de Proust n'est-elle pas parallèle aux efforts de la science qui croit trouver dans l'étude histologique des infinment petits le secret de la vie et attache une grande importance à la notion de temps pour expliquer les changements morphologiques ? Dans le même ordre d'analogies, Valéry a loué l'activité propre du tissu de la prose proustienne et Jaloux a rapproché des travaux de Sir John Lubbock ses recherches sur les modifications de l'idée d'amour.

Sans doute, les trouvailles les plus originales de Proust sont relatives au Temps. Complétant les intuitions des romanciers anglais, il a changé « l'échelle de notre perception de durée », nous dotant d'appareils enregistreurs plus précis, plus sensibles. En marge d'une observation d'E.R. Curtius, le Dr Robert Proust estimait que son frère s'était formé « une notion très personnelle d'un véritable *continuum* de temps et d'espace », rappelant la théorie de la Relativité, « non du point de vue physique, mais du point de vue de l'introspection ». Camille Vettard avait dénombré les rapports que la phrase de Proust présente avec les coordonnées intrinsèques d'Einstein, lesquelles (selon l'image de Gaston Moch) « se tordent en tous sens comme les bras d'une pieuvre ». Cette comparaison était, selon l'aveu de Proust, « le plus immense honneur et le plus vif plaisir qu'on pût lui faire ». Le rapprochement n'en avait pas moins paru déplacé à l'un des amis de Proust, au duc de Grammont, physicien d'une indéniable autorité, dont je tiens l'anecdote. De longues discussions surgirent à ce sujet entre l'auteur de *Swann* et son camarade, qui ne pouvait admettre qu'on tentât d'établir un rapport entre le temps des mathématiciens et le temps psychologique. Proust aurait pu répliquer que sa *psychologie dans le temps* était à la psychologie traditionnelle ce que la géométrie dans l'espace est à la géométrie plane ; que, loin d'être un « fouilleur de détails », il avait pour instrument de travail le télescope plutôt que le microscope ; et que, tout en n'ignorant pas l'influence médicale des infiniment petits, il croyait avoir rapproché de nous des mondes éloignés et transformé notre vision « en tenant compte de décimales jusqu'ici négligées ».

Commentant l'audacieux rapprochement de Vettard, Jean Brincourt fait remarquer qu'Einstein et Proust ont *spatialisé* le temps pour des raisons différentes. C'est la nécessité d'inventer un système de pensée logique, valable pour rendre compte de certains phénomènes encore inexpliqués, qui a conduit Einstein à assimiler le temps à une dimension. Tout différents étaient les motifs de Proust : sa sensibilité réclamait un mode d'expression spécial. C'est une *distance* plus ou moins rapidement franchie qu'il suggère quand il écrit : « *Le temps dont nous disposons chaque jour est élastique ; les passions que nous ressentons le dilatent, celles que nous inspirons le rétrécissent, et l'habitude les remplit* ». Dans le vocabulaire de Proust, le mot *temps* a deux significations : le temps qu'il évoque en termes spaciaux est maléfique : il sape le passé et détruit les instants privilégiés ; or, quand il parle de « temps à l'état pur », c'est de ces mêmes instants qu'il s'agit. Il y a donc lieu d'opposer le temps dimensionnel, destructeur du moi, et l'élément reconstructeur du moi qu'est l'instant intemporel.

⁎
⁎ ⁎

Proust semble avoir toujours aimé les métaphores scientifiques. Il écrit : « *L'ouvrage de l'écrivain n'est qu'une espèce d'instrument d'optique, qu'il offre au lecteur afin de lui permettre de discerner ce que sans ce livre il n'eût peut-être pas vu en lui-même* ». Déjà, dans sa préface à la traduction de *Sésame et les Lys*, Proust a usé d'une image empruntée au domaine des sciences; il a noté: « *L'œuvre d'art n'est-elle pas pour le rythme caché — d'autant plus vital que nous ne le percevons pas nous-mêmes — de notre âme semblable à ces tracés sphygmographiques où s'inscrivent automatiquement les pulsations de notre sang ?* »

Convaincu que « *l' impression est pour l'écrivain ce qu'est l'expérimentation pour le savant, avec cette différence que chez le savant le travail de l'intelligence précède et chez l'écrivain vient après* », Proust avait le sentiment que « *nous ne sommes nullement libres devant l'œuvre d'art, que nous ne la faisons pas à notre gré, mais que, préexistant en nous, nous devons à la fois parce qu'elle est nécessaire et cachée, et comme nous ferions pour une loi de la nature, la découvrir* ». Ainsi, selon Proust, « *la vérité esthétique ne commence qu'au moment où l'écrivain prend deux objets différents, pose leur rapport, analogue dans le monde de l'art à celui qu'est le rapport unique de la loi causale dans le monde de la science, et les enferme dans les anneaux nécessaire d'un beau style* ».

Proust cherche à constituer une science psychologique qui émerge peu à peu du domaine fantomatique des symboles. Il affirme que le charme apparent des êtres lui échappe, parce qu'il n'a pas le temps de s'arrêter à lui, « *comme le chirurgien qui sous le poli d'un ventre de femme, verrait le mal interne qui le ronge* ». Proust insinue que, lorsqu'il croyait regarder les gens, il ne les voyait pas : il les radiographiait. Il n'écoutait les autres que « lorsque — si bêtes ou si fous qu'ils fussent — ils s'étaient fait par là même les oiseaux-prophètes, les porte-paroles, d'une loi psychologique ». Ce qui l'intéressait, c'était de dégager ce qui était commun à un être et à un autre, d'amener à la lumière les sentiments de tous, « d'élucider dans une langue universelle l'essence en partie subjective et incommunicable de notre moi » ; c'était, plus encore, d'extraire des éléments communs de la vie quelque chose qui les dépasse... Si le langage de Proust demeurait celui de l'empirisme, son dessein faisait de lui, « un magicien de la sensation ». C'est pourquoi l'on est tenté de dire, avec Ed. Jaloux, que son œuvre réalise le vœu de Claude Bernard annonçant le jour « où le physiologiste, le poète et le philosophe parleront la même langue ». Et peut-être l'inspiration que Proust eut au bord du lac de Genève, et dont est issue la *sensation-souvenir*, méritera-t-elle un jour d'être placée auprès de la célèbre nuit de Descartes « dans un poêle allemand », de l'illumination de Rousseau sur la route de Vincennes, et de l'intuition qui surgit en l'esprit de Bergson chevauchant dans une forêt d'Auvergne. Certes, Proust ne prétend pas, comme Taine et comme Sainte-Beuve, qu'on pourra quelque jour « importer dans l'histoire morale les procédés de l'histoire naturelle ». Cependant,

Certains amis de Marcel et de Robert Proust ont suggéré qu'il y avait même de patentes affinitiés entre le style du romancier et l'art avec lequel son frère émettait un diagnostic ou maniait le scalpel. Aux dons d'intuition, d'exactitude de Proust, il faudrait joindre la conscience professionnelle qui le poussait à relire entièrement l'ouvrage de Darwin, *Faculté Motrice dans les Plantes*, avant d'écrire l'une de ses pages les plus célèbres sur la fleur et le bourdon.

Si vaste est la curiosité de Proust qu'on ne connaît guère de discipline vers laquelle son attention ne se soit portée. La peinture et la musique ont sans doute joué dans la formation de son œuvre un rôle plus considérable que les sciences. Au langage écrit et parlé Proust préférait, il l'a dit, ce « retour à l'inanalysé », cette « communication des âmes » qu'est la « petite phrase » de Vinteuil. Héritier des Symbolistes et des Wagnériens, l'auteur du *Temps Retrouvé* aspire cependant à une synthèse de la science, de l'art et de la religion ; il croit, comme Einstein, que la sympathie et le sentiment religieux sont à l'origine des conceptions du savant aussi bien que du poète. Admirable « convergence des sentiments et des pouvoirs ».

On se demande par quel sortilège Proust parvient à suggérer ces épaisseurs de temps et d'espace que procure seule la musique. Tâtonnant vers l'insaisissable, il est mû par la poursuite d'un secret *plus profond que la raison,* il se libère du réel qu'il transfigure et cherche l'âme du monde dans sa relation avec l'homme. C'est pourquoi l'on a pu comparer le cycle du *Temps Perdu* et *Retrouvé* à ces grandes épopées scientifiques d'Héraclite et de Lucrèce que, dans sa jeunesse, Marcel Proust avait étudiées avec tant de ferveur.

Proust pensait que seule la métaphore peut *donner une sorte d'éternité au style...* On a dit qu'il a forgé sa métaphore « comme la forme conservatrice de l'instant unique et tragiquement labile ». Il a le pouvoir d'extraire l'essence de ses représentations. Si, parfois, dans l'atroce, il rejoint Dostoïevsky, dans ses déformations du réel il est à peine moins fantastique que Dickens. Il ne se sert de la réalité que pour tendre à un effet romanesque. N'a-t-il pas, comme Balzac, prétendu découvrir dans l'étude de la démarche le secret de tout comportement ? Ses personnages ont tous quelque chose d'étrange et de fatidique. Certains de ses projets ont longtemps séjourné dans une sorte de purgatoire. Son œuvre elle-même n'est-elle pas éclairée par la sombre lueur des limbes et du Purgatoire lui-même ? Dans les pages où nous voyons, en temps de guerre, Charlus rôder à travers Paris nocturne menacé par la Bertha, dans celles où nous apercevons Saint-Loup se rendre au « Temple de l'impudeur », il semble que Proust, autant que Balzac dans *La Fille aux yeux d'Or*, ose écrire une histoire « où l'Orient ouvre ses yeux lourds au milieu de Paris sans sommeil, où l'aventure s'enlace à la réalité »... (9) Mais, tandis que l'auteur de *La Comédie Humaine* — qui connaissait pourtant les relations de George Sand avec Marie Dorval et la princesse de Belgiojoso — avait hésité à dépeindre « une passion terrible devant laquelle avait reculé notre littérature qui ne s'effraie pourtant de rien », Proust avait osé se lancer dans les cercles sulfureux de Gomorrhe.

Proust est poète, parce que pour lui, comme pour Claudel, « toute poésie digne de ce nom est constituée par la métaphore, le mot nouveau, l'opération qui résulte de la seule existence conjointe et simultanée de deux choses différentes ». (10) Non seulement Proust multiplie les images, mais il les concentre, les met au point, les fait « converger ». Ainsi, lire Proust consiste — selon son propre conseil — « essayer de mimer au fond de soi le geste créateur de l'artiste.» Il faut aussi, en notant les répétitions, les fréquences significatives, tâcher de recomposer « la fixité des éléments composants de son âme ».

Louis Bolle (11) a raison de voir en la *Recherche* des prédelles, des tableaux ou des pans qui doivent » devenir réfléchissant les uns pour les autres, de sorte que la perspective et la « réflexion » auront un rôle primordial dans la constitution de l'œuvre, puisque la vérité finale résulte rigoureusement de l'exposition des erreurs ou apparences successives ». L'œuvre est ainsi quelque chose qui doit se déchiffrer, se comprendre. Le lecteur devient le collaborateur, le complice de l'auteur. Il ne faut pas oublier qu'il y a chez Proust une grande part d'humour, et, selon le mot de Pirandello, tout humoriste véritable n'est pas seulement un poète, mais aussi un critique d'imagination.

---

(9) Hoffmanstahl sur Balzac.
(10) Extrait d'une lettre de Claudel à Elémir Bourges, datée du 9 Janvier 1904 et de Fou-Tchéou.
(11) *Proust ou le Complexe d'Argus*, Paris, Grasset, 1966.

Proust rêvait de faire parler au poète, au savant et au
musicien la même langue. Chez lui comme chez Baudelaire
« tous les arts aspirent » à se prêter réciproquement des
forces nouvelles ». Il a souvent affirmé que l'artiste n'invente
pas mais que, comme l'homme de science, il découvre. (12)
Il estimait que la métaphore peut seule donner « une sorte
d'éternité au style ». Or, on a pu souligner que beaucoup des
métaphores auxquelles a recours l'auteur de la *Recherche*...
sont fondées sur la connaissance des sciences exactes ou des
sciences naturelles, (13) c'est-à-dire, en particulier, de la biologie, de la zoologie, de la physique, de l'optique, de la chimie,
de la botanique, de la géologie et de l'astronomie. Nous savons
avec quelle complaisance Proust citait les ouvrages de Henri
Poincaré, de Darwin, d'Einstein, de Lavoisier, d'Ampère,
etc... Il disait que Léon Daudet avait découvert, avec une force
comparable à celle de Balzac, « une loi sociale », comme
Newton avait découvert la loi de la gravitation. Il appelait
Balzac « ce Roger Bacon de la nature sociale » ou ce « physicien du monde moral ». Cependant, alors que Balzac attachait
une importance littérale à ces comparaisons scientifiques,
Proust n'y voyait que des correspondances. En fait Proust
se montrait fort exigeant dans le choix des images et des
métaphores. Dans sa préface aux *Tendres Stocks* de Paul
Morand, il affirmait : « Le seul reproche que je serais tenté
d'adresser à Morand, c'est qu'il a quelquefois des images
autres que des images inévitables. L'eau (dans des conditions
données) bout à 100 degrés, A 98, à 99, le phénomène ne se
produit pas. Alors mieux vaut pas d'images. Mettez devant un
piano pendant six mois quelqu'un qui ne connaît ni Wagner,
ni Beethoven et laissez-le essayer sur les touches toutes les
combinaisons de notes que le hasard lui fournit, jamais de ce
tapotage ne naîtront le thème du Printemps de la Walkyrie
ou la phrase prémendelshonienne du XV° Quatuor ». Ailleurs,
il note : « Ces images, irrésistiblement poussées par une pres-
sion externe et une force pneumatique, s'étaient engouffrées
à l'intérieur des syllabes » (J.F. II, 84). « Des lois aussi pré-

---

(12) Sur ce point il se rencontre avec Claudel qui voit dans l'art
une découverte.
(13) Cf. Reino Virtanen, « Proust's metaphors from the natural and
exact sciences », in PMLA (Publication of the Modern Language Association of America, N° 5, déc. 1954. Je me suis fréquemment servi des
citations de Virtanen.

cises que celles de l'hydrostatique maintiennent la superposition des images que nous formons dans un ordre fixe que la proximité de l'événement bouleverse... La contraction du plaisir était dûe à la certitude que rien ne pouvait plus me l'enlever. Et il reprit, comme en vertu d'une force élastique, toute sa hauteur, quand il cessa de subir l'éternité de cette certitude ». (*J.F.* III, 122).

Sachant que le poète unit les choses par des rapports nouveaux, Proust, avec cette agilité qu'il reconnaît à Giraudoux et à Morand, découvre ingénieusement ces « similitudes amies », ces analogies imprévues. Un charme naît de la répétition de certaines figures invariantes à travers les divisions de l'œuvre. Proust nous a dit que son livre n'était qu'un de ces « verres grossissants » qui permettent au lecteur de lire en lui-même. Mais il s'empressait d'ajouter que quelques-uns n'y ont vu qu'un microscope, alors qu'il s'agit en réalité d'un télescope et que ce qui paraît infiniment petit ne l'est en vérité qu'en raison des distances infinies (T.R., II, 244).

Opposant ses dons à ceux des Goncourt qui n'étaient que de minutieux observateurs de l'extériorité, Proust nous dit que lorsqu'il dînait en ville, il avait beau regarder les convives, il les « radiographiait » (*T.R.* I, 36). Rejetant la réalité photographique qui ne nous offre de la vie qu'une vue superficielle, il affirme que « ce que nous appelons la réalité est un certain rapport entre ces sensations et ces souvenirs qui nous entourent simultanément — rapport que supprime une simple vision cinématographique » (*T.R.* II, 38).

La psychologie de Proust sera donc une psychologie dans le temps, différant de la psychologie plane comme la géométrie dans l'espace diffère de la géométrie plane. Albertine, telle qu'il la voit au cours des différentes années, lui fait sentir la beauté des « espaces interférés » et se modèle devant lui « avec de mystérieuses ombres et un puissant relief » (*P.* I. 88). Il nous offre donc une vue d'optique des années « d'une personne située dans la perspective déformante du temps » (*T.R.* II, 88). Ici, bien qu'il ait affirmé que ses conceptions étaient plus proches de celles d'Einstein que de celles de Bergson, il reconnaît que ses comparaisons étaient « vaines » parce qu'elles étaient « empruntées au monde de l'espace », alors qu'il voulait suggérer la durée. Proust confesse lui-même qu'il a été contraint de pratiquer des « coupes » dans la continuité de la vie. « Mes rêves de voyage et d'amour,

dit-il, n'étaient que des moments — que je sépare artificiellement aujourd'hui comme si je pratiquais des sections
à des hauteurs différentes d'un jet d'eau irisé et en apparence immobile — dans un même et infléchissable jaillissement de toutes les forces de ma vie » (S. I, 125).

R. Virtanen a pu remarquer que certaines des métaphores
de Proust peuvent provenir d'une connaissance plus approfondie qu'on ne croit des écrivains scientifiques et des philosophes. C'est ainsi qu'il fait remonter à Diderot, en passant
par Taine et même par Laforgue, la comparaison que Proust
aime à faire de notre « moi » avec un polypier. Nous savons
que Proust avait beaucoup appris de son professeur de philosophie, M. Darlu, qu'il avait été passionné par la lecture de
Stuart-Mill, de Th. Ribot, de Maine de Biran, de Janet, de
Bergson ; mais Virtanen souligne aussi ce qu'il doit à H.G.
Wells et à Darwin. Du premier il avait lu *La Machine à explorer le temps* ; quant au second il s'inspire non de la *Faculté
motrice dans les plantes* (dont a parlé Lucien Daudet) mais
surtout de ses essais sur la *Fertilisation dans le règne végétal*. Nous savons qu'il aimait à citer Emerson, Gourmont,
René Quinton, etc...

D'aucuns ont toutefois reproché à Proust certaines de ses
analogies. C'est ainsi que, lorsqu'il dit de Swann : « par le
chimisme même de son mal, après avoir fait de la jalousie avec
son amour, il recommençait à fabriquer de la tendresse... »,
Sartre écrit : « Proust tente de constituer un « chimisme »
symbolique, mais les images dont il se sert sont simplement
capables de masquer des motivations et des actions irration-
nelles » (14). Or l'auteur de *L'Etre et le Néant* semble oublier
que Proust, par cette phrase, ne cherche nullement à donner
« une solution unique d'un problème psychologique » (15).

Déjà, dans « Combray », au début de son roman, Proust
note : « C'est comme à des gisements profonds de mon sol
mental, comme aux terrains résistants sur lesquels je m'appuie encore, que je dois penser au côté de Méséglise et au
côté de Guermantes » (S. I, 254). Et à la fin de son livre il
reprend l'image : « Je savais très bien que mon cerveau
était un riche bassin minier, qu'il y avait une étendue immense et fort diverse de gisements précieux. Mais aurais-je le
temps de les exploiter » (T.R. II, 239).

---

(14) J.P. Sartre, *L'Etre et le Néant*, pp. 216-217.
(15) R. Virtanen, *Ibid*.

On sait combien Proust aimait à comparer l'attrait qu'un être humain peut exercer sur un autre à la fécondation des fleurs. Avant de faire allusion à la rencontre de Charlus et de Jupien, il dit, un peu humoristiquement, que madame Cottard, en active ouvrière, visitait un « nombre énorme de calices bourgeois », et que madame de Vaugoubert avait développé des traits masculins par « cette sorte de mimétisme qui fait que certaines fleurs se donnent l'apparence des insectes qu'elles veulent attirer » (*S.G.* I. 68).

Dans *Le Temps Retrouvé*, il compare notre individu à « un polypier, où l'œil, organisme indépendant bien qu'associé..., cligne sans que l'intelligence le commande » ; et, ajoute-t-il, « où l'intestin, parasite enfoui, s'infecte sans que l'intelligence l'apprenne... » (*T.R.* II, 109). Déjà, dans *Les Jeunes Filles en Fleurs*, le groupe était comparé à ces « organismes primitifs où l'individu n'existe guère par lui-même ». L'une des métaphores auxquelles Proust semble particulièrement attaché est celle qu'il hérite de la « cristallisation » stendhalienne.

Dans *Albertine Disparue* (ou *La Fugitive*) Proust observe que notre intelligence ne peut apercevoir les éléments qui composent notre cœur « et qui restent insoupçonnés tant que, de l'état volatil où ils subsistent la plupart du temps, un phénomène capable de les isoler ne leur a pas fait subir un commencement de solidification... » Et il conclut : « Cette connaissance venait de m'être apportée, dure, éclatante, étrange, comme un sel cristallisé par la brusque réaction de la douleur ». (*A.D.* 8-9).

De même, dans *Le Temps Retrouvé*, décrivant les changements survenus dans le salon Verdurin, Proust montre que, « par la rapide cristallisation d'une élégance si longtemps retardée, mais dont tous les éléments nécessaires et restés invisibles, saturaient depuis longtemps le salon des Verdurin, celui-ci s'était ouvert à un monde nouveau ». (*T.R.* I. 127). Enfin, pour décrire la transformation physique de Charlus vieilli, après une attaque d'apoplexie, Proust nous dit qu'il avait « comme une sorte de précipité chimique, rendu visibles (...) les mêches maintenant de pur argent de sa chevelure et de sa barbe ». (*T.R.* I, 224).

Toujours dans *Le Temps Retrouvé*, le narrateur, analysant l'effet produit sur sa mémoire par le roman de George Sand, *François le Champi*, suggère : « C'était une plume que,

sans le vouloir, j'avais électrisée, comme s'amusent souvent
à faire les collégiens, et voici que mille riens de Combray, et
que je n'apercevais plus depuis longtemps, sautaient légère-
ment d'eux-mêmes et venaient à la queue-leu-leu se suspendre
au bec aimanté, en une chaîne interminable et tremblante de
souvenirs ». (*T.R.* II, 32).

Un très grand nombre de métaphores proustiennes est emprunté à l'électricité, surtout, semble-t-il, chaque fois qu'il
s'agit d'Albertine. En voici quelques exemples : « Comme
par un courant électrique qui vous meut, j'ai été secoué par
mes amours, je les ai vécus, je les ai sentis : jamais je n'ai
pu arriver à les voir ou à les penser » (*S.G.* II, 356). Et quand
il découvre la vie secrète d'Albertine, il retrouve la même
analogie : « A ces mots... mon cœur fut bouleversé avec plus
de rapidité que par un courant électrique, car la force qui fait
le plus de fois le tour de la terre en une seconde, ce n'est pas
l'électricité, c'est la douleur ». (*A.D.*, 78). De même, après
sa mort, il écrit : « cent fois par heure le courant interrompu
était rétabli, et mon cœur était brûlé sans pitié par un feu
d'enfer » (*A.D.*, 153). Enfin, Andrée n'était pour lui « qu'un
prête-nom, qu'un chemin de raccord, qu'une prise de courant qui me reliait indirectement à Albertine » (*A.D.* 159).
Bien qu'il eût commencé à oublier sa maîtresse, la douleur
survivait : « Souvent c'était dans les parties les plus obscures
de moi-même, quand je ne pouvais plus me former aucune
idée nette d'Albertine, qu'un nom venait par hasard exciter
chez moi des réactions douloureuses que je ne croyais plus
possibles, comme ces mourants chez qui le cerveau ne pense
plus et dont on fait se contracter un membre en y enfonçant
une aiguille... D'ailleurs un mot n'avait même pas besoin...
de se rapporter à un soupçon (même une syllabe commune
à deux noms différents suffisait à ma mémoire — comme
à un électricien qui se contente du moindre corps bon con-
ducteur — pour rétablir le contact entre Albertine et mon
cœur » (*A.D.*, 166). Plus tard, il observera : « Puisque l'ardeur qui dure devient lumière et que l'électricité de la foudre
peut photographier, ... acceptons le mal physique qu'il nous
donne pour la connaissance qu'il nous apporte » (*T.R.*, II,
62).

Lorsqu'il parle d'artistes, de créateurs, comme Wagner
ou comme Elstir et Vinteuil, nous voyons Proust emprunter
ses images au monde de l'aviation, qu'Agostinelli lui avait

fait si bien connaître. « Chaque artiste, dit-il, semble ainsi comme le citoyen d'une patrie inconnue, oubliée de lui-même, différente de celle d'où viendra, appareillant pour la terre, un autre grand artiste » (*P.* I, 213). Et il compare la musique du *Tristan et Isolde* de Wagner à un « aéroplane que j'avais vu à Balbec changer son énergie en élévation » (*P.* I, 213).

Plus curieuses encore sont les métaphores de Proust empruntées aux mathématiques, algèbre ou géométrie. Le narrateur trouve la princesse de Parme intéressante en raison de la ville dont elle porte le nom : « C'était, dans l'algèbre du voyage à la ville de Giorgione, (16 bis) comme une première équation à cette inconnue » (*L.G.* III, 64). De même, parlant d'une jeune paysanne, il écrit : « J'avais depuis longtemps cessé de chercher à extraire d'une jeune femme comme la racine carrée de son inconnue... (*S.G.* I, 210).

C'est un peu la même métaphore que nous retrouvons plus loin au sujet d'Albertine : « En voyant ce corps insignifiant couché là, je me demandais quelle table de logarithmes il constituait pour que toutes les actions auxquelles il avait pu être mêlé depuis un poussement de coude jusqu'à un frôlement de robe, puissent me causer, étendues à l'infini de tous les points qu'il avait pu occuper dans l'espace et dans le temps, et... brusquement revivifiées dans mon souvenir, des angoisses si douloureuses » (*P.* II, 212).

Les comparaisons astronomiques ne sont pas moins nombreuses chez Proust. A Rivebelle, les tables des dîneurs sont des planètes qui exercent l'une sur l'autre une force d'attraction. Au sujet de ces mondes qui sont distincts de notre moi, Proust remarque : « Combien d'observations patientes, mais non point sereines, il faut recueillir sur ces mondes inconnus... avant de dégager les lois certaines acquises au prix d'expériences cruelles, de cette astronomie passionnée » (*J.F.* III, 90).

Et lorsque le cycle d'Albertine est sur le point de se clore, il constate : « Albertine la première fois... m'avait semblé représentative de ces jeunes filles... Et n'était-il pas naturel que maintenant l'étoile finissante de mon amour, dans lequel elles étaient condensées, se dispersât de nouveau en cette poussière disséminée de nébuleuses ? » (*A.D.,* 198).

En présence des changements qui le frappent dans le

(16 bis) **Ce n'est pas Giorgione mais Corrège qu'il eût fallu dire.**

caractère de Saint-Loup vieillissant, il trouve une explication possible dans les lois de l'atavisme » : Il devait y avoir dans ces moments là, qui sans doute ne revenaient qu'une fois tous les deux ans, éclipse de son moi propre, par le passage sur lui de la personnalité d'un aïeul qui s'y reflétait (*C.G.*, II, 29) C'est encore son ami Saint-Loup qui lui inspire une vue astronomique des rapports entre les humains : « Les êtres ne cessent pas de changer de place par rapport à nous ; dans la marche sensible mais éternelle du monde, nous les considérons comme immobiles, dans un instant de vision trop court pour que le mouvement qui les entraîne soit perçu. Mais nous n'avons qu'à choisir dans notre mémoire deux images prises d'eux à des moments différents... et la différence des deux images mesure le déplacement qu'ils ont opéré par rapport à nous » (*S.G.* II, 215).

Au narrateur lui-même les époques différentes de son existence apparaissent comme des univers différents. Aux métaphores astronomiques se joignent également celles qui sont tirées du spectre des astres : « L'art d'un Vinteuil comme celui d'un Elstir... extériorisent dans les couleurs du spectre la composition intime de ces mondes que nous appelons les individus, et que sans l'art nous reconnaîtrions jamais... ; avec un Elstir, avec un Vinteuil... nous volons vraiment d'étoiles en étoiles » (*P.* II, 74).

Plus d'une fois, l'homme se mêle aux comparaisons dont Proust fait usage, par exemple lorsqu'il décrit la condescendance de la princesse de Luxembourg : « Même dans son désir de ne pas avoir l'air de siéger dans une sphère supérieure à la nôtre, elle avait sans doute mal calculé la distance, car, par une erreur de réglage, ses regards s'imprégnèrent d'une telle bonté que je vis approcher le moment où elle nous flatterait de la main comme deux bêtes sympathiques » (*J.F.* II, 136).

Avant même d'avoir composé sa *Recherche du Temps Perdu*, Proust avait adopté dans son style ces métaphores hardies, que lui insipiraient quelquefois ses lectures scientifiques. C'est ainsi que, dans « les Sentiments filiaux d'un parricide » (recueillis dans ses *Pastiches et Mélanges*) (17) il écrit : « Les yeux... ne sont plus, pour détourner de sa signification une expression de Wells, que des « machines à explo-

_____

(17) Cf. *Œuvres Complètes* (VIII, 216).

rer le temps », des télescopes de l'invisible, qui deviennent
à plus longue portée à mesure qu'on vieillit ».

Parfois, Proust n'a pas craint de reprendre des images
qu'il avait trouvées chez ses maîtres préférés. Enerson ayant
écrit : « Est-ce Boscovitch qui découvrit que les corps n'entrent jamais en contact ? Eh bien ! les âmes non plus ne
touchent jamais leur objet ». Proust à son tour note : « Car
il y a entre nous et les êtres un liseré de contingences... comme il y en a un de perception et qui empêche la mise en contact absolue de la réalité et de l'esprit ». (*T.R.* II, 158)

CHAPITRE XI

LA DOULEUR METAMORPHOSANTE
L'AMOUR, LE MAL ET LA MORT

> *Posez l'amour, vous posez toutes les passions.*
>
> BOSSUET

> *...les pays qui sont les analogies de la mort.*
>
> CH. BAUDELAIRE

> *Je ne pouvais plus aimer que là où la mort mêle son souffle à celui de la Beauté.*
>
> EDGAR A. POE

L'amour « d'Albertine » et la jalousie aberrante ont sans doute métamorphosé Proust, tout comme le Narrateur de la *Recherche,* car la douleur fournit un « observatoire privilégié ».

Etant de ces créateurs qui ont accès à l'inconsient et à ses lois, Proust n'était-il pas semblable à celui dont Hölderlin disait : « Le roi Œdipe a un œil de trop, peut-être » ? Proust nous confesse que son héros aimait Albertine « comme une maîtresse, comme une sœur, comme une fille, comme une mère aussi ». Il eût pu dire : comme un double, comme un miroir, comme un autre moi-même. La bouche collée à son front, il éprouvait la tranquille avidité d'un enfant qui tette. Il fait songer au philosophe chinois Lao-Tseu, qui notait : « Moi seul je diffère des autres hommes parce que je tiens à téter ma mère ». Comparant l'attente du baiser maternel et du baiser d'Albertine, Proust souligne lui-même qu'il y a « presque sacrilège à comparer l'idendité de la grâce octroyée ». On pourrait cependant trouver chez Proust, à travers tant de pages érotiques, « une nostalgie de l'innocence ». On a dit qu'il était un « voyeur », mais en réalité, c'est surtout lui-même que Proust épie, espionne, questionne, interroge sans pitié. Proust appelle l'amour une torture réciproque. Sachant se mettre dans la peau de chacun de ses personnages, il semble avoir pratiqué « cette magie sympathique qui consiste à se transporter à l'intérieur de quelqu'un. » Proust écrit : « Nous nous imaginons que l'amour a pour objet un être couché devant nous, enfermé dans un corps. Hélas ! il est l'extension de cet être à tous les points de l'espace et du temps que cet être a occupés et occupera. Or nous ne pouvons toucher tous les points ..., nous tâtonnons sans les trouver. » « Dans les personnes que nous aimons, il y a, immanent à elles, un certain rêve que nous ne pouvons pas toujours discerner, mais que nous poursuivons... »

Les amours de Proust se présentent à nous comme des fièvres récurrentes. La mythologie antique le hantait : « L'image d'Ulysse cherchant à étreindre l'ombre de sa mère et le lamento d'Orphée pleurant Eurydice ne pouvaient se désancrer ». (1)

Chaque fois qu'on se penche sur Proust, on s'aperçoit qu'au-delà de ce qu'on a compris il reste un mystère, une zone d'ombre, une énigme à déchiffrer. Il est plein de dessous, de détours et de secrets. Il s'amuse à nous égarer un instant avant de nous faire entrevoir le véritable chemin qu'il poursuit.

Come Balzac, Proust revendique le droit de recourir, pour être vrai, aux « ressources du conte arabe ». Afin de pénétrer le sens caché des faits, il fallait discerner les rapports complexes de la signifiance ». Loin de copier le monde extérieur, il « commence par en replonger en lui-même les images ». Chez lui, l'observation est devenue intuitive : elle lui donne « la faculté de vivre la vie de l'individu sur lequel elle s'exerce, en lui permettant de se substituer à lui comme le derviche des *Mille et Une Nuits* prend le corps et l'âme des personnes sur lesquelles il prononce certaines paroles. » En

---

(1) Cf. P. Martin, *L'Information Littéraire*, mars-avril 1969.

entendant les gens, il épouse leur vie. En chacun de ses personnages il découvre un être semblable à lui. Et, de même que
celui des personnages de Balzac qui intéresse le plus l'auteur,
c'est Vautrin, chez Proust, le héros en lequel nous reconnaissons le mieux les dons de celui qui l'a créé, c'est Charlus,
oui, ce Charlus que le Narrateur de la *Recherche* avait
d'abord, en l'apercevant sur la plage, pris pour « un fou, un
acteur, un policier ou un escroc... » (2) Mais c'est un caracère
qu'on reverra « épars en plusieurs endroits »... Gilberte, à
son tour, lui présentera d'elle-même, selon les circonstances
et les perspectives, des aspects opposés.

Edmond Jaloux observe : « Faire entrer le relatif dans la
conception de l'amour et l'affranchir de ce mythe de l'absolu
dont elle dépendait jusqu'ici, aura été un des résultats essentiels obtenus par Proust. » Pourtant, il estimait que l'amour
est « la seule part de bonheur dans la seule vie qu'il y ait
sans doute. » L'amour était pour lui « une sorte de création
d'une personne supplémentaire, distincte de celle qui porte
le même nom dans le monde et dont la plupart des éléments
sont tirés de nous-mêmes ». Il n'en est pas moins en réaction
contre la conception romantique de l'amour. Swann s'écrie :
« Dire que j'ai gâché des années de ma vie pour une femme
qui ne me plaisait pas ! » « Mon amour commence par la
jalousie », affirme le Don Juan de Molière. C'est aussi ce que
pourraient dire les héros de Proust : Swann et le Narrateur.
Proust écrit non sans humour : « La jalousie est un bon
recruteur qui, quand il y a un creux dans notre tableau, va
nous chercher dans la rue la belle fille qu'il fallait. Elle
n'était plus belle, elle l'est redevenue, car nous sommes jaloux
d'elle, elle remplira ce vide »... (3) On sait comment la mystérieuse Albertine en face de la mer est tout à coup redevenue
elle-même. Pour Proust, « le visage humain est comme celui
du dieu d'une théogonie orientale, toute une grappe de visages
juxtaposés dans des plans différents et qu'on ne voit pas à
la fois ».

---

(2) Dans ses *Cahiers*, Proust note : « Rencontre de Vautrin et de
Rubempré, près de la Charente. Langage de Vautrin à la Montesquiou...
Vautrin s'arrêtant pour visiter la maison de Rastignac : tristesse
d'Olympio de la pédérastie ». (Cf. A. Maurois *A la Recherche de Marcel
Proust*, p. 152).

(3) III, 916.

Peut-être Proust aurait-il pu écrire, avec Ninon de Lenclos, cette phrase qu'appréciait Lénine : « Ce qui rend l'amour tellement dangereux, c'est l'idée sublime que l'on s'avise de s'en former ». Il pesait tous ses sentiments, sans jamais les mépriser, bien qu'il ne fût pas dupe de leur précarité. Le jeune amoureux de Gilberte eût pu dire, tel Dante évoquant son trouble en présence de la petite Béatrice Portinari : (4) « Voici un Dieu plus fort que moi qui va me dominer ». Ces passions d'enfants furent fréquentes dans l'histoire des lettres : Byron s'éprit à neuf ans de Mary Duff ; Tolstoï, également à neuf ans, de Sonia Kolochine (et il dira, comme Proust de Marie Bénardaky, que ce fut la plus grande passion de sa vie) ; Proust enfant a caché ce premier chagrin dans la « chambre des larmes », mais toute son œuvre future devait en sortir. Ce fut « l'ivresse et le désespoir » de son enfance. Toute sa vie, il allait revivre sa prime jeunesse. Il pensera, il sentira que, selon le mot de Joubert, « les plaisirs, lorsqu'on les goûte une seconde fois par la mémoire et la réflexion », sont « plus doux que dans le moment de leur jouissance réelle ». D'ailleurs il avait tendance à croire, comme l'ami de Chateaubriand, que « la présence d'un être aimé est l'émission d'une image qui se fait à travers l'atmosphère et nous le rend tangible », (5) « ...si bien que l'ombre de Gilberte s'allongeait non seulement devant une église de l'Ile-de-France où je l'avais imaginée, mais sur l'allée d'un parc du côté de Méséglise »...

La spiritualité de Proust ne risque jamais de le dérober à l'opération de ses sens ; son corps hypersensible s'allie avec les émanations de sa vie spirituelle et, comme celui de Joubert, adhère à son âme en la consumant ; cependant il ne croit pas qu'en se débarrassant de son corps il pourrait se sanctifier. Il savait que la chair, « promesse aux sens », menace l'âme, mais qu'Abélard ne devint pas un ange. Les choses de la terre parlent plus sûrement qu'un être immatériel.

Proust a pu se demander « si pour l'Amour on ne devrait pas agir comme ceux qui, contre le bruit, au lieu d'implorer qu'il cesse, se bouchent les oreilles »... Il sait que la curiosité

---

(4) Si toutefois, on admet l'anecdote rapportée par Boccace.
(5) G. Poulet, *Joubert, Pensées*, introduction.

amoureuse est comme celle qu'excitent les noms de pays :
« Toujours déçue, elle renaît et reste toujours insatiable »...
Les femmes que nous aimons ne sont qu'un « négatif » de
notre sensibilité. D'ailleurs, « un amour a beau s'oublier,
il peut déterminer la forme de l'amour qui le suivra ».
L'amour d'une Odette ou d'une Albertine n'est provoqué que
par le mensonge « et consiste seulement dans le besoin de
voir nos souffrances apaisées par l'être qui nous fait souffrir. » Les femmes que nous avons le plus aimées ont l'étrange « pouvoir simili-électrique » d'exciter notre amour : ...
«Sous l'apparence de la femme, c'est à ces forces invisibles dont
elle est accessoirement accompagnée que nous nous adressons
comme à d'obscures divinités » ... « Avec ces déesses, la femme durant le rendez-vous nous met en rapport et ne fait
guère plus... Or est-ce pour la femme elle-même, si elle n'était
pas complétée de ces forces occultes, que nous prendrions
tant de peine, alors que quand elle est partie, nous ne saurions
dire comment elle était habillée, et que nous nous apercevons
que nous ne l'avons même pas regardée ? » (6) « Ce que
nous croyons notre amour, notre jalousie, n'est pas même
une passion continue, indivisible. Ils se composent d'une infinité d'amours successifs, de jalousies différentes, et qui sont
éphémères, mais par leur multitude ininterrompue donnent
l'impression de la continuité, l'illusion de l'unité ». Proust
ne semble donc pas croire que notre amour soit nécessaire et
prédestiné : « C'est, dit-il, la terrible tromperie de l'amour
qu'il commence à nous faire jouer avec une femme non du
monde extérieur, mais avec une poupée intérieure à notre
cerveau, la seule d'ailleurs que nous ayons à notre disposition..., création factice à laquelle peu à peu pour notre souffrance, nous forçons la femme réelle à ressembler ». Il est
vrai que Proust, quoi qu'on ait dit, a su nuancer son analyse
de la passion amoureuse : « Quand on aime, l'amour est
trop grand pour pouvoir être contenu tout entier en nous ;
il irradie vers la personne aimée, rencontre en elle une surface qui l'arrête, le force à revenir à son point de départ ;
et c'est ce choc en retour de notre propre tendresse que nous
appelons le sentiment de l'autre et qui nous charme plus
qu'à l'aller, parce que nous ne savons pas qu'elle vient de
nous. » Cependant, « les émotions qu'une jeune fille médiocre

---

(6) *S.G.*, II, 3, pp. 232.

nous donne peuvent nous permettre de faire monter à notre
conscience des parties plus intimes de nous-mêmes, plus personnelles, plus lointaines, plus essentielles, que ne ferait le
plaisir que nous donne la conversation d'un homme supérieur »...

A la fin de son récit, le Narrateur nous livre pourtant
ce secret : « L'Albertine réelle que je découvrais, après avoir
conuu tant d'apparences diverses d'Albertine, différait fort
peu de la fille orgiaque surgie et *devinée*, le premier jour
sur la digue de Balbec ». (7) « Dans l'éclair d'une intuition
qui est l'analogue, sur le plan psychologique et sur le mode
volontaire, de la révélation bienheureuse », le héros retrouve
« la perspective du premier coup d'œil, la première apparence qui contient l'essence de son être ». Proust sait que
nous aimons, à travers les changements, un être permanent ;
il sait que si notre amour se fonde souvent sur la possession
physique, il n'en existe pas moins en lui ce noyau moral qui
subsistera toujours. Il y a plus : si Proust dissocie, il recompose. Tout en privant la personnalité de ses cadres cartésiens,
et tout en conservant le langage dualiste qui est celui de
l'expérience, Proust « tend à la reconstruction d'une éviden-
ce extrarationnelle ». (8) Il croyait à l'existence de réalités
éternelles intuitivement perçues par l'inspiration. « La vie
tisse sans cesse des fils mystérieux entre les êtres » (9). « Je
commençais à trouver que les « reconnaissances » exprime-
raient... une part importante de la vie, si on savait aller jusqu'au romanesque vrai ». Selon Proust, chacun *forge* à son
amour des *raisons d'être* qui répondent aux *conceptions tra-
ditionnelles* de l'amour ; mais l'amour, étant un phénomène
purement *subjectif,* nous créons l'être aimé d'éléments dont
la plupart sont tirés de *nous-mêmes* : c'est ainsi notre nature
qui crée elle-même nos amours. En tant qu'il porte le nom
d'une certaine créature, notre amour n'est pas quelque chose
de réel : nous projetons simplement dans la femme dont nous
sommes amoureux un *état de notre âme*, par conséquent l'important n'est pas la valeur de la femme, mais la profondeur

---

(7) Pléïade, III, 609.
(8) A. Dandieu, *M. Proust, sa révélation psychologique,* 1930.
(9) Ailleurs il écrit : Tout se passe comme si la vie « ne possédait
qu'un nombre limité de fils pour exécuter les dessins les plus différents ».

de l'état. Les femmes que nous aimons ont plutôt la propriété *d'éveiller* l'amour qu'elles n'en sont *l'image*. Proust reconnaît pourtant la notion de *l'individuel,* qui fait qu'une femme
est un être *unique* qui nous est *prédestiné* et nécessaire. On
voit que les événements qui se rapportent à l'amour semblent
régis par des lois plutôt *magiques* que *rationnelles.* Proust
savait que l'Amour est toujours « l'enfant divin qui transfi-
gurait tout ».

Selon Proust, une passion est en nous « comme un caractère momentané et différent qui se substitue à l'autre et abolit
les signes invariables par lesquels il s'exprimait ». S'il ne parvenait pas à se rendre insensible, du moins analysait-il avec
curiosité le déroulement de sa crise. Ecoutons-le : « De tous
les modes de propagation de l'amour, de tous les agents de
dissémination du mal sacré, il est bien l'un des plus efficaces,
ce grand souffle d'agitation qui parfois passe sur nous. Alors,
l'être avec qui nous nous plaisions à ce moment-là, le sort
en est jeté, c'est lui que nous aimerons ». Proust se plaît à
mêler au pays, au paysage, le corps de l'être aimé, l'étendant
ainsi « à l'infini de tous les points qu'il avait occupés dans
l'espace et le temps ». Cela faisait de sa vie « une étendue
émouvante » ; mais lorsqu'il sentait s'éveiller la jalousie, il
imaginait que « l'être aimé avait mille personnalités différentes ». Proust nous confesse que le charme principal des
« jeunes filles en fleurs », à Balbec, était de se détacher sur
le bleu de la mer. Il rattachait ainsi les personnes les plus
désirées « à une certain rêve, à un charme » indiscernable,
mais immanent, qui se parait du prestique des lieux. « Un
visage désirable que nous ne connaissons pas nous ouvre de
nouvelles vies que nous désirons vivre ». Telle était « l'étoile
finissante de (son) amour en laquelle les jeunes filles s'étaient
condensées ». De même : « Gilberte... était toujours devant
la haie d'épines roses, dans le raidillon que je prenais pour
aller du côté de Méséglise. »

Proust — comme on l'a dit de Stendhal — peut multiplier
les scènes entre le Narrateur et Albertine, « sans que nous
ayons jamais l'impression non seulement d'une redite, mais
même d'une monotonie. Chaque scène a une présence si impérieuse qu'il semble toujours qu'elle soit la première. » (10)

---

(10) C. du Bos, *Approximations.* Proust lui-même note : « Je ne
me croyais pas mon propre prophète quand je montrai Swann, après
qu'il a cessé d'aimer Odette, retrouver sa jalousie ».

Il renouvelle avec passion les expériences lucides. Sachant que *le moi se transforme sans cesse*, « que la permanence et la durée ne sont promises à rien, pas même à la douleur », Proust étudie les sentiments humains comme des *affections maladives* ; les êtres que nous aimons, se pliant au cadre du temps, ne nous apparaissent que par minutes successives. Il s'efforce donc de retrouver « cette réalité loin de laquelle nous vivons » ; c'est un retour aux abîmes de la mémoire.

*
* *

Tout en paraissant décrire « l'écume » des choses, Proust plongeait. Il disait : « Je descends dans la profondeur de la mer ». En outre, il estimait que « la frivolité d'une époque, quand dix siècles ont passé sur elle, est matière de la plus grave érudition. » Ainsi prévoyait-il que ses évocations de la « Belle Epoque » feraient un jour l'objet d'innombrables commentaires. Il rattachait « un trait sentimental à un état social ». S'opposant aux Goncourt, il prétendait qu'il ne savait ni écouter, ni, dès qu'il n'était plus seul, regarder. C'est pourquoi sa « radiographie » des êtres est une chose si rare et si vraiment étonnante. « Le son de la voix humaine, disait-il, m'entre jusqu'au cœur. »

Il a souvent parlé de l'homme invisible de H.G. Wells ; mais il était lui-même cet homme invisible et ce voyeur qui sait apercevoir par un trou de serrure tout un univers inconnu. Proust pensait que « l'amour nous pousse non seulement aux plus grands sacrifices pour l'être que nous aimons, mais parfois jusqu'au sacrifice de notre désir lui-même ». Rien n'est plus limité que le plaisir et le vice : c'est pourquoi nous avons le droit de croire que Proust a beaucoup moins pratiqué qu'on ne le dit les vices qu'on lui prête. En revanche, cet homme qu'on a souvent dépeint comme un efféminé était un être viril et chevaleresque qui sut défendre ses convictions avec un courage très rare. Il savait en effet — car c'était son cas — qu'on peut « avoir peur de ne pas dormir et nullement d'un duel sérieux, d'un rat et pas d'un lion ». Toute son œuvre est là pour témoigner à la fois de son audace, de son tempérament presque agressif et des étranges terreurs, des angoisses qui l'ont hanté depuis sa plus tendre enfance.

*
* *

Tout comme Baudelaire, Proust jugeait que « les vices
de l'homme, si pleins d'horreur qu'on les suppose, contiennent
la preuve (si ce n'est par leur infinie expansion) du goût de
l'infini ; seulement c'est un infini qui se trompe souvent
de route ». Disciples du marquis de Sade ou de Sacher
Masoch, les clients de Jupien n'étaient-ils que des « revenants » ou des « possédés » ? Eprouvaient-ils « une attirance
invincible » pour « ce fond noir du malheur et de la faute,
traversé d'étranges enchantements » ? Est-ce l'évanouissement de l'humain ? Ici le démoniaque s'ouvre sur le vice. Je
songe au tableau de Monsù Desiderio : *La Destruction de
Sodome*. « Ces fantômes de vivants sont à la poursuite de
leur ombre qui les précède ». (11) Pourquoi ces hommes,
dont quelques-uns, comme Saint-Loup, affrontent la mort
dans les tranchées, se sont-il soumis à la plus abjecte des
tentations ? Dante n'a rien imaginé de plus cruel et de plus
dérisoire. Ni Jérôme Bosch. Mais Proust avait beau savoir
que ces malheureux, ces obsédés, demeuraient encore, par
certains côtés, des hommes, il eût voulu découvrir leur véritable expression, arracher leur masque.

Car le dedans du masque est encor la figure. (Hugo)

Proust nous a décrit « les réduits parfois hideux de l'inconscient ». Dans l'apocalyptique évocation de son sabbat
nocturne, « il n'y a pas un geste qui n'ait été apporté à son
inspiration par la mémoire » ; Proust sait que son œuvre est
« le laboratoire d'une nouvelle sorte de création du monde ».
Et le poison de la perversité ne tient pas ici une moins grande place que l'élixir de l'enchantement. Dans ces limites, les
personnages de Proust « ressemblent aux créatures que fait
apparaître la puissance du spiritisme ». « Pour la première
fois on ose, lui écrit Montesquiou, vous osez prendre pour
sujet direct comme ferait de l'amour un roman de Benjamin
Constant le vice de Tibère et celui du pasteur Corydon ». (12)

Baudelaire soulignait qu'il avait « perfectionné l'art d'en-
sanglanter son mal et de gratter sa plaie ». Las de ne rien

---

(11) J. Chaix-Ruy, *Du Dérisoire au Démoniaque*.
(12) Montesquiou ajoutait : « Serez-vous enrôlé dans le bataillon
des Flaubert et des Baudelaire, qui ont passé par la flétrissure pour
arriver à la gloire, ou lira-t-on au dessous de votre portrait, comme
sous l'image de Juvénal le mot qu'y inscrit Hugo avec une sorte d'horreur sacré : pour avoir regardé Sodome ? »

vouloir, il ne désirait plus, comme Hamlet, que « dormir ».
A l'instar de Baudelaire, Proust a choisi de se voir comme
s'il était un autre, et, selon le mot de Sartre, il a choisi « de
se faire voir comme un autre ». Ou plutôt, il cherchait à connaître l'hôte mystérieux qui était en lui.

Proust disait qu'il était mort plus d'une fois. Dans son
usage déraisonnable des narcotiques, il s'est quelquefois
approché très près de l'anéantissement. (Il annonce par là
les recherches d'un René Daumal, d'un Roger-Gilbert Lecom-
te...) C'est ce qu'il appelait « une incursion momentanée dans
la mort ». Proust avait des secrets qui étaient le plus profond de sa vie. Il devait assumer toute son existence, et même
ses fautes. Scrupuleux et parfois quelque peu morbide, il en
venait à s'attribuer des fautes imaginaires. La *Recherche*
n'est-elle pas, comme on l'a insinué, « le roman d'aventures
de la conscience » ? « Là était le secret maintenant de ce
avec quoi Dieu souffle une vie, avec des vices qui ne lui don-
neront chaque jour que de moins en moins de plaisir ».

Peut-on montrer plus nettement les périls de l'art qu'en
appliquant à Proust lui-même ce qu'il disait de Bergotte :
« ...plus le grand écrivain se développa en lui aux dépens de
l'homme (...) plus sa vie individuelle se noya dans le flot de
toutes les vies qu'il imaginait et ne put plus l'obliger à des
devoirs affectifs, lesquels étaient remplacés pour lui par le
devoir d'imaginer ces autres vies » ... Car Proust savait qu'entre le génie et la *gaine de vices* où il est si fréquemment contenu, conservé, il existe plus encore qu'un contraste apparent,
une union profonde ». Ailleurs, Proust va même jusqu'à dire:
« Peut-être est-ce dans des vies réellement vicieuses que le
problème moral peut se poser avec le plus d'anxiété. Et à
ce problème l'artiste donne une solution non pas dans le plan
de sa vie individuelle, mais de ce qui est pour lui sa vraie vie,
une solution générale, littéraire. Comme les grands docteurs
de l'Eglise commencèrent souvent tout en étant bons par connaître les péchés de tous les hommes, et en tirèrent leur sain-
teté personnelle, souvent les grands artistes tout en étant
mauvais se servent de leurs vices pour arriver à concevoir la
règle morale de tous ». C'est encore Proust qui parle dans
ces aveux de Françoise à Jean Santeuil : « Le sentiment de
ma faute, du mensonge dans lequel je vis réussissent à abuser
ceux qui m'aiment, ne me quitte pas un instant... J'ai été
malheureuse du jour où j'ai su que j'avais ce vice ». Il dit

aussi : « Mes personnages me mènent où ils veulent. Ils me conduiront d'ailleurs en des endroits si... étranges que je ne sais vraiment si j'en sortirai »... (13) Proust a curieusement noté : « les sadiques de l'espèce de mademoiselle Vinteuil sont des êtres si purement sentimentaux, si naturellement vertueux, que même le plaisir sensuel leur paraît quelque chose de mauvais... et quand ils se concèdent de s'y livrer un moment, c'est dans la peau des méchants qu'ils tâchent d'entrer et de faire entrer leur complice, de façon à avoir un moment l'illusion de s'être *évadés* de leur âme scrupuleuse et tendre dans le monde inhumain du plaisir ».

Proust était attiré par toute vie qui lui présentait quelque chose d'inconnu, « par une dernière illusion à détruire ». (,14) Néanmoins, il devine un jour que « la vraie Gilberte, la vraie Albertine étaient peut-être celles qui s'étaient, au premier instant, livrées dans leur regard, l'une devant la haie d'épines roses, l'autre sur la plage ». Les personnages de Proust sont faits pour nous surprendre par leurs mutations soudaines, inopinées, imprévues, déconcertantes. Qui reconnaitrait Oriane de Guermantes, la femme la plus admirée de Paris, dans cette vieille duchesse « déclassée », trompée par son mari, et qui recherche la société des acteurs et des gens de lettres ? Qui se souviendrait de l'arrogant Charlus aux allures féodales, en voyant ce vieillard chenu, tremblant, dont la barbe flotte au vent, qui lit son missel ou marmotte des prières aux Champs-Elysées, appuyé au bras du giletier Jupien, tenancier d'une maison louche ? Et la bohème, la dreyfusarde madame Verdurin, qui trouvait « ennuyeux » les gens titrés (qu'elle ne voulait recevoir à aucun prix), est-elle bien la même que cette princesse de Guermantes dont le salon n'accueille plus que des nationalistes ?

Le monde se modifie sans limites dans le temps et se renouvelle : Toutes les formes sont « sans cesse en train de changer ». Mais la plus grande permutation, la pire métamorphose n'est-elle pas, selon Proust, celle d'un homme naturellement bon que la perversité transforme en méchant ? C'est là ce qu'il nous dépeint en Charlus, en Mlle Vinteuil, véritables monstres.

*
* *

---

(13) Dante n'attribue-il pas au démon l'invention du roman ?
(14) Selon le mot de Flaubert.

Des personnages de Proust on peut dire ce que la duchesse du Maine disait des princes : « Ils sont en morale ce que les monstres sont dans le physique : on voit en eux à découvert la plupart des vices qui sont imperceptibles dans les autres hommes ». Ces personnages, Proust nous a dit qu'il n'y en a pas un seul qui ne soit fictif, *chaque type ayant été inventé par l'auteur pour les besoins de sa démonstration.* Proust pensait que « c'est par nos défauts que nous trahissons, que nous confessons nos traits les plus essentiels, car nos qualités nous appartiennent moins que nos défauts et il n'y a pas besoin d'une tendresse aussi familière, d'une ressemblance aussi intime pour les goûter ».

Proust nous a confié que le charme apparent et copiable des êtres lui échappait, parce qu'il n'avait pas la faculté de s'arrêter à lui, « comme le chirurgien qui, sous le poli d'un ventre de femme, verrait le mal interne qui le ronge ». Il avait beau dîner en ville, il ne voyait pas les convives, parce que, quand il croyait les regarder, il les radiographiait. Mais il aimait à se louer de n'avoir peint l'immoralité que chez les êtres d'une conscience délicate », « trop faibles pour vouloir le bien, trop nobles pour jouir pleinement dans le mal, ne comprenant que la souffrance ». Peut-être cette « volonté d'horreur illimitée » est-elle pour Proust « la mesure de l'amour ». A la façon de Baudelaire il voulait « extraire la beauté du mal ».

Il ne lui suffit pas de « cultiver son mystère » ; il voudrait aussi, comme Rimbaud, par un « dérèglement raisonné de tous les sens », devenir à la fois « le grand malade et le suprême savant ». Il s'est efforcé de nous montrer le vice chez le vertueux, la vertu chez le pervers. Il souligne les contradictions internes de notre nature, faisant apparaître le même personnage tantôt avec des traits d'ignominie, d'égoïsme, de bassesse, tantôt sous un aspect inattendu de générosité. (C'est ainsi que madame Verdurin, à l'instant même où elle vient d'offenser et d'humilier Charlus, suggère à son mari de verser une rente à Saniette, dont elle apprend la maladie). Dans « Les Sentiments filiaux d'un parricide », Proust nous montre en quelle pure, en quelle « religieuse atmosphère de beauté morale eut lieu cette explosion de folie et se sang », nous faisant comprendre que « le pauvre parricide n'était pas une brute criminelle, un être en dehors de l'humanité, mais un noble exemplaire d'humanité, un homme d'esprit éclairé, un fils tendre et pieux que la plus inéluctable fatalité —

disons pathologique pour parler comme tout le monde — a jeté — le plus malheureux des mortels — dans un crime et une expiation dignes de demeureur illustres ». Proust aurait pu dire avec Gœthe : « Je n'ai jamais entendu parler d'aucun crime que je ne fusse capable de commettre ».

***

Blake a dit de Milton qu'il était « sans le savoir, du parti de tous les démons ». Georges Bataille, convaincu que la littérature est l'expression du Mal, (15) en a suivi les ravages chez Emily Brontë, Baudelaire, Michelet, Blake, Sade et Marcel Proust. L'abîme du mal exerça-t-il, à vrai dire, sa fascination sur Proust ? Comment le tendre, l'aimable, l'affectueux auteur de *Jean Santeuil* fut-il capable des égarements érotiques qu'on lui prête ? Sans doute fut-il, comme Henry James, terrifié par « le froid visage de Méduse de la vie ». En sa soupçonneuse folie, il ne put aimer que ce qu'il ne possédait pas. (16) Anxieux, nostalgique, insatisfait, impatient d'être aimé, obsédé, dit-il par le dégoût de soi-même qu'avait entrevu Bergotte, il écrit : « Dans cette vie qu'un ami me faisait, je m'apparaissais comme douillettement préservé de la solitude, noblement désireux de me sacrifier moi-même pour lui, en somme incapable de me réaliser. » Ailleurs il note : « J'interrompais la croissance dans le sens selon lequel je pouvais en effet véritablement grandir, être heureux. »

Faut-il, avec le Dr Fretet, avec Bataille, Henri Massis et Marie-Anne Cochet, penser que Proust s'est décrit lui-même sous les traits de mademoiselle Vinteuil ? On ne saurait l'affirmer. Bataille suggère : « Si nous n'avions, comme l'eut Proust,... l'avidité du Bien, le Mal nous proposerait une suite de sensations différentes ». Proust avait écrit : « Il y a d'ailleurs chez le sadique — si bon qu'il puisse être, bien plus, d'autant meilleur qu'il est — une soif de mal que les méchants agissant dans d'autres buts (s'ils sont méchants pour quelque avouable raison) ne peuvent contempler » (17). Et ailleurs, il avait souligné : « Il n'est peut-être pas une per-

(15) Georges Bataille, *La Littérature et le Mal*, 1957.
(16) Cf. Dr Jean Fretet, *L'aliénation Poétique*, 1946.
(17) *Le Temps Retrouvé.*

sonne, si grande que soit sa vertu, que la complexité des circonstances ne puisse amener un jour dans la familiarité du
vice qu'elle condamne le plus formellement — sans qu'elle
le reconnaisse d'ailleurs sous le déguisement de faits particuliers qu'il revêt pour entrer en contact avec elle et la faire
souffrir : paroles bizarres, attitude inexplicable, un certain
soir, de tel être qu'elle a par ailleurs tant de raisons pour
aimer ». (18) Proust nous a dit « quelle transmutation, quelle
alchimie créatrice d'un fantôme de liberté » la « contrainte »
du mal exerçait sur les « fatalités intimes » de mademoiselle
Vinteuil. Il l'a promue « artiste du mal », parce que la vicieu-
se se voit et se juge. Proust, ayant lu Renan, savait qu'on
peut « devenir brûleur d'hommes par sensibilité... Les plus
cruels inquisiteurs étaient les plus doux des hommes » ;
mais il savait aussi que « la grande profondeur de notre art
est de savoir faire de notre maladie un charme » et que « la
vraie marque d'une vocation est l'impossibilité d'y forfaire,
c'est-à-dire de réussir autre chose que ce pour quoi l'on a été
créé. »

Claudel parle de « cette espèce de passion digne des anciens prophètes avec laquelle Marcel Proust dénonce le monde
où il a vécu. Comme s'il avait reçu mission et qu'il fût dévoré
par elle ». Claudel était particulièrement frappé par le texte
suivant de Proust : « C'était peut-être quelque chose de ce
temps que ses artistes sont à la fois plus conscients de la
douleur du péché et plus condamnés au péché que n'étaient
ceux qui les avaient précédés, niant aux yeux du monde leur
vie... Et d'autre part, dans leur morale à eux, faisant... con-
sister le bien dans une sorte de conscience douloureuse du
mal, à l'éclairer, à s'en affliger, plutôt qu'à s'en abstenir ».
Proust écrivait à l'un de ses amis effrayé par ses audaces :
« Je crois que je n'ai nullement à craindre, comme vous le
pensez, la sympathie des sadiques. C'est encore plus frap-
pant pour mon troisième volume (pédérastique en partie)...
et l'exemple grossissant fera mieux comprendre ce que je
veux dire. Si, sans parler pédérastie le moins du monde,
je peignais des amitiés tendres, graves, sans jamais laisser
entendre que cela va plus loin, alors j'aurais pour moi tous
les pédérastes, parce que je leur présenterais justement ce
qu'ils aiment. Très précisément, parce que je dissèque leur

---

(18) *Swann*, t. I.

vice (j'emploie ce mot vice sans nulle intention de blâme) je
montre leur maladie, je dis précisément ce qui leur fait le
plus horreur, à savoir que ce rêve de beauté masculine est
l'effet d'une tare nerveuse. La meilleure preuve c'est qu'un
pédéraste adore les hommes mais déteste les pédérastes. De
plus, comme mes pédérastes sont des hommes âgés, il se mêle
à leur cas quelque chose de ridicule (du moins pour le lecteur,
car au fond c'est plutôt touchant) qui les exaspèrera encore
plus. »

Freud affirme que, chez certains individus, assez étrangement, le plaisir ressenti, tout en conservant un caractère totalement sexuel, n'émanait pas des zones génitales ou bien en
négligeait l'utilisation normale ; il a donné le nom de « pervers » à ces individus ; et l'on a pu se demander si Proust
ne devait pas être rangé dans cette catégorie. C'est un fait
que dans sa vie amoureuse d'adulte, son activité sexuelle
semble liée à un phénomène psychique particulier : la jalousie. Freud note également que le premier organe « qui se
manifeste en tant que zone érogène et qui pose une revendication libidinale au psychisme », dès la naissance, c'est la
bouche. Il est évident que c'était bien le cas de Proust, dont
on connaît et la gourmandise raffinée et la tendance à ramener dans son œuvre la jouissance esthétique à un plaisir
comestible (il compare les fleurs roses de pêchers à des frai-
ses à la crème, etc...) Freud a également reconnu que la mère
était presque toujours le premier amour de l'enfant, et l'on
sait que Proust n'a pas fait exception à cette règle ; or,
comme beaucoup d'enfants, il a pu voir en son père un rival.
Est-ce à dire qu'il faille appliquer à Proust l'expression freu-
dienne de *complexe d'Œdipe* ? La chose n'est pas aisée à
préciser, et le récit intitulé « Les Sentiments filiaux d'un
parricide » ne fait que rendre encore plus complexe le cas
de Marcel Proust, car ce n'est pas son père, comme Œdipe,
mais sa mère que tue Henri Van Blarenberghe. Bravant Tirésias, Proust voulut connaître ses origines et déchiffrer les
énigmes de son destin. Il pensait, comme Shakespeare, que
« l'amour n'est que folie et, je vous le dis, mérite aussi bien
le fouet et le cabanon que les fous ». La conscience est la
source du tragique de Proust, comme de celui de Pirandello :
ils ont vécu jusqu'à l'angoisse le drame de la connaissance.
C'est pourquoi Proust avait une sorte d'animosité — Emmanuel Berl en a témoigné — contre la passion amoureuse, qui
lui paraissait un leurre, un aveuglement, du même ordre que

la démence. Certains biographes de Proust, étonnés de ses anomalies, ont tenté de le « psychanalyser » ; la chose est vaine en tant qu'il s'agit d'un artiste et d'un génie créateur. Freud avouait que « le don artistique et la capacité de travail étant intimement liés à la sublimation, nous devons avouer que l'essence de la fonction artistique nous reste aussi psychanalytiquement inaccessible ».

Proust sait que « l'héroïsme de la vie moderne nous presse et nous entoure »... Il a montré le même intérêt que Baudelaire pour le dandy, la courtisane et la vie de bohème ... cette vie exubérante qui contrastait avec sa santé toujours menacée. Une phrase de Baudelaire dut avoir sur Proust une énorme influence : « Il y a dans l'acte d'amour une grande ressemblance avec la torture ou avec une opération chirurgicale... L'amour veut sortir de soi, se confondre avec sa victime comme le vainqueur avec le vaincu, et cependant conserver les privilèges du conquérant. » (19) Cette attitude qui semble avoir obsédé Proust, faisait au contraire horreur à Gide : on comprend la répulsion que devaient lui inspirer les scènes où Proust dépeint les rapports de Charlus et de Jupien ou les « tortures » du temple de l'Impudeur. Pourtant, aux jours de leur enfance, les penchants de Gide et de Proust vers l'uranisme n'avaient pas été très différents. Et Jean Delay a pu très pertinemment citer la phrase de Proust dans sa *Confession d'une Jeune Fille* : « Je ne renonçai pas à l'un de ces deux vices pour l'autre. Je les mêlai. Que dis-je, chacun se chargeant de briser tous les obstacles de pensée, de sentiment, qui auraient arrêté l'autre, semblait aussi l'appeler ». (20) Ce que — poursuivant sa volonté de ne peindre que le plus atroce — Proust ne néglige pas d'insinuer, c'est que la plupart des « saturniens » ont horreur des sodomistes ; qu'ils peuvent affirmer, comme Phèdre, que leurs mains *ne sont point criminelles* ; que les plus légers attouchements leur suffisent ; que souvent même devenus chastes par la foi et l'amour de la pureté, ils s'interdisent tout regard indécent et n'ont d'épanchements que la nuit, dans leurs rêves — ce que, très scrupuleusement, ils se reprochent ; que les hommes du type de Proust ne ressemblent nullement à ces « pédophiles » dont Jean Delay parle au sujet d'André Gide,

---

(19) C. Baudelaire, *Fusées.*
(20) M. Proust, *Les Plaisirs et les Jours.*

la seule idée de corrompre l'enfance leur étant odieuse ;
enfin que leur perversion n'atteint nullement leur esprit et
laisse intact leur jugement, ce qui ne fut malheureusement
pas le cas de l'auteur de *Corydon* ; si bien que Proust, né
d'une mère juive agnostique, se rapproche sans cesse de
l'Evangile, tandis que Gide, issu d'un milieu puritain rigo-
riste et lui-même longtemps croyant, finit par abandonner
non seulement toute pratique mais, après avoir détourné de
son sens l'Evangile, abandonna le Christ et Dieu lui-même.
Thibaudet voyait chez Proust « un érotisme juif, ardent, violent et tragique, point gaillard ni faunesque »... Proust a connu, sinon la hantise de Dieu, du moins « l'éternelle inquiétude
d'Israël ». Il sera martyr du « démon de la connaissance ».

L'œuvre de Proust est sans doute, avec celle de Freud,
mais sur un plan différent, « l'analyse la plus profonde que
l'histoire ait connue de ce qui, dans l'homme, n'est pas le plus
humain ». (21) Ainsi que Freud l'avait dit de tout artiste véritable, Proust « était capable, et dans un sens obligé, de refléter avec fidélité et précision ces mécanismes de l'esprit dont
il pouvait tout ignorer d'un point de vue scientifque, mais
que sa grande sensibilité lui permettait de découvrir sur une
base intuitive ». C'est pourquoi il a pu créer des caractères
« d'une complexité et d'une profondeur d'autant plus impres-
sionnantes que l'analyse de ces caractères sur des bases
strictement scientifiques démontrait qu'ils avaient des relations aussi constantes, aussi valables avec la théorie psychanalytique, que la structure psychopathologique des êtres
vivants ». (22)

Mort en 1922, Proust n'a vraisemblablement pas connu
toute l'œuvre de Freud ; mais si, selon le maître de Vienne,
on peut devenir psychanaliste par l'étude de ses propres
rêves, nous devons admettre que Proust était particulièrement prédisposé à la connaissance de l'inconscient par l'analyse assidue et patiente qu'il ne cessa de faire de son sommeil et de sa vie onirique. Proust n'avait pas besoin d'avoir
lu Rougemont pour savoir que l'amour-passion (création
d'une longue tradition occidentale qui va du cycle de la Table

---

(21) R. Dalbiez, *La méthode psychanalitique et la doctrine freudien-
ne*, 2 vol. Paris, 1936.
(22) David Stafford Clark, *Ce que Freud a vraiment dit*, Stock, Paris,
1968.

Ronde aux Troubadours) n'a pas d'existence réelle, que ce
n'est qu'une forme de folie. Il estimait que la beauté n'avait
que peu à voir avec le désir. Proust n'était point hypocrite
et dissimulé comme l'insinue André Gide ; mais, connaissant
son anomalie et ne l'approuvant pas, il ne chercha jamais à
se faire un propagandiste de l'uranisme, comme l'auteur de
Corydon. Il voulait d'ailleurs conserver à son œuvre un caractère de généralité. Il était à la recherche des grandes lois de
la nature humaine et, renonçant à dire *je*, s'abstenait de tout
subjectivisme tendancieux. S'il y a plus d'un monstre en
son œuvre, le Narrateur n'en est pas un. Il faut que tout lecteur se reconnaisse en lui.

*
* *

Ce n'est cependant pas par hasard que Proust a placé
La Fille aux yeux d'Or entre les mains de Gilberte. Et lorsqu'elle lui dit : « C'est absurde, invraisemblable, un beau
cauchemar. D'ailleurs une femme peut peut-être être surveillée ainsi par une autre femme, jamais un homme », le
Narrateur répond : « Vous vous trompez. J'ai connu une
femme qu'un homme qui l'aimait était arrivé véritablement
à séquestrer. Elle ne pouvait jamais voir personne et sortait
seulement avec des serviteurs dévoués ». On voit que Proust
fait ici allusion à ce que fut l'existence d'Albertine prisonnière ». Le Narrateur précise : « C'était dans mon cœur, à
une grande profondeur, difficile à extraire, qu'était le double
d'Albertine... car c'est en moi que se passaient les actions
d'Albertine. » Albertine n'était plus — « comme une pierre
autour de laquelle il a neigé — que le centre générateur d'une
immense construction qui passait par le plan de son cœur ».
Proust savait qu'en amour, « les femmes sont souvent une
projection renversée, un négatif de notre sensibilité ». Il
notait : « Albertine » ne reflète pas un monde lointain » ;
elle est, « toute pareille à lui » : « image de ce qui était *mien*,
dit-il, et non de l'inconnu ». Pourtant un noyau moral subsistait en leur amour amphibie, incertain mais prédestiné, où
il fallait sacrifier le plaisir ».
Obsédé par le thème de l'hermaphrodite, Proust était
hanté par le vers de Vigny :

Les deux sexes mourront chacun de son côté. (23)

---

(23) Proust a fait sienne l'imprécation du « Samson » de Vigny.

Le signe de Gomorrhe est « l'expression la plus profonde d'une réalité féminine originelle » : « Le monde de l'amour tout entier va des signes révélateurs du mensonge aux signes cachés de Sodome et de Gomorrhe ». Deleuze souligne : « Les personnages de Sodome, les personnages de Gomorrhe compensent par l'intensité du signe le secret auquel ils sont tenus. D'une femme qui regarde Albertine, Proust écrit : « On eût dit qu'elle lui faisait des signes comme à l'aide d'un phare » Proust pensait que « les démarcations trop étroites que nous traçons autour de l'amour viennent seulement de notre grande ignorance de la vie ». Parlant de ses relations avec Albertine, il notait : « C'était une *terra ignota* terrible où je venais d'atterrir, une phase nouvelle de souffrances insoupçonnées qui s'ouvrait. Et pourtant ce déluge de la réalité qui nous submerge, s'il est énorme auprès de nos timides suppositions, il était pressenti par elles... Le rival n'était pas semblable à moi, ses armes étaient différentes, je ne pouvais pas lutter sur le même terrain, donner à Albertine les mêmes plaisirs, ni même les concevoir exactement ».

Proust n'a pas, à la façon de Balzac, abordé directement « le thème de l'androgyne » (24) : Albertine ne ressemble pas à Séraphitus-Séraphita. Elle n'a rien en commun, non plus, avec la Fragoletta d'H. de Latouche, l'Orlando de Virginia Woolf, l'Androgyne de Péladan. On sait combien le thème de l'hermaphrodite avait déjà hanté les romantiques allemands, de Novalis à Baader et de Humboldt à Boehme. On en trouve des échos jusque dans l'œuvre de C.G. Jung. Les gnostiques avaient déjà donné le nom d'Arsénothélys à cet être bisexué. Peut-être était-ce un souvenir de Tirésias. On a pu dire, cependant, que tous les personnages de Proust semblent issus par déhiscence d'un Androgyne originel. (25) Proust note : « Balzac a connu jusqu'à ces passions que le monde ignore, ou n'étudie que pour les flétrir ». De ces passions, Proust retrouvait l'écho, non seulement dans *Sarrasine* et *La Fille aux Yeux d'Or,* mais dans *Le Cabinet des Antiques.* Au fond des mythes orientaux de l'Androgyne, il s'agit le plus souvent de la coïncidence des contraires et du Paradis

---

(24) On sait que ce thème inspira jadis Philon le Juif, Scot Erigène et plus tard Bernard de Silvestris, Baudry de Meung, Alain de Lille.
(25) Cf. Louis Bolle, *Proust ou le Complexe d'Argus.*

recouvré. Peut-être le rêve est-il, en quelque sorte, la réalisation fantasmatique du désir ? Orphée n'est-il pas « l'enchanteur de la perversité » ? On a dit que l'évanouissement d'Eurydice symbolise « la mort de l'âme d'Orphée ». Dans ce mythe dionysiaque, je préfère voir la symbolisation des désirs contraires. Orphée doit quitter l'ambivalence du désir et se tourner vers Appollon, Dieu solaire, c'est-à-dire vers le travail créateur dans la lumière. (26)

*
**

Ne voulant pas n'être qu'un de ces « hommes supérieurs à la vie mondaine mais n'ayant pas su se réaliser en dehors d'elle », Proust ne s'est pas arrêté comme Swann au seuil de la Terre Promise. Désormais, tout en ne vivant plus que pour son travail, dépris de cette société festive, fascinante et futile, éloigné de la plupart de ses amis mondains, Proust s'occupait d'eux plus à fond qu'il n'aurait pu « le faire avec eux », cherchant à les révéler à eux-mêmes, à les *réaliser*. N'est-ce pas un peu la conception mystique de l'amour qu'exprime le vers du poète soufi Magnoun Leïla :

Eloigne-toi de moi, Leïla, pour ne plus me troubler de l'amour de Leïla.

Proust voulait qu'on prît son titre dans le sens « ésotérique » : le temps perdu était un paradis perdu et la *Recherche* elle-même une quête de l'absolu. Cet absolu, Proust voulait, comme Baudelaire, le réaliser scientifiquement. Il désirait s'élever à l'inconditionnel. Il comptait, par l'exercice assidu de la volonté et la noblesse permanente de l'intention, créer à son usage ,« un jardin de vraie beauté ». Pourtant, ce mot « recherche » il fallait aussi l'entendre au sens pascalien. Proust n'eût sans doute pas cherché cet absolu, cette beauté, s'il ne les avait déjà trouvés. Cette recherche est donc attente: disponibilité, espoir d'un état de grâce, de réminiscence, car seule la mémoire affective nous fait accéder au paradis perdu de l'enfance, renouveler « la face du passé perdu ». Maintenant, « endolori », sédentaire et peut-être « cicatrisé », Proust

---

(26) « Les jeunes filles de Shakespeare, dit Chateaubriand, ne sont que de charmants éphèbes ».

vivait dans la considération du destin. Il savait que, dans la maladie, nous vivons « enchaînés à un être différent dont des abîmes nous séparent ». Etant un de ces êtres amphibies qui sont «ʿsimultanément plongés dans le passé et dans la réalité actuelle », il voyait double dans le temps comme on voit double dans l'espace. Son esprit trébuchait entre quelque année lointaine et le moment présent, Il devinait en son cœur la présence de l'Autre, du mort qui cohabitait avec le vivant, dans cette nuit épaisse et lugubre dont il ne devait plus sortir. « Peut-être, hélas, faut-il, écrit Proust, contenir la mort prochaine en soi... pour avoir cette lucidité dans la souffrance véritable... Peut-être aussi faut-il avoir ressenti les mortelles fatigues »... Ailleurs il confesse : « Certes, nous sommes obligés de revivre notre souffrance particulière avec le courage du médecin qui recommence sur lui-même la dangereuse piqûre. Mais, en même temps, il nous faut la penser sous une forme générale qui nous fait dans une certaine mesure échapper à son étreinte, qui fait de *tous* les copartageants de notre peine et qui n'est même pas exempte d'une certaine joie »... Proust savait que « c'est en disséquant les malades que la médecine aprend à sauver. » Il sera le « Docteur indiscret des secrètes maladies ». Quelle vivisection !

Proust aʹ dit lui-même que toute son œuvre était « une méditation sur la mort ». Il pense qu'après leur décès, les êtres entrent pour nous dans une sorte d'*aura* de vie et, après que nos pauvres morts sont sortis de nos cœurs, « leur poussière indifférente continue à être mêlée et à leur servir d'alliage. » Proust est frappé de cette impossibilité où nous sommes, quand nous avons à raisonner sur la mort, de nous représenter autre chose que la vie ». Mais lui, dans ses nuits d'insomniaque ou ses cauchemars anarchiques, ce qui ne cessait de l'obséder c'était l'idée de la « mort originelle ». Il y a parfois chez Proust un accent presque bouddhique, comme dans ces lignes célèbres sur la mort de Bergotte : « Toutes ces obligations qui n'ont pas leur sanction dans la vie présente semblent appartenir à un monde entièrement différent de celui-ci, et dont nous sortons pour naître à cette terre, avant peut-être d'y retourner revivre sous l'empire de ces lois inconnues auxquelles nous avons obéi parce que nous en portions l'enseignement en nous, sans savoir qui les y avait tracées, ces lois dont tout travail profond de l'intelligence nous rapproche et qui sont invisibles seulement — et encore ! — pour les sots. De sorte que l'idée que Bergotte

n'était pas mort à jamais est sans invraisemblance ». Proust
sait qu'il y a autant de trépas que de personnes. La mort
réelle « est bien différente de sa possibilité logique et
abstraite. » On a pu dire que la douleur causée au narrateur
par la présence d'Albertine et celle causée par sa mort ont
un même sens. Parlant de « ce doux visage impénétrable et
capté, » Proust écrit : « c'était cet inconnu qui faisait le
fond de mon amour ». Dans sa préface à la traduction de
Sésame et les Lys, Proust avait noté : « Nous ne sommes
tous, nous les vivants, que des morts qui ne sont pas encore
entrés en fonction ». Ainsi, l'idée de la mort lui tenait déjà
« compagnie aussi incessante que l'idée du moi ». Mais, dans
son œuvre future, il allait transmuer « le temps en intempo-
ralité, la mort en vie et survie ». Proust devait se servir de
chaque être qui le faisait souffrir « comme d'un degré lui permettant d'accéder à la forme divine ». Il a connu « ces forces
cachées qui résident en la mort et même en ses approches ».
« Il peut y avoir telle littérature qui n'est que la scrutation
plus profonde de la vie et de la mort... »
  Survivant à la mort, s'adressant en nous à quelque chose
qui du moins n'est pas sous son empire, « le poète qui donne
vie à une œuvre qui ne recueillera de suffrages qu'après sa
mort obéit-il vraiment au désir d'une gloire qu'il ne connaîtra pas ? Et n'est-ce pas plutôt une partie éternelle de lui-
même qui travaille à une œuvre éternelle aussi ? » Dès le
temps du *Contre Sainte-Beuve,* Proust avait encore proclamé :
« S'il y a contradiction entre ce que nous savons de la physiologie et la doctrine de l'immortalité de l'âme, n'y a-t-il pas
contradiction aussi entre certains de nos instincts et la doctrine de la mortalité complète ? Peut-être ne sont-elles pas
plus vraies l'une que l'autre et la vérité est-elle toute différente, comme par exemple deux personnes à qui l'on aurait
parlé il y a cinquante ans de téléphone, si l'une avait cru que
c'était une supercherie, et l'autre que c'était un phénomène
d'accoustique et que la voix était conservée indéfiniment
dans des tuyaux, se seraient trompées toutes deux également ».
  N'hésitons pas à appliquer à Proust ce qu'il écrit de sa
grand'mère : « Je pense qu'elle — qui ne « croyait » pas —
avait cependant cette foi implicite : que cette beauté qu'elle
trouvait à certains monuments, elle la mettait sans le savoir
sur un autre plan, sur un plan plus réel que notre vie. » Ainsi, l'émotion esthétique était pour Proust « une de ces joies

qui, dans un sens que nous comprenons mal, survivent à la mort, s'adressant en nous à quelque chose qui du moins n'est pas sous son empire.» Et, déjà, il ajoutait : « Le poète qui donne sa vie à une œuvre qui ne recueillera de suffrages qu'après sa mort obéit-il vraiment au désir d'une gloire qu'il ne connaîtra pas ? Et n'est-ce pas plutôt une part éternelle de lui-même qui travaille, pendant que lui est laissé le corps (et même si elle ne peut travailler que dans cette habitation éphémère), à une œuvre éternelle aussi ? Et s'il y a contradiction entre ce que nous savons de la physiologie et de la doctrine de l'immortalité de l'âme, n'y a-t-il pas contradiction aussi entre certains de nos instincts et la doctrine de la mortalité complète ? Peut-être ne sont-elles pas plus vraies l'une que l'autre et la vérité est-elle toute différente... »

Toujours est-il que Proust croyait qu'il est « une portion de notre âme plus durable que les divers « moi » qui meurent successivement en nous,... portion de notre âme qui doit... se détacher des êtres pour que nous en comprenions, et pour nous en restituer, la généralité » et donner « la compréhension de (notre) amour à tous... à l'esprit universel... » (27) Mais « l'intelligence n'est pas capable de concevoir une situation neuve : seul le corps, la sensibilité du corps, sait recevoir la signature originale et, hélas, bien longtemps indélébile de l'événement. » (28) D'autre part, « la clarté des idées survit bien longtemps à la vitalité obscure de la mémoire et de l'instinct créateur ». Tout cela peut paraître contradictoire ; mais cela nous fait saisir que, que Proust, « tel qu'en lui-même » sa *Recherche* le change, devient un homme soumis au destin, instaurant le colloque entre le monde et son moi, car son œuvre est semblable au labyrinthe des initiés.

Proust ne mentait pas lorsqu'il disait que la pensée de la mort n'avait jamais cessé d'être présente en lui. L'idée de la mort s'était installée en lui « comme fait un amour ». Peut-être les plus beaux passages de son œuvre sont-ils inspirés par la mort de Bergotte, par la mort de sa grand-mère, par la mort d'Albertine, par la mort de Saint-Loup et par la mort de Vinteuil. Sa vie elle-même n'avait-elle pas été une suite de

---

(27) *T.R.*, II, 50, 51.
(28) *Cahiers*, 54, fol. 11.

petites morts ? Proust a même voulu savoir à quoi ressemblait la mort. Il attendait que la mort le délivrât de son
angoisse, de ses souffrances physiques. L'épilogue de son
œuvre ne signifie pas « le passé ressaisi », mais « le *moi*
recouvré » ; pour lui, l'art apportait la preuve qu'il existe
autre chose que le néant. Avec les notions qui lui venaient
de la musique, la mort lui paraissait « quelque chose de
moins amer, de moins inglorieux, peut-être de moins probable ». « La résurrection après la mort, pensait-il, n'est peut-
être qu'un phénomène de mémoire ». D'ailleurs la résurrection du passé, par delà les intermittences du cœur, avait fait
de lui un être extra-temporel, vivant dans l'instant d'éternité.
Et l'idée de la gloire lui semblait inséparable de l'idée de la
mort. Dans une lettre à son ami Georges de Lauris, il
s'écriait : « Quelle ivresse si la vie immortelle n'était assurée ! » Dans une note, il avait remarqué que, la marée progressive de la mort se faisant de bas en haut, « ce que nous
gardons le plus longtemps, c'est la contemplation du ciel ».
Tout jeune, il avait écrit : « De nos noces avec la mort qui
sait si ne pourra naître notre consciente immortalité ? »

Ainsi s'éclaireront « ces mystères qui ont sans doute leur
explication dans d'autres mondes ».

CHAPITRE XII

LA DERNIERE METAMORPHOSE

LE DIVIN SEPTUOR

Je suis une mémoire devenue vi-
vante : d'où l'insomnie.

F. KAFKA

Il veut que la mort grandisse en lui
comme une conscience.

BAUDELAIRE

Chez Proust, la fin de l'œuvre « élimine rétrospectivement tout ce qui précède ». Si la matinée de la princesse de Guermantes nous fait assister à la métamorphose des personnages du roman, Proust nous ménage une surprise bien plus grande : il s'agit, en effet, de la métamorphose du Narrateur, c'est-à-dire, en quelque sorte, du romancier. Comme il le disait lui-même, « la nature que nous faisons paraître dans la seconde partie de notre vie n'est pas toujours, si elle l'est souvent, notre nature première, développée ou flétrie, grossie ou atténuée, elle est quelquefois une nature inverse, un vêtement retourné ». (1) On a souligné le passage chez Proust « de la complaisance au courage » et l'on a vu dans la *Recherche* le véritable journal de la transmutation d'un homme en créateur, la tragédie d'un homme qui « arrive, par la

_____

(1) *J.F.,* I, 434.

vertu du geste et de l'acharnement, à servir l'homme ». (2)
« Le temps perdu est un vaste travail d'auto-édification ».
Ainsi la *Recherche* est-elle « l'histoire de la métamorphose,
chez le narrateur, de la vision de l'observateur en celle du
créateur ». (3) Son œuvre marque la *forme* qu'il avait jadis
pressentie dans l'église de Combray, « cette forme qui nous
reste généralement invisible : celle du Temps. » Il note :
« Alors moi qui, depuis mon enfance, vivais au jour le jour,
ayant d'ailleurs reçu de moi-même et des autres une impression définitive, je m'aperçus pour la première fois, d'après
les métamorphoses qui s'étaient produites dans tous les gens,
du temps qui avait passé pour eux, ce qui me bouleversa par
la révélation qu'il avait passé aussi pour moi ». (4) Nous-
mêmes, lecteurs, nous avons le sentiment de vivre une mutation.

Multiples sont donc, dans la *Recherche*, les avatars, mutations, volte-faces, évolutions qui rendent les êtres méconnaissables. « Ainsi..., tout ce qui semblait définitif est-il perpétuellement remanié, et les yeux d'un homme qui a vécu peu-
vent-ils contempler le changement le plus complet là où justement il lui paraissait le plus impossible ». (5) Proust ajoute : ,« Un même être, pris à des moments successifs de sa
vie, baigne à différents degrés de l'échelle sociale dans les
milieux qui ne sont pas forcément de plus en plus élevés ».
(6) « Et ma vie était assez longue pour qu'à plus d'un des
êtres qu'elle m'offrait je trouvasse dans mes souvenirs des
régions opposées, pour le compléter, un autre être ». (7)
Il disait que les souvenirs faisaient soudain de lui, tout
entier, « par la vertu d'une sensation identique, l'enfant,
l'adolescent qui les avait vus »... Il y avait en lui « différence
d'âge, substitution de personne. » Mais Proust a subi d'autres
métamorphoses.

Pierre Abraham nous a montré Proust passant de « la
solitude frelatée de sa chambre de malade » à la « seconde
solitude, à la solitude intérieure d'une pensée qui ne peut plus

---

(2) Cf. P. Abraham, *Proust*, et G. Marcel dans la *Quinzaine Critique*.
(3) Cf. Tadié, p. 182.
(4) *T.R.*, III, 926-7.
(5) *T.R.*, III, 730.
(6) *J.F.*, I, 515.
(7) *T.R.*, III, 972.   . . . . .

s'exprimer qu'à tous — ou à personne ». (8) Quand il laissa croître sa grande barbe noire, ses amis, ne reconnaissant plus « le charmant Marcel », ne voyaient que le « rabbin ancestral ». Les héros de la *Recherche* n'ont pas eu la même destinée. Il confessait lui-même : « Mes mensonges ne tournent pas bien ; je suis obligé de les suivre là où me mène leur défaut ou leur vice aggravé »... (9) Le narrateur nous fait voir Charlus vieilli, métamorphosé en Roi Lear, transformé par une attaque, saluant respectueusement Mme de Sainte-Euverte envers laquelle jadis il faisait preuve de tant de morgue, d'insolence et d'hostilité. « Plus que n'eût fait tel chœur de Sophocle sur l'orgueil abaissé d'Œdipe, plus que la mort même et toute oraison funèbre sur la mort, le salut empressé et humble du baron proclamait ce qu'a de fragile et de périssable l'amour des grandeurs de la terre et tout l'orgueil humain » (10). Ailleurs, il écrit : « Le sadique (mediumnimique) qui s'était substitué pendant quelques instants à M. de Charlus, avait rendu la parole au vrai M. de Charlus, plein de raffinement artistique, de sensibilité, de bonté ». (11)

On a cru que Proust, en vieillissant, s'était aigri, et que c'était la seule raison pour laquelle il avait fait évoluer ses héros. On oublie que, dès le commencement, il avait déclaré : « Il y a beaucoup de personnages qui sont « préparés » dès ce premier volume, c'est-à-dire qu'ils feront dès le second exactement le contraire de ce à quoi l'on s'attendait d'après le premier ». L'un des plus frappants exemples est celui du jeune homme mondain, sportif, peu lettré, n'aimant à fréquenter que les bars et les pesages, et que nous avons connu tantôt sous le surnom de « il est dans les choux », tantôt sous celui de « le mari d'Andrée ». Or, dans *Le Temps Retrouvé*, nous le voyons devenu un écrivain justement célèbre, en lequel les uns ont cru reconnaître Cocteau, les autres Proust lui-même. Le narrateur nous dit : « Octave était tellement devenu pour moi l'auteur d'une œuvre admirable, à laquelle je pensais constamment, que ce n'est que par hasard, quand j'établissais un courant transversal entre deux

---

(8) P. Abraham, *Proust*.
(9) Corr. III, 83.
(10) *T.R.*, III, 860.
(11) *S.I.G.*, II, 1009.

séries de souvenirs, que je songeais qu'il était le même qui avait amené le départ d'Albertine de chez moi. » (12) De ces incarnations ou transfigurations successives Proust donnait des explications qui comportaient des hypothèses multiples, des suppositions alternatives expliquant un même acte. Il avouait d'ailleurs, non san mélancolie : « Je vous affirme que cela m'a fait beaucoup de peine de transformer ainsi Swann. Mais je ne suis pas libre d'aller contre la vérité et de violer la loi des caractères ». (13) « C'est que je me suis aperçu que la vie, qui nous semble un enchaînement de circonstances, n'est qu'un tableau de caractères Ce que vous voyez un être faire, à quelque autre moment de la vie que vous le preniez, sauf des évolutions logiques comme celle qu'on a commencé à voir par exemple chez Swann, il le refera. » (14)

Proust avait conscience qu'il opérait une révolution dans la technique du roman. Il aimait à dire : « C'est vraiment une création dans le sens génésique de Michel-Ange ; le créateur est absent, c'est lui qui a tout fait et il n'est pas une de ses créatures. » (15) Proust a donné à son œuvre « cette unité, cette cohésion qui n'appartient qu'à notre esprit ». Il a souligné lui-même : « L'ouvrage est d'une composition assez complexe pour qu'elle n'apparaisse pas très vite ». Proust s'interrogeait lui-même « de toute la puissance de son effort créateur » : il atteignait, comme Vinteuil, « sa propre essence à ces profondeurs où, quelque effort qu'on lui pose, c'est du même accent, le sien propre, qu'elle répond. » (16) Sa littérature n'était que « la scrutation plus profonde de la vie et de la mort. » (17)

Proust établit clairement : « Il y avait eu plusieurs duchesses de Guermantes, comme il y avait eu, depuis la dame en rose, plusieurs Mme Swann, séparées par l'éther incolore des années... Non seulement séparées, mais différentes... Telle Gilberte... Tous les souvenirs qui composèrent la première Mlle Swann étaient en effet retranchés de la Gilberte

---

(12) *T.R.*, III, 730.
(13) Corr. III, 10.
(14) *J.F.*, I, 987.
(15) *Lettres à Gide*, p. 26.
(16) *Pr.* III, 256.
(17) A un Ami, p. 266.

actuelle ». (18) Le Narrateur trouvait « des images d'une même personne... conservées par des « moi » si distincts qu'il lui fallait « le hasard d'un éclair d'attention pour les rattacher, comme à une étymologie, à cette signification primitive qu'elles avaient eues » pour lui. Proust savait que « les chagrins sont des serviteurs obscurs, détestés, des serviteurs atroces qui par les voies souterraines nous mènent à la vérité et à la mort. » (19) Les êtres aimés ont posé « pour nous pour la douleur. » « La souffrance en psychologie va tellement plus loin que la psychologie ».

*
* *

Proust nous dit que Charlus énumérait ses morts « comme un fossoyeur qui tenait à les river plus profondément à la tombe ». N'est-ce pas ainsi que semble agir quelquefois l'auteur de la *Recherche* ?

Il nous avoue qu'Albertine ne ressuscite pas. D'ailleurs, quand elle était vivante, « la forme de son amour ne se précisait qu'en négatif. » Et Proust doit admettre que « la jalousie est comme l'ombre de l'amour ». L'auteur a fini par se rendre presque invisible, comme s'il portait l'anneau de Gygès. Sous l'emprise de la maladie et des drogues, son existence s'est transformée, le souffle du sommeil s'est épaissi : « Il vit dans la familiarité de la mort comme une bête assoupie. » « Le choix de la mort devient un choix d'amour. » La souffrance physique de Proust était si vive qu'à défaut de la prière, il ne trouvait plus de refuge que dans son travail acharné. Il notait douloureusement : « C'est dans la maladie que nous nous rendons compte que nous ne sommes pas seuls, » Et : « Demander pitié à notre corps, c'est discourir devant une pieuvre. » Il se réfugiait donc en cet étrange état qui lui semblait « une charnière entre la vie éveillée et les rêves. » Peut-être des remords se mêlaient-ils aux tortures que lui faisait subir son asthme. Le narrateur avouait : « Raprrochant la mort de ma grand'mère et celle d'Albertine, il me semblait que ma vie était souillée d'un double assassi-

---

(18) *T.R.*, p. 368.
(19) *T.R.*, p. 274.

nat.,: » Et ailleurs: « Tandis que le plaisir me tenait de plus
en plus, je sentais s'éveiller au fond de mon cœur une tristesse et une désolation infinies ; il me semblait que je faisais
pleurer l'âme de ma mère »... Proust était pourvu, on le voit,
d'une sorte d'appareil sensitif, « de réseau nerveux qui se
ramifiait... et apportait des excitations constantes à son
cœur. » Quand il avait mis en un être des « possibilités de
souffrance et de joie », cet être lui semblait « appartenir à
un autre univers ». Il l'entourait de poésie. « Une femme est
d'une plus grande utilité pour notre vie si elle y est, au lieu
d'un élément de bonheur, un instrument de chagrin et il
n'y en a pas une seule dont la possession soit aussi précieuse
que celle des vérités qu'elle nous découvre en nous faisant
souffrir. »

**

Proust n'avait-il pas été à la recherche du Paradis Perdu ?
Ce paradis, faut-il le placer dans le passé ? Je n'en crois rien.
Contrairement à beaucoup d'entre ceux qui ont écrit sur
Proust, je pense que l'auteur du *Temps Retrouvé* se tourne
vers l'avenir — un avenir que nous devons conquérir par le
détachement des passions surmontées. « Il y a une divination de l'avenir ». L'enfance n'est que la préfiguration de cet
âge futur où le héros, enfin délivré de lui-même, accède à la
sérénité contemplative. (20) Il a suspendu les cataractes de
la durée, l'évanouissement du temps. « L'éclair d'une intuition » est pour lui « sur le plan psychologique et sur le mode
volontaire, l'analogue de la révélation bienheureuse. » Agnostique, Proust n'en semble pas moins avoir connu, à peu près
sans ascèse, une forme de contemplation qu'on a pu rapprocher de celle de Julienne de Norwich. Il a vécu dans l'attente
des grâces sensibles que lui procurait la souvenance unie
à la sensation. Avec une attention patiente et passionnée, il
a désiré pénétrer dans l'intimité des êtres et des choses, de
leurs espèces, afin de dégager leurs essences. Non moins que
Mallarmé, il apirait à « la joie de contempler l'éternité, d'en
jouir vivant, en soi ». Combien on a raison de souligner
chez Proust cette capacité de pressentir le futur alors que, le

plus souvent, il s'attache à ne décrire que le passé ! (20)
L'œil fixé sur le rétroviseur, il fonce sur l'avenir.

*
**

Depuis Kierkegard, nul n'a mieux que Proust parlé de
l'épuisement et de l'effacement instantané du plaisir. Il sait
que nos amours successives sont comme les ébauches délaissées, et quelquefois reprises, d'un grand amour. Ainsi, « tous
les amours et toutes les choses évoluent rapidement vers
l'adieu ». L'idée de l'amour aide le Narrateur à ne pas craindre la mort puisqu'il est devenu un autre en cessant d'aimer
sans souffrir ; d'ailleurs l'idée de la mort s'installe en lui
comme fait un amour. Tout amour amphibie est fait de
l'ennui du présent et du désir du passé toujours actuel. Mais
le passé n'est-il pas « l'ombre de l'avenir » ? car les moments
du passé gardent dans notre mémoire les mouvements qui
les entraînent vers l'avenir, et c'est ainsi que notre hier
détermine notre demain.

L'être proustien éprouve « le bonheur de sentir en lui
toute cette vie prête à jaillir, à s'étendre à l'infini, dans des
perspectives plus vastes et plus enchanteresses que l'extrême
horizon des forêts et du ciel », mais qu'il aurait voulu atteindre « d'un seul bond ». (21) « Ce qui surgit, c'est l'entièreté
d'un monde oublié, redéployant soudain, à l'instar de Combray, ses temps et ses espaces, et cela pourtant dans un volume de durée aussi exigu qu'une tasse de thé ». (22) On a
raison de voir en Proust, à sa façon, l'héritier des Romantiques anglais ou allemands et de Baudelaire (23), son énorme roman n'étant « rien d'autre en son fond qu'une manière
d'étaler la totalité de l'existence sur un fonds panoramique. »

Toutefois, Proust n'est pas de ces êtres qui ne se com-
plaisent que dans leurs rétrospections. Pour lui, « la beauté
n'est pas comme un superlatif de ce nous imaginons, comme

(20) Il disait : « Il y a dans la contemplation quelque chose de
nouveau qui se détache et se déploie ».
(21) *Les Plaisirs et les Jours*, p. 148.
(22) Georges Poulet, *Mesure de l'Instant*, p. 12.
(23) On l'a rapproché de Jean-Paul, de Mœritz, de Novalis, etc... Cf.
A. Béguin, *L'Ame Romantique et le Rêve*.

un type abstrait que nous avons devant les yeux, mais au contraire un type nouveau, impossible à imaginer que la nature nous présente.» « Chaque être est comme un idéal encore inconnu qui s'ouvre à nous ». Un visage qui nous plaît, « c'est une des mille personnes qu'on peut faire jaillir d'une personne ». Proust confesse qu'il avait un appétit d'autant plus vif, qu'il ne pouvait le satisfaire. Il avoue que « certaines chairs de femme donnent envie de poursuivre jusqu'à la morsure l'insuffisance du baiser. » Il connaît « le rapport étrange qui existe entre l'amour charnel et la mémoire ». Il écrit curieusement que « dans la possession physique nous ne possédons rien », tandis que « la déception est une possession ». Pour lui, « personne ne communique jamais avec personne ». L'amour humain n'est donc que « la projection d'un infini que l'on ne peut atteindre ». Il éprouvait cependant « un besoin douloureux de... maîtriser entièrement dans les moindres parties de son cœur » l'objet de son amour. Il savait reconnaître en l'univers des choses « le signe inattendu et secret de son destin » : il est allé de visitations en visitations.

**

Proust n'est donc pas comme on le prétend le prophète du désenchantement. Pourtant la déception, a-t-on dit, est un moment fondamental de la *Recherche*... (24) Apparue « dans l'éclair d'une métamorphose, » la duchesse de Guermantes a « des joues irréductibles, impénétrables à la couleur du nom de Guermantes et des après-midi au bord de la Vivonne »... (25)

On a insinué au sujet de Proust que « c'était un égoïste qui ne pensait qu'aux autres. » Tout son drame est pourtant de n'avoir connu ni « l'amour durable » ni l'amitié : il ne voulait d'ailleurs pas croire à leur réalité, n'y voyant qu'un leurre, une douce folie. De là vient l'angoisse que, tout comme Swann, il connut pendant de longues années. Il tenait cette

(24) Cf. G. Deleuze.
(25) Proust écrit : « A la place de mon rêve foudroyé, comme un cygne ou un saule en lequel a été changé un dieu ou une nymphe ». (II, 29).

sensibilité de sa grand'mère maternelle qui avait apporté dans la famille de son père « un esprit si différent que tout le monde la plaisantait. » Cependant, la beauté que Proust rend visible est « celle qui s'est, à l'origine des âges, unie à la vérité par une amitié éternelle. » Proust vivait « dans la compagnie des grands morts dont il évoquait l'esprit », en combattant toutes les « obscurcissantes légendes dont on les entoure. » Il semblait hanté par le « souvenir des beautés qu'il n'avait pas connues ». Certaines phrases étaient « comme ces mélodies qu'on répète cent fois sans descendre plus avant dans leur secret. » Il y avait en son œuvre une sorte de dépassement de lui-même.

Ainsi, Proust nous décrit les formes et les figures différentes de certains êtres qui lui semblent « condamnés, comme dans une féerie, à apparaître d'abord en jeune fille, puis en épaisse matrone, et bientôt sans doute en vieille branlante et courbée ». De la sorte, il nous fait admirer « la force de renouvellement original du temps qui, tout en respectant l'unité de l'être et les lois de la vie, sait changer ainsi le décor et introduire de hardis contrastes dans deux aspects successifs d'un même personnage ». A travers tant de métamorphoses, le moi du Narrateur survit. Et, grâce à l'illumination de chaque « instant d'éternité, » Proust a pu isoler, immobiliser — la durée d'un éclair — « un peu de temps à l'état pur ».

On a prétendu que Proust niait l'identité de la personne humaine. Loin de là, il affirmait « la fixité des éléments composants de [notre] âme » : « Notre sentiment de la continuité de l'âme est le plus fort : nous sommes libres mais en ayant des buts. » en se penchant sur l'acte passé, Proust éprouve le sentiment d'être ; il dialogue avec ce qu'il a été avant d'être devenu ce qu'il est. Il sait que « les livres sont l'œuvre de la solitude et les enfants du silence », afin que puisse germer « l'herbe drue des œuvres fécondes ». Nos phrases doivent être faites de la substance de nos minutes les meilleures. Il cherche « ce qui (particulier à ce *moi* tout de même un peu subjectif qui est notre moi œuvrant) l'est aussi d'une valeur plus universelle que les « moi » analogues. »

---

(26) « Le relativisme illimité des apparences » coexiste « avec la claire conscience de quelque chose de permanent et d'immuable ».

Quand, nous parlons de métamorphoses, il ne s'agit donc plus seulement de celles que Proust opère dans ses personnages ou dans les objets qui l'entourent, il s'agit de celles que l'auteur a subies lui-même sous l'emprise du temps destructeur, « après un trajet que nul ne peut nous épargner, car (la sagesse) est un point de vue sur les choses ».

*
* *

Jadis, au temps de *Jean Santeuil,* il avait recueilli « l'essence de sa vie dans ces heures de déchirure où elle découle ». Aujourd'hui, n'ayant rien d'un de ces dandys décadents qu'il nous a décrits, Proust, « hermétiquement seul », veut affirmer dans « une œuvre de force » surtout son pouvoir de synthèse. Ce qu'il met en œuvre, c'est la puissance d'obsession et même d'intoxication de « cette part obscure et folle de notre être », qui demeure une « urne d'inconnaissable ». Comme son Charlus l'avait promis, il nous donne « une explication inconnue non seulement du passé mais de l'avenir ». C'est « un trésor d'expérience, une sorte de dossier secret et inestimable. »

Cependant, Proust ne voulait voir dans la vie humaine qu' « une suite de petites morts ». Après la disparition de sa maîtresse, le Narrateur s'écrie : « Pour me consoler, ce n'est pas une, ce sont d'innombrables Albertine que j'aurais dû oublier ». Qu'y a-t-il de commun entre la « Dame en rose », « Miss Sacripant », entrevue chez son oncle Adolphe, (27) et l'épouse de Swann, l'aérienne Odette de Crécy, devenue madame de Forcheville, puis la maîtresse dominatrice du vieux duc de Guermantes, humiliant aussi cette Oriane qui, jadis, refusait de la recevoir et qui, maintenant, a pour nièce la propre fille d'Odette, Gilberte, devenue marquise de Saint-Loup ?

Voici l'un des exemples les plus frappants de ces mues : « On me disait un nom et je restais stupéfait de penser qu'il

---

(27) Proust nous dit que cet oncle Adolphe avait connu à Nice Odette de Crécy, mariée à un noble authentique : il fait sans doute allusion à la marquise d'Audiffret, qui, elle-même de vieille souche espagnole, eut une fille de Charles Haas.

s'appliquait à la fois à la blonde valseuse que j'avais connue
autrefois et à la lourde dame à cheveux blancs qui passait
pesamment près de moi. Avec une certaine roseur de teint,
ce nom était peut-être la seule chose qu'il y avait de commun entre ces deux femmes... Pour que la vie eût pu arriver
à donner à la valseuse ce corps énorme, pour qu'elle eût pu
alentir comme au métronome ses mouvements embarrassés,
pour qu'avec peut-être, comme seule parcelle permanente, la
couleur des joues — plus large, certes, mais qui, dès la jeunesse, étaient déjà couperosées — elle eût pu substituer à
la légère blonde ce vieux maréchal ventripotent, il lui avait
fallu accomplir plus de dévastations et de reconstitutions
que pour mettre un dôme à la place d'une flèche... »

Proust voit encore un autre instrument de nos mutations
et transmigrations dans le chagrin qui brise « la chrysalide,
hâte la métamorphose et l'apparition d'un être qu'on porte
en soi et qui, sans cette crise qui fait brûler les étapes et
sentir d'un coup les périodes, ne fût survenue que plus lentement. » Car « notre moi est fait de la superposition de nos
« moi » successifs ; mais cette superposition n'est pas immuable comme la stratification d'une montagne. Perpétuellement des soulèvements font affluer à la surface des couches
anciennes ». (28) « Il me semblait, disait-il, que l'être humain
pouvait subir des métamorphoses aussi complètes que celles
des insectes ».

Proust nous parle d'une autre sorte de métamorphose qui
tient à la perspective et à la multiplicité des êtres. Ainsi, lorsqu'ils approche ses lèvres du cou d'Albertine, d'une chose à
l'aspect défini, c'est cent autres qu'il fait surgir : « Bref, de
même qu'à Balbec Albertine m'avait souvent paru différente,
maintenant — comme si, en accélérant prodigieusement la
rapidité des changements de pespective et des changements
de coloration que nous offre une personne dans nos diverses
rencontres avec elle, j'avais voulu les faire tenir toutes en
quelques secondes pour recréer expérimentalement le phénomène qui diversifie l'individualité d'un être et tirer les unes
des autres, comme d'un étui, toutes les possibilités qu'il
enferme — dans le court trajet de mes lèvres vers sa joue,
c'est dix Albertines que je vis ; cette seule jeune fille étant

(28) A.D. I, 205.

comme une déesse à plusieurs têtes, celle que j'avais vue en
dernier, si je tentais de m'approcher d'elle, faisait place à
une autre.» (29) Inversement, Proust juxtapose « le plus
de parties distinctes en un assemblage composite.» Seule la
mémoire affective donne à Proust le moyen d'échapper à sa
vision héraclitéenne des choses : il se baigne deux fois dans
l'eau du même fleuve. Et seul l'art du créateur, en saisissant
les essences par delà la discontinuité, pourra faire « toucher
à l'homme une manière d'absolu.» Telle est « l'étroite,
l'hermétique continuité du style ».

Le héros de Proust, comme celui de Dante, c'est l'*homme*,
l'homme au milieu du chemin de sa vie, l'homme aux portes
des enfers et du paradis, l'homme avec ses vices, ses servitu-
des et sa grandeur ; l'homme accédant enfin (sous la conduite
d'une Béatrice qui n'est autre que la mémoire affective) au
séjour de la Béatitude. Si le voyage céleste est précédé d'une
descente aux cercles maudits, c'est que, comme Dante au dire
de René Guénon, Proust a saisi qu'avant d'atteindre les états
supérieurs que symbolise chez tous deux le « divin Septuor »,
avant de vivre en cet état liturgique d'adoration perpétuelle
que nous communique la *présence réelle* du divin, nous
devons récapituler ces états qui précèdent la condition humaine et qui, la déterminant, participent à sa transformation.
D'ailleurs la manifestation des possibilités obscures, inconscientes et souterraines que porte en soi l'être de façon latente, doit être épuisée avant qu'il puisse parvenir au détachement. Tel est le chemin de cette quête du Graal, de cette
recherche de l'absolu. Proust, comme l'initié, pensait « qu'il
n'est guère que la nature qui nous dicte par moments des
révélations dont nous sentons qu'il est essentiel de les écrire.» Sa vision surgissait alors devant lui comme une
succession de songes avec lesquels il liait connaissance. C'était « l'apparition d'un coin mystérieux du
monde par le souvenir d'une vie antérieure.» Il se sentait
visité par un dieu. Et tout comme l'initié lorsqu'il entrevoit
avec un frisson sa véritable vocation, Proust se compare à
un lion apercevant le serpent Python qui le dévorera.

Transposant les faits de son expérience unis aux rêves de
son imagination, Proust a composé sciemment son grand

---

(29) *Guermantes*, II, 364-365.

cycle, où chaque mot, chaque geste a des dessous, avec de
lentes préparations. C'est également par là que l'œuvre de
Proust assume un accent prophétique et, décrivant un temps
qui la suivra, fait penser à celle de Kafka. Parfois même on
peut rencontrer chez l'auteur de *La Métamorphose* certaines
phrases qui semblent avoir été écrites par Proust, témoin
celle-ci : « Cette musique l'émouvait tant ! il avait l'impression qu'une voie s'ouvrait à lui vers la nourriture inconnue
qu'il désirait si ardemment.» Je ne suis pas le seul à être
frappé de ces affinités. Michel Carrouges a noté que, « toutes
différences personnelles mises à part, l'analogie est frappante
entre cette triade de la nourriture, de la musique et de la
fête chez Kafka, et la triade de la madeleine, de la Sonate de
Vinteuil et de la fête à l'hôtel de Guermantes chez Proust :
ce sont les éclairs d'une autre vie dans cette vie même.»
Dans la Sonate, « le piano solitaire se plaignait comme un
oiseau abandonné de sa compagne ; le violon l'entendit comme d'un arbre voisin. C'était comme au commencement du
monde... » Par sa recherche des essences, Proust parvient à
connaître cette vie, enfin révélée. Il peut parler d'une « fusion
mystique de notre vie avec la vie qui nous entoure », ce qui
nous permet « de nous évader de notre moi et de briser notre
écorce.» Malgré l'absence apparente de Dieu, Proust, au
terme de sa recherche, semble avoir retrouvé la confiance et
la joie en pénétrant dans « le royaume du vrai.» « La loi
cruelle de l'art, dit-il, est qu'il faut que nous mourions pour
que croisse l'herbe drue de la vie éternelle. Mais l'homme de
génie ne peut donner naissance à des œuvres qui ne mourront
pas qu'en les créant non à l'image de l'être mortel qu'il est
mais de l'exemplaire d'humanité qu'il porte en lui ». (30)

*
**

A tant d'unités éparses dans son œuvre, Proust a voulu
donner une unité finale et dynamique. La forme de la *Recherche* n'est pas un cercle fermé, une boucle, mais bien plutôt

---

(30) Ainsi que le pensent également Louis Bolle et Georges Daniel.
Saint-Simon disait déjà : « Tout est cercle et période ».

une spirale, « figure symbolique de l'univers en expansion » :
à l'idée du retour est liée celle de l'ascension. On sait que,
pour Proust, « les distances ne sont que le rapport de l'espace
au temps, et varient avec lui. » En vertu de sa conception de
« l'instant intemporel », Proust, situé hors du temps, que
pourrait-il craindre de l'avenir ? Il sait, d'autre part, qu'il y
a « des erreurs d'optique dans le temps comme dans l'espace ». La chronologie de la mémoire n'est pas celle des horloges. Il lui est donc facile de passer du récit au mythe. En
cela, Proust est proche de ce Kierkegaard, dont il n'a sans
doute pas connu l'œuvre. (31)

*
* *

Proust eût également pu se réclamer de Dante qui voulait
que toute grande poésie fût non seulement analogique et allégorique, mais encore *anagogique*, c'est-à-dire qu'elle fût à
même de peindre les choses les plus simples et de suggérer
par celles-ci, en même temps, les mystères les plus élevés.
Ce pouvoir de transfert, de métamorphose et de magie incantatoire, nul ne l'a possédé plus fortement que Proust, au
point que parfois son récit semble passer du plan terrestre
et quotidien jusqu'aux profondeurs des hymnes orphiques.
Proust pensait que « la fusion des émotions morales aux sensations naturelles » est la seule grande poésie. Il nous a fait
pénétrer « dans ces régions profondes, secrètes, presque
inconnues à nous-mêmes, où notre personnalité reçoit de
l'imagination les images, de l'intelligences les idées, de la
mémoire les mots. » Et c'est son art de romancier que Proust
évoque lorsqu'il dit : « Qu'importe... que les actions, les émotions de ces êtres d'un nouveau genre nous apparaissent
comme vraies, puisque nous les avons faites nôtres, puisque
c'est en nous qu'elles se produisent, qu'elles tiennent sous

---

(31) Dès 1935, dans *L'Amitié de Proust*, j'ai suggéré ce rapprochement entre Proust et le penseur danois, tant en raison de leur conception du temps qu'en raison des rapports qu'on peut établir entre la
sensation-souvenir de Proust et la « répétition » de Kirkegaard. Dans
son beau livre sur *Proust ou le complexe d'Argus*, Louis Bolle a donné
une étude approfondie de ce sujet.

leur dépendance, tandis que nous tournons fiévreusement
les pages du livre, la rapidité de notre respiration et l'intensité de notre regard !». Le romancier nous trouble à la façon
d'un rêve plus clair que ceux que nous avons en dormant.
(32)

Oriane, Odette, Octave, Albert Bloch devenu Jacques du
Rozier, subissent de tels avatars qu'ils sont méconnaissables.
Les mutations se font par sauts brusques. Et ces peronnages
étranges ne communiquent pas entre eux. On dirait des poissons qui, dans un aquarium, passent et repassent les uns
devant les autres, sans jamais se voir ni se rencontrer... Ce
sont des ombres qui sortent d'un songe et rentrent dans un
songe. Parfois, cependant, le spectacle s'anime et revêt des
lueurs de fête, de fable, de gala : on est saisi par un puissance terrible et grotesque, « qui fait songer à un mélange
d'Orcagna et de Hogarth dans ses expressions de l'humanité
dégradée. » C'est, dit encore Proust, « un guignol à la fois
scientifique et philosophique », un guignol de poupées et de
fantoches extériorisant le temps, qui d'habitude n'est pas
visible et qui, pour le devenir, cherche des corps, s'en empare
pour montrer sur eux sa lanterne magique. Dans les éléments nouveaux qui composent certains personnages, on
reconnaîtra « la figure symbolique de la vie, non pas telle
qu'elle nous apparaît, c'est-à-dire permanente, mais réelle,
atmosphère si changeante que le fier seigneur s'y peint en
caricature, le soir, comme un marchand d'habits ». De là
cette vision de cauchemar que nous laisse une fête où tous
les figurants défilent comme les masques grotesques d'un
carnaval, les squelettes parés d'oripeaux d'une danse macabre. Jérôme Bosch n'a jamais peint de monstres plus hideux,
le vieux Frans Hals n'a pas plus cruellement stigmatisé les
tares de ses modèles décrépits, Goya n'a pas mieux souligné
l'horreur humaine en ses *Désastres* et ses *Caprices*.

*
**

Dans la « *Matinée Guermantes* », véritable horloge astronomique », ce qui nous frappe le plus, ce n'est pas la sinis-

---

(32) *Swann*, p. 104 (Grasset).

tre mascarade, c'est la Danse Macabre, le cortège quasi funèbre de ces morts en sursis dont le Temps est l'impitoyable
meneur de jeu. Proust, pressentant qu'il serait lui-même
l'un des premiers frappés, ne s'en est pas moins fait le complice et le compère de la Camuse qui attend ses proies. Avec
quelle cruauté il fait alterner « les portraits magnifiquement
atroces » et les portraits « doux, vénérables », dans ce purgatoire où triomphe « l'obscur ennemi », ce Temps « qui
mange la vie » et qui

> Du sang que nous perdons croît et se fortifie. (33)

C'est bien « l'universelle aragne » incorporant au réseau
de sa toile tant de captures diverses. Comme le poète des
Fleurs du Mal, Proust a conscience d'être « un bâtiment travaillé par une maladie secrète ». Il savait aussi, comme
Fromentin, que la volupté de se souvenir longtemps... l'avait
menacé de ne pouvoir vivre. » Il avait à la fois « l'horreur
de la vie » et « l'extase de la vie. » Il voulait être « l'homme
d'avant le péché » ou « d'après le péché. » Chez lui, le génie,
le rêve, l'imagination s'unissent pour créer un monde magique sans commune mesure avec l'univers visible de tous les
jours. Ce n'est pas sans raison qu'Albert Béguin a pu voir
en Proust « le plus mystique des grands rêveurs modernes ».
« Proust peut dire : « Alors moi qui, depuis l'enfance, vivais
au jour le jour, je m'aperçus pour la première fois, d'après
les métamorphoses qui s'étaient produites dans tous les gens,
du temps qui avait passé pour eux, ce qui me bouleversa par
la révélation qu'il avait aussi passé pour moi... » (34)

Proust a senti la mort avec une angoisse si profonde qu'il a pu
considérer la vie avec sérieux, tout en gardant cet enjoue-
ment qui faisait son charme. La matinée Guermantes est une
inénarrable fantasmagorie : on sent qu'il s'agit d'une apparition vengeresse de personnages qui sont non seulement
« promis à la mort », mais déjà défunts, trépassés... Et c'est
comme une vision posthume et macabre à laquelle Proust,
moribond, voulut convier à la fois ses créatures et ses lecteurs

---

(33) Baudelaire.

(34) « Et maintenant je comprenais ce qu'était la vieillesse, ... je
comprenais ce que signifiaient la mort, l'amour, les joies de l'esprit,
l'utilité de la douleur, la vocation ».

à venir. Ayant entendu clairement l'appel de sa voix intérieure, il écrivait pour soi et pour tous ceux qui le liraient un
jour. Proust avait deux visages : l'un tourné vers le passé,
l'autre vers l'avenir. Il n'a pas seulement deviné la vraie
nature de l'homme : il l'a changée. Glissant certains événements « sous le verre grossissant de la mémoire », Proust
leur donnait tout leur relief, dissociait, reculait et situait « en
perspective à différents points de l'espace et du temps, ce qui,
pour ceux qui n'ont pas vécu ces événements, semble amal-
gamé sur une même surface. » Proust n'a-t-il pas vécu des
vies parallèles ? Il écrivait : « Je n'étais pas un seul homme,
mais le défilé heure par heure d'une armée compacte où
il y avait selon le moment, des passionnés, des indifférents,
des jaloux ». (35) Néanmoins, « un amour a beau s'oublier, il
peut déterminer la forme de l'amour qui le suivra ». Ainsi
naîtra la « triple Hécate » que fut pour Proust l'amour suc-
cessif de Gilberte, d'Oriane et d'Albertine, « les trois femmes
aimées » qui lui échappaient toujours... « Je sentais que je
touchais seulement l'enveloppe close d'un être qui, par l'intérieur, accédait à l'infini ». Il y a une phrase de Proust sur
Racine qui pourrait s'appliquer pertinemment à l'auteur de
Swann : « Et sans doute une hystérique de génie se débattait-
elle en Racine, sous le contrôle d'une intelligence supérieure
et simula-t-elle pour lui... avec une perfection qui n'a jamais
été égalée, les flux et les reflux, le langage multiple, malgré
cela totalement saisi, de la passion ». Certes, Proust était lui-
même conscient de cette affinité avec l'auteur de *Phèdre* : ses
innombrables allusions à la tragédie de Racine en sont
l'aveu non déguisé.

Proust voyait en la Phèdre de Racine, je l'ai dit, une « prophétie des épisodes amoureux de sa propre existence ». Il
ne manquait pas de souligner aussi « le côté cosmique du
drame » : « Noblesse plastique, cilice chrétien, pâleur jansé-
niste, princesse de Trézène et de Clèves, drame mycénien,
symbole delphique, mythe solaire ». Il insistait (du moins
le Narrateur dans un entretien avec Bergotte) sur la
lueur marine, la clarté glauque dont est entourée à la scène
la Berma, pareille, dans le rôle de Phèdre, à une branche de
corail dans un aquarium — image que Proust reprendra dans

---

(35) *Albertine disparue*, I, 118.

sa description de la « baignoire » de la princesse de Guermantes.

Avec une audace aussi géniale que celle d'un Lavoisier, d'un Ampère, il a découvert « les lois secrètes d'une force inconnue, menant à travers l'inexploré, vers le seul but possible, l'attelage invisible auquel il se fie et qu'il n'apercevra jamais. » Proust n'était avide de connaître que ce qu'il croyait plus vrai que lui-même, ce qui avait pour lui le prix de montrer « un peu de la pensée d'un grand génie ou de la grâce de la nature telle qu'elle se manifeste livrée à elle-même, sans l'intervention des hommes. » Longtemps, il avait accumulé du rêve dans le prestige des noms, qu'il ressassait sans cesse comme une mélodie, sans pouvoir s'en rassasier. Proust portait simplement en lui cette âme sensible et mobile dont a parlé Diderot : il ne recevait pas une idée qu'elle n'éveillât en lui un sentiment. Dans son œuvre — et j'emprunte ses propres mots — « la plénitude inouïe de la pensée et du sentiment fait de chaque épithète, de chaque membre de phrase, un petit monde de beauté profonde et concentrée. » Proust dégage « l'esprit individuel et transcendant qu'il y a en chaque chose, en chaque chose de la nature et de l'homme ».

Proust n'aimait pas rapporter sa propre formation, divulguer ses sources. A ce point de vue, il n'est rien de moins subjectif que son œuvre, qu'il voulait universelle. Il a pu se mettre dans la peau de chacun de ses personnages. Sa mémoire maintient « les différentes parties d'un souvenir équilibrées dans un assemblage où il ne nous est pas permis d'en rien distraire ou refuser ». Cependant, depuis Proust, quel romancier n'a cru devoir donner à son récit « la dominante autobiographique » ?

Les personnages de la *Recherche* ne « sont donnés dans leur vértié dernière qu'à la suite de tout un jeu de reprises, de retours, de reflets ou d'interférences »... Non seulement Proust mulitiplie les images, mais il les concentre, il les fait converger. Proust déplorait que beaucoup de critiques aient méconnu « cette composition rigoureuse bien que voilée (et peut-être plus difficilement discernable parce qu'elle était à large ouverture de compas et que le morceau symétrique d'un premier morceau, la cause et l'effet se trouvaient à un grand intervalle l'un de l'autre) »... Il ajoutait :, « Ce n'est qu'à la fin du livre, et une fois les leçons de la vie comprises, que ma pensée se dévoilera. Celle que j'exprime à la fin du premier volume est le contraire de ma conclusion. Elle est une étape, d'apparence subjective et dilettante, vers la plus objective et croyante des conclusions. Si je n'avais pas de croyances intellectuelles... je ne prendrais pas, malade comme je suis, la peine d'écrire » (36). Ce que Proust cherche donc, c'est : « Dieu intérieur. vérité désirée par le cœur, consentie par la conscience ». (37) « Le dernier chapitre du dernier volume a été écrit tout de suite après le premier chapitre du premier volume. Tout l'entre-deux a été écrit ensuite ».

Proust cherchait dans l'art non seulement « une possibilité de libération par rapport à certaines limitations spatiales qui se révèlent illusoires », mais aussi « une possibilité de lbération par rapport au temps de l'usure et de l'*oubli*, par rapport au temps de l'absence »... Il a particulièrement souligné « ce rôle libérateur du son par rapport à l'inertie et au vieillissement ». Il nous le montre qui culmine dans le *Septuor* de Vinteuil. La musique lui rendait aussi l'espoir de cette « fête » qu'il avait poursuivie « en vain parmi les cérémonies du monde ». Il trouvait « une brusque suspension du temps » et des instants de révélation à la façon de ces « réminiscences qui cachaient une vérité nouvelle, une image précieuse »... Seule la musique pouvait réconcilier le dionysiaque et l'apollinien : à ces altitudes, « les antinomies se résolvent dans l'absolu ».

*
* *

Nous ne sommes, dit Proust, que « des îlots de conscience sur un océan d'oubli. » Chez lui, la mémoire est toujours liée à l'oubli. Il y a dans la *Recherche* des « terres reconquises sur l'oubli qui s'assèchent et se rebâtissent. » Néanmoins, Proust confesse : « Et c'est notre plus juste et cruel châtiment de l'oubli si total, paisible comme celui des cimetières, par quoi nous sommes détachés de ceux que nous n'aimons

---

(36) Lettre à J. Rivière.
(37) Cf. J. Mouton, *Proust devant Dieu.*

plus, que nous entrevoyions ce même oubli comme inévitable
à l'égard de ceux que nous aimons encore. » (38)

Véritable scaphandrier, Proust plonge à la recherche d'une
mémoire engloutie et d'une race coupable que les eaux de
l'oubli submergent. Son roman est « un univers inconnu tiré
du silence et de la nuit », comme le Septuor de Vinteuil. Il
tâtonnait dans l'ombre jusqu'à ce que les cloisons ébranlées
de la mémoire eussent cédé ». Comme un somnambule,
Proust semble reporter sur son « Double » ses rêves. Il semble vivre un songe plus profond et plus fantastique que celui
du sommeil. Il nous faut donc décrypter « l'alphabet intelligible » de Proust. A travers la nuit de son âme ravagée,
Proust plonge son regard de « nocturne » afin d'y découvrir
la proie insaisissable qu'il convoite : sa propre ambiguïté
de nature et de destin. « Plus avant que n'est encore descen-
due la sonde, dit-il, je plongerai mon livre sous les eaux. »

A mesure que nous nous laissons entraîner par Proust
dans les chemins sinueux de sa pensée et de sa mémoire, il
se passe en nous cette métamorphose insolite : cessant d'être
les lecteurs d'un récit qui nous serait étranger, nous avons
l'impression mystérieuse de ne plus écouter une voix qui
nous serait extérieure, mais de sentir s'éveiller en nous une
très intime et très personnelle incantation, qui nous mettrait
en communication avec la part la plus profonde, la plus
inexplorée de nous-même ; nous descendons jusqu'au tré-
fonds de notre cœur et nous y reconnaissons d'étranges possibilités latentes, insoupçonnées, des monstres inconnus,
d'inimaginables amalgames.

Comme Vinteuil, Proust a puisé « cette force de Dieu,
cette puissance illimitée de créer », grâce à sa seule douleur,
« grâce à cette richesse, à cette variété que cache à notre
insu cette grande nuit impénétrée et décourageante de notre
âme que nous prenons pour du vide et du néant ». De la
même façon que le musicien du Septuor, Proust nous fait
découvrir la seule vie réellement vécue : il nous la fait entendre « sur un clavier non de sept notes mais incommensurable,
encore presque tout entier inconnu, séparées par d'épaisses
ténèbres inexplorées, quelques-unes des millions de touches

---

(38) III, p. 482.

de tendresse, de passion, de courage, de sérénité qui le composent et dont chacune est aussi différente des autres qu'un univers d'un autre univers ». Ce qu'il y a de chrétien chez Proust — dont par ailleurs la philosophie semble plutôt se rapprocher du bouddhisme — c'est qu'il a presque héroïquement adopté l'enseignement de la souffrance, s'y plongeant « comme dans un feu d'expiation. »

Evoquant la musique de son héros, Vinteuil, Proust nous décrit « ces thèmes insistants et fugaces qui ne s'éloignent que pour revenir » et qui, « presque détachés, sont à d'autres moments, tout en restant vagues, si pressants et si proches, si internes, si organisques, si viscéraux qu'on dirait la reprise d'un motif ou d'une névralgie ». Or, son *Septuor* de Vinteuil, comme les derniers quatuors de Beethoven, passe au-delà de la musique. Il est fait d'une trame *d'instants intemporels*. Proust est cet homme qu'obsède non seulement le *passé*, mais le *passage* et, plus encore, l'instant *qui passe et qui ne passe pas*. Le *Septuor* de Vinteuil a, dans Proust, les couleurs diaprées du prisme. La transformation de la blanche sonate en rougeoyant septuor s'est faite par étapes. Il s'agit d'abord d'un quintette. Ailleurs, il parle même d'un quatuor et d'un « concert ». La sonate était bâtie sur un thème de cinq notes, tandis que le *Septuor* en aura sept. L'artiste est représenté par Proust comme un prisme qui réfracte la lumière, tantôt la divisant dans les couleurs du spectre solaire, tantôt reconstituant la lumière blanche. Il parlera d'une *Variation* hyperprismatique de Vinteuil. Proust fait appel à l'ensemble des émotions sensorielles. Il a cette transparence d'un lyrisme où le langage laisse apparaître les sentiments. Ses métamorphoses sont fondées non seulement sur les sens supérieurs — vue, ouïe — mais sur le toucher, la saveur, etc... Quelle hyperesthésie ! La mémoire affective, éveillée par des analogies sensorielles, déclenche les analogies les plus efficaces.

Peut-être Proust a-t-il également songé au « Septuor de scintillations » qu'évoque Mallarmé. Il nous en a tracé « l'espace sonore », les arabesques, il nous en a dépeint la couleur de géranium, les cassures écarlates, il nous en a donné les « sensations de largeur, de ténuité, de stabilité, de caprice ». Nous savons que la phrase essentielle du Septuor a sept notes : c'est une métaphore du prisme... De même que la peinture d'Elstir (et disons la prose de Proust), la musique de Vinteuil étendait, « notes par notes, touches par touches, les colorations inconnues, inestimables, venues d'un univers insoupçonné, fragmenté par les lacunes que laissaient entre elles les auditions de son œuvre ». Un étrange murmure parcourt cette page musicale, comme une longue plainte lancinante venue de l'autre rive, « ensemble merveilleux », parce qu'y voisinaient « les gammes de couleurs ». Disons, avec Butor, qu'à « la mobilité inscrite structuralement dans l'œuvre s'ajoute ce développement progressif »... C'est une architecture verbale en mouvement, comme toute la *Recherche du Temps Perdu* elle-même. Nous admirons un élan dont les jets sont constants et multipliés, nous dévoilant peu à peu le plan de l'ouvrage « magnifiquement étagé jusqu'à cette apothéose finale ».

Proust s'est demandé si la musique n'était pas l'exemple unique de ce qu'aurait pu être — s'il n'y avait pas eu l'invention du langage, la formation des mots, l'analyse des idées — « la communication des âmes ». « En nous révélant ces mystères qui n'ont sans doute leur explication que dans d'autres mondes, l'art nous apporte la preuve qu'il existe autre chose que le néant ». S'arrachant un jour aux plaisirs de la lecture et de la conversation, Proust décida donc de plonger en lui-même, dans « ce monde unique, sans communication avec le dehors, qu'est l'âme du poète ». Jamais chez Proust ne fut tari ce courant souterrain par lequel il recevait les confidences des éléments, parvenant à solidariser, d'une façon à la fois philosophique et poétique, le présent au passé, un passé « qui le dirige en l'hypnotisant ». Cela lui permettait d'avoir, en plein xxᵉ siècle, une vision primitive et magique du monde où tout était plein d'âme, de forces élémentaires, où tout se touchait, se ressemblait, où chaque chose, chaque partie symbolisait avec les autres et avec le tout ; or cette vision animiste et magnétique, se référant à l'amour universel, mettait un charme à la base de l'envoûtement par lequel un être s'abandonne à un autre. Il y avait alors en Proust un prophète oriental sujet à des extases lucides. Ne disait-il pas : « La mort eût dû me frapper en ce moment que cela m'eût paru impossible, car la vie n'était pas hors de moi, elle était en moi »...

*
**

Cet accent mystique nous frappe. Je ne crois pas qu'il y ait, chez Proust, une intention profanatrice consciente dans l'emploi d'expressions religieuses telles que « présence réelle », (40) « adoration perpétuelle », grâce, offertoire, hostie, septième ciel, etc... Dans un pays imprégné de christianisme, on l'a dit, « une œuvre d'art atteignant à des régions supérieures » emprunte inévitablement ce vocabulaire au catholicisme. Je ne vois pas de tentation « faustienne » évidente dans la *Recherche*. En revanche, Proust semble être, comme Dante, descendu chez les morts pour nous montrer les vivants d'autrefois, maintenant démasqués, débusqués, chargés de leurs tares ; or les cercles sulfureux qu'il décrit ont nom Sodome et Gomorrhe ; si bien que, dans cette peinture inexpiable, « le divin Septuor » de Vinteuil a partie liée avec les Cités maudites de la Plaine ou avec l'Ile de Lesbos, puisque le chef d'œuvre musical fut restitué par la peine et la piété filiale de la fille du compositeur et de son amie sadique. Ainsi, Proust savait, comme l'autre, que l'*Enfer aussi fut créé par amour*. En ce ballet fantastique, vrai conte oriental, l'ange noir Iblis garde également son étrange grandeur et le roman, qui n'est pas que l'histoire du passé ressaisi, mais du *moi* recouvré, récupéré, nous fait passer, comme le Septuor, « d'un rose d'aurore à l'ensoleillement brûlant et passager de midi ». Le *Septuor* de Vinteuil diffère encore de la Sonate. « C'était sur des surfaces unies et plates comme celle de la mer que, par un matin d'orage, commençait, au milieu d'un aigre silence, dans un vide infini, l'œuvre nouvelle, et c'est dans un rose d'aurore que, pour se construire progressivement devant moi, cet univers inconnu était tiré du silence et de la nuit. Ce rouge si nouveau, si absent de la tendre, champêtre et candide sonate, teignait tout le ciel, comme l'aurore d'un espoir mystérieux. Et un chant perçait déjà l'air, chant de sept notes, mais le plus inconnu, le plus différent de tout ce que j'eusse imaginé jamais, à la fois ineffable et criard, non plus roucoulement de colombe comme dans la Sonate, mais déchirant l'air, aussi vif que la nuance écarlate dans laquelle le début était noyé, quelque chose comme un mystique chant du coq, un appel ineffable mais suraigu de l'éternel matin ». (41)

(39) I, p. 934.
(40) Cf. Claude Vallée, *La féerie de M. Proust*.
(41) III, 250.

Cet étrange appel, le Narrateur ne cessera plus jamais de l'entendre « comme la promesse qu'il existait autre chose, réalisable par l'art sans doute ... Dans la musique de Vinteuil, il y avait ainsi de ces visions qu'il est impossible d'exprimer et presque de contempler, puisque, quant au moment de s'endormir on reçoit la caresse de leur irréel enchantement,... on s'endort... Mais il n'est pas possible qu'une sculpture, une musique qu'on sent plus élevée, plus pure, plus vraie, ne corresponde pas à une certaine réalité spirituelle, ou la vie n'aurait aucun sens ». (42)

Le *Septuor* de Vinteuil est-il un « appel presque inquiet lancé derrière un ciel vide », un « appel vers une joie supraterrestre », ou « la révélation d'un type inconnu de joie » ? Proust insiste : « L'étrange appel que je ne cesserai jamais plus d'entendre, comme la promesse et la preuve qu'il existait autre chose que le néant que j'avais trouvé dans tous les plaisirs et dans l'amour même, et que si ma vie me semblait si vaine, du moins n'avait-elle pas tout accompli ! »

« Le seul véritable voyage, écrit encore Proust, le seul bain de jouvence ce ne serait pas d'aller vers de nouveaux paysages, mais d'avoir d'autres yeux, de voir l'univers avec les yeux d'un autre, de cent autres, de voir les cent univers que chacun d'eux voit, que chacun est : et cela nous le pouvons avec un Elstir, avec un Vinteuil, avec leurs pareils : nous volons vraiment d'étoiles en étoiles. » (43)

Le *Septuor* est l'une de ces épiphanies qui « ressuscitant le passé, rendent possible l'avenir ». Revenu dans les salons parisiens, « illuminés, oublieux et fleuris comme de paisibles cimetières, » Proust a vu surgir — tel un génie consolateur, au-dessus des ruines du temps — imprévisible, enivrante et mystérieuse apparition : l'Instant d'Eternité. « Une minute affranchie de l'ordre du Temps a recréé en nous pour la sentir l'homme affranchi de l'ordre du temps. Et celui-là on comprend qu'il soit confiant dans sa joie... Situé hors du temps, que pourrait-il craindre de l'avenir ? »

N'est-ce pas là le sens de la véritable métamorphose et de la réanimation, « l'approximation la plus hardie des allégresses de l'au-delà » ?

FIN

---

(42) III, p. 375.
(43) III, p. 1258.

ACHEVÉ D'IMPRIMER SUR LES PRESSES
DE L'IMPRIMERIE COMMERCIALE DE
L'ÉVEIL DE LA HAUTE-LOIRE
AU PUY-EN-VELAY — 43
DÉPOT LÉGAL : 4ᵉ TRIMESTRE 1972